40 leçons
pour parler
japonais

Nouvelle édition

Langues pour tous
Collection dirigée par Jean-Pierre Berman,
Michel Marcheteau et Michel Savio

JAPONAIS

□ Pour débuter (ou tout revoir) :
- **40 leçons pour parler japonais** (cassettes) (CD)
(Nouvelle édition)

□ Pour se débrouiller rapidement :
- **Le japonais tout de suite !** (cassettes)

□ Pour se perfectionner et connaître l'environnement :
- **Pratiquez le japonais** (cassettes)

Autres langues disponibles dans les séries
de la collection **Langues pour tous**

ANGLAIS / AMERICAIN – ALLEMAND – ARABE – CHINOIS – ESPAGNOL
FRANÇAIS – GREC – HEBREU – HONGROI – ITALIEN – LATIN
NEERLANDAIS – OCCITAN – POLONAIS – PORTUGAIS
RUSSE – TCHÈQUE – VIETNAMIEN

ISBN : 2-266-13063-3

40 leçons pour parler japonais

Nouvelle édition

par

Hidenobu Aïba

Professeur à l'Université Aoyama (Japon)

Ancien maître de conférence à l'Institut d'Études Politiques de Paris et à l'École Supérieure d'Électricité

avec la collaboration de

Richard Dubreuil
Agrégé de l'Université
Professeur à l'IEP Paris

Colette Perrachon
(DEA de japonais)

CD Version sonore

POCKET

Sommaire

Sommaire

Sommaire

Sommaire

■ **40 leçons pour parler japonais** est un outil d'auto-apprentissage complet appelé «tout-en-un» car il propose à son utilisateur :

● **une présentation méthodique, déjà mise au point avec succès dans sa présédente version, pour acquérir les bases de la langue, accompagnée d'une série d'exercices calibrés avec corrigés destinés à ancrer solidement les connaissances ;**

● **une batterie de tests permettant de mesurer les acquisitions;**

● **un ensemble de repères géographiques, historiques et culturels pour mieux connaître et comprendre le Japon et donc mieux communiquer avec les Japonais ;**

● **des dialogues vivants pour l'entraînement à la compréhension ;**

● **un guide pratique pour la vie de tous les jours ;**

● **une grammaire et un lexique bilingue.**

■ **À qui s'adresse cet ouvrage ?**

● à ceux, en premier lieu, qui *commencent à zéro* l'étude du japonais, et qui pourront progresser à leur rythme, avec une totale autonomie ;

● à ceux qui n'ont pu accorder à l'étude du japonais le temps nécessaire, avec, pour conséquence, *un manque de structuration de leur apprentissage* ;

● enfin à ceux qui ont étudié le japonais dans de bonnes conditions *mais n'ont pu le pratiquer* pendant des années et ont besoin de rafraîchir leurs connaissances.

■ **Les auteurs ont donc choisi :**

● d'assurer la connaissance claire et nette des bases principales de la langue, en veillant à ce que tous les éléments présents soient définitivement assimilés ;

● d'illustrer les mécanismes décrits par des *formules de grande fréquence* et d'une utilisation courante ;

● d'éveiller *l'intérêt pour la langue et le pays* de ceux qui la parlent.

Ces caractéristiques font également de **40 leçons pour parler japonais** *un ouvrage de complément*, tant pour les élèves et les étudiants que pour les participants aux sessions de formation continue.

La description et les conseils qui suivent vont vous permettre d'utiliser cette méthode et d'organiser votre travail de façon efficace.

0 Présentation et Conseils

Plans des Leçons

Vous retrouverez dans toutes les leçons une **organisation identique** destinée à faciliter l'auto-apprentissage; elles comportent 4 parties : **A**, **B**, **C** et **D** de 2 pages chacune.

Ainsi pourrez-vous travailler **au rythme qui vous conviendra**. Même si vous n'avez pas le temps d'apprendre l'ensemble d'une leçon, vous pourrez l'aborder et en **étudier une partie seulement**, sans perdre pied ni avoir le sentiment de vous disperser.

➡ **A** et **B** présentent les éléments de base.

➡ **C** propose des exercices avec corrigés et les écritures hiragana, katakana et kanji.

➡ **D** offre des dialogues en situation, des informations utiles pour la vie quotidienne et des points de civilisation.

■ **Parties A et B : elles se subdivisent en 4 sections :**

A1 et **B1** – **PRÉSENTATION**

Cette 1ère section vous apporte les matériaux de base nouveaux (*écriture japonaise*, *grammaire*, *vocabulaire*, *prononciation*) qu'il vous faudra connaître et savoir utiliser pour construire des phrases.

A2 et **B2** – **APPLICATION**

À partir des éléments présentés en **A1** et **B1** vous est proposée *une série de phrases modèles* (qu'il faudra par la suite vous entraîner à reconstruire par vous-même).

A3 et **B3** – **REMARQUES**

Diverses *remarques* portant sur les phrases de **A1** et **B1** (**A2** et **B2**) précisent tel ou tel point de grammaire, vocabulaire, écriture ou prononciation.

A4 et **B4** – **TRADUCTION**

Cette dernière section apporte la *traduction intégrale* de **A2** et **B2**.

■ **Partie C : elle est également subdivisée en 4 sections :**

C1 – EXERCICES

Ils servent à *contrôler l'acquisition* des mécanismes appris en **A** et **B**.

C2 – CORRIGÉ

On y trouve la solution complète des exercices de **C1**, ce qui permet *une auto-correction*.

C3 et C4 – ÉCRITURE

Cette section permet d'exercer les trois écritures, hiragana, katakana et kanji (idéogrammes).

■ **Parties D : elle est aussi subdivisée en 4 sections :**

D1 et **D3** proposent un *dialogue vivant*, reprenant le vocabulaire acquis en A et B, et introduisant de nouvelles expressions utiles.

D2 est consacré à *la vie pratique* et offre du vocabulaire, des expressions et des informations utiles pour la vie quotidienne.

D4 permet de prendre contact avec des *informations géographiques, historiques et culturelles*, afin de mieux connaître et comprendre vos futurs interlocuteurs. Cette partie peut être lue en dehors de la progression imposée par les parties A et B.

➡ **Les dialogues ne débutent qu'à partir de la leçon 6.**

■ **Tests de contrôle 1, 2, 3 et 4 :**

● Effectuez chaque série de 10 tests *sans vous reporter aux leçons* en moins de 10 minutes.

● Reportez-vous au corrigé et étudiez les points sur lesquels vous vous êtes trompés.

➡ Si vous n'êtes pas débutant, faites l'ensemble des 40 tests, sans vous reporter au livre en 15 à 20 minutes et établissez votre diagnostic.

■ **Précis grammatical et lexique bilingue :**

● Le **précis** vous donne un résumé d'ensemble des problèmes grammaticaux de base.

● Le **lexique bilingue** sert de petit dictionnaire qui permet de rechercher non seulement tout le vocabulaire rencontré en A, B, C et D, mais aussi des mots courants de la vie japonaise.

CNSEILS GÉNÉRAUX

● **Travaillez régulièrement :** étudier 20 à 30 minutes par jour sur une leçon est plus profitable que de survoler plusieurs leçons 3 heures tous les 10 jours.

● **Programmez l'effort :** ne passez pas en **B** sans avoir bien retenu **A.**

● **Revenir en arrière :** n'hésiter pas à refaire plusieurs fois les exercices :

➡ Pour les parties **A** et **B** : après avoir pris connaissance de **A1** ou **B1**, bien lu **A2** et **B2**, reportez-vous aux remarques **A3** ou **B3**. Essayez de reconstituer les phrases **A2** ou **B2** en partant de **A4** ou **B4**.

- **Partie C** (EXERCICES) : faites les exercices par écrit avant de regarder le corrigé.
- **Partie D1** et **D3** (DIALOGUE) : voir **VERSION SONORE**.
- **Partie D2** (VIE PRATIQUE) et **D4** (CIVILISATION) : vous pouvez les lire au fur et à mesure ou au hasard si cela peut stimuler votre intérêt.

VERSION SONORE

Le coffret **40 leçons** comporte un enregistrement réaliseé en son numérique à l'identique sur 2 supports : 4 K7 et 2 CD.

Vous trouverez sur chacun d'eux :

- l'intégralité des parties **A2** et **B2**, portant les symboles [●●] (CD).
- une sélection des exercices **C1** précédée de [●●] (CD).
- l'intégralité des dialogues **D1**.

■ **La version K7 :** elle vous permettra de travailler chez vous, mais aussi en déplacement (voiture, métro, train, etc.). Des blancs sont ménagés pour vous permettre de répéter et le dialogue est repris deux fois pour faciliter votre entraînement à l'expression.

■ **La version CD :** elle vous offre un grand confort d'écoute et facilite la recherche des leçons et l'accès rapide à ce que vous souhaitez réécouter.
Elle vous permettra un bon entraînement à la compréhension orale. Elle ne comporte pas de blancs pour la répétition mais en utilisant la touche « pause » vous pourrez également vous entraîner à répéter.

CONSEILS :

- Dans un premier temps, écoutez l'enregistrement en vous aidant de votre livre.
- Puis, petit à petit, efforcez-vous de répéter et de comprendre sans votre livre.

1 あなた Anata

A 1 PRÉSENTATION

■ **Hiragana**, *graphie japonaise*

hiragana	prononciation	ordre des traits
あ	[a]	
な	[na]	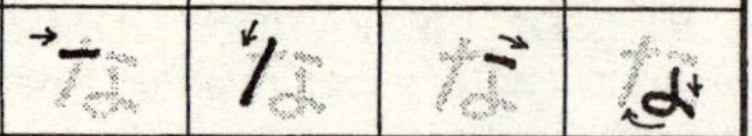
た	[ta]	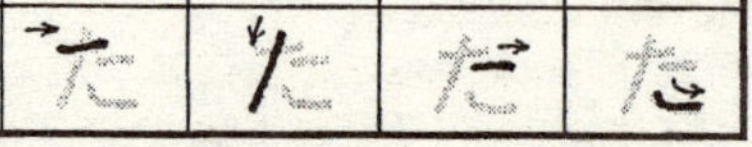

☞ On dessine les hiragana en respectant l'ordre des traits qui est soumis à 3 principes : (1) de gauche à droite; (2) de haut en bas; (3) priorité à l'orizontale, quand les lignes se coupent.

■ **Vocabulaire**

mot en hiragana	prononciation	traduction
あなた	[anata]	*toi*

A 2 APPLICATION

1. あ
2. な
3. た
4. あなた

A 3 REMARQUES

■ Écriture

• Pour créer des mots, le français utilise des voyelles et des consonnes dont l'ensemble forme un alphabet. Le japonais, lui, utilise des syllabes dont l'ensemble forme un syllabaire. Le syllabaire ne distingue pas voyelles et consonnes. Et il ne considère que des syllabes. Il en compte quarante-six.

Ces quarante-six syllabes peuvent s'écrire selon deux graphies différentes :

- la graphie **hiragana**
- la graphie **katakana**

Dans les leçons 1 à 10, nous étudierons la graphie hiragana. La graphie Katakana, réservée à la transcrition en japonais des mots étrangers, sera étudiée dans les leçons 11 à 20.

• En combinant ces syllabes, on obtient des mots :

ex. あ [a] + な [na] + た [ta] = あなた [anata], *toi*

■ Prononciation

• En japonais, il faut toujours expirer le **h**. Dans le mot hiragana on doit entendre le **h**.

• La prononciation du **r** dans hiragana se situe entre le **r** légèrement roulé et le **l**.

• Les [a], [na] et [ta] peuvent être prononcés respectivement comme ***a*** de *ami*, ***na*** de *nager* et ***ta*** de *tabac*.

A 4 TRANSCRIPTION ET TRADUCTION

1. [a] あ
2. [na] な
3. [ta] た
4. [anata], *toi* あなた

1 わたし Watashi

B 1 PRÉSENTATION

■ Hiragana, *graphie japonaise*

hiragana	rômaji	prononc.	ordre des traits			
わ	wa	[wa]				
し	shi	[shi]				
ち	chi	[tchi]		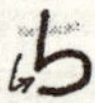		

☞ Le **rômaji** [ro:maji] est la prononciation romane du japonais.

■ Vocabulaire

mot en hiragana	rômaji	prononc.	traduction
わたし	watashi	[watashi]	*moi*
わたしたち	watashitachi	[watashitatchi]	*nous*
あなたたち	anatatachi	[anatatatchi]	*vous* (pl.)

B 2 APPLICATION

1. わ
2. し
3. ち
4. わたし
5. わたしたち
6. あなたたち

B 3 REMARQUES

■ Écriture

● La langue japonaise possède sa transcription européenne, appelée **rômaji**, signifiant mot à mot *écriture romane*. Le **rômaji** permet aux étrangers de communiquer avec les Japonais, mais son usage reste exceptionnel dans la vie quotidienne au Japon.

● Pour vous familiariser avec son usage, nous vous donnerons entre crochet [] sa prononciation.

ex. La syllabe ち, transcrite en **rômaji** par **chi**, et prononcée [tchi].

■ Prononciation et transcription

● Le **o** dans **rômaji** se prononce comme le *o* de *mot*, en plus long. L'accent au-dessus du **ô** signifie que le son du **o** est allongé.

● Le **ji** dans **rômaji** se prononce comme le *dji* de *Djibouti*. Il est figuré par [dji].

● Le son **w** dans **watashi** est celui qu'on entend au début du mot *oui* en français : c'est comme un **ou** très bref et lié à la voyelle qui suit. Il est figuré par [w].

● Le son de **sh** dans し, **shi**, est celui de *sh* de *shampooing*. Il est figuré par [sh].

● Le son **i** dans **shi** [shi] se prononce comme le *i* de *idée*.

● Le son [tchi], prononcé comme dans *tchin-tchin*, est transcrit en **rômaji** par **chi**.

■ Grammaire

● Le suffixe たち, **tachi** [tatchi], sert à former le pluriel des pronoms personnels :

わたし, **watashi**, *moi* ➡ わたしたち, **watashitachi**, *nous*

B 4 TRANSCRIPTION ET TRADUCTION

1. wa [wa]　2. shi [shi]　3. chi [tchi]

4. watashi	[watashi]	*moi*
5. watashitachi	[watashitatchi]	*nous*
6. anatatachi	[anatatatchi]	*vous* (pl.)

1 EXERCICES

C 1 EXERCICES

A. Prononcez les **hiragana** suivants et écrivez-les ensuite en **rômaji**.

1. な na
2. あ a
3. し chi
4. た ta
5. ち chi
6. わ wa

B. Prononcez et écrivez les mots suivants en **rômaji**. Traduisez-les ensuite en français.

1. あなたたち anatatachi
2. わたし watashi

C. Traduisez et écrivez les mots suivants en **hiragana**.

1. *nous*
2. *toi*
3. *vous* (pl.)
4. *moi*

1. わたしたち 2. あなた
3. あなたたち 4. わたし

C 2 CORRIGÉ

A.

1. [na] na
2. [a] a
3. [shi] shi
4. [ta] ta
5. [tchi] chi
6. [wa] wa

B.

1. [anatatatchi] anatatachi *vous* (pl.)
2. [watashi] watashi *moi*

C.

1. わたしたち
2. あなた
3. あなたたち
4. わたし

C 3 HIRAGANA

hiragana	ordre des traits					exercez-vous	
	1	2	3	4	5		
a あ	1	2	3	4	5	あ	あ
shi し	1	2	3	4	5	し	し
ta た	1	2	3	4	5	た	た
chi ち	1	2	3	4	5	ち	ち
na な	1	2	3	4	5	な	な
wa わ	1	2	3	4	5	わ	わ

C 4 EXERCEZ-VOUS

あ	あ	あ	あ	あ	し	し	し	し	し
た	た	た	た	た	ち	ち	ち	ち	ち
な	な	な	な	な	わ	わ	わ	わ	わ

1 CIVILISATION

D 1 日本語, Nihon-go, *la langue japonaise*

■ **Le japonais**, 日本語, Nihon-go, figurant parmi les dix premières langues les plus employées dans le monde, a quelque cent vingt millions de locuteurs. La grande originalité de cette langue tient au fait que ses cent vingt millions de locuteurs sont tous des **Japonais**, 日本人, Nihon-jin, vivant dans un seul pays, **le Japon**, 日本, Nihon. Certes, le coréen est dans le même cas, mais le nombre de locuteurs n'atteint qu'un peu plus de soixante millions en regroupant les deux Corées.

D 2 表記文字, hyôki-moji, *l'écriture*

■ L'originalité de la **langue japonaise**, 日本語, Nihon-go, s'est encore trouvée accentuée par son **écriture**, 表記文字, hyôki-moji. Observez attentivement la phrase japonaise encadrée ci-dessous.

> 日本の面積は約38万km^{2}で、これはフランスの5分の3に当たります。
>
> *La superficie du Japon est d'environ 380000 km^2, soit les 3/5 de la France.*

Cette phrase japonaise comprend les quatre sortes d'écriture que les Japonais utilisent simultanément :

1) Les **idéogrammes** : 日, 本, 面, 積, 約, 万, 分, 当.

2) Le **syllabaire hiragana** : の, は, で, こ, れ, は, の, の, に, た, り, ま, す.

3) Le **syllabaire katakana** : フ, ラ, ン, ス.

4) Les **lettres rômaji** : k, m.

D 3 Les idéogrammes et les syllabaires hiragana et katakana

■ Les **idéogrammes**, appelés 漢字, kanji, sont d'origine chinoise et introduits au Japon dès le quatrième siècle de notre ère. Comme nous l'avons vu dans D2 ci-contre, les idéogrammes sont des signes relativement denses et compliqués. Mais ils jouent toujours un rôle capital dans la transcription du japonais. Ils servent à représenter la plupart des noms et des prénoms personnels (voir p.172), les radicaux des verbes (voir pp.229-230), etc. Il faut en savoir 1500 à 2000 pour lire un journal ou un magazine.

■ Quant aux deux syllabaires **hiragana**, ひらがな, et **katakana**, カタカナ, ils sont des signes graphiques purement phonétiques. Ils sont élaborés par les Japonais eux-mêmes à partir de certains idéogrammes au cours du neuvième siècle. Ils comportent chacun quarante-six syllabes (voir p.13, p.84 et p.164). Le dessin des syllabes hiragana est souple et curviligne, tandis que celui des katakana est plutôt rigide et rectiligne (voir D2 ci-contre, p.84 et p.164).

Les **hiragana**, ひらがな, sont employés grosso modo pour marquer les terminaisons des verbes (voir p.197) et celles des adjectifs, ou pour les particules (voir p.350). Les **katakana**, カタカナ, par contre, sont destinés à la transcription des mots d'origine étrangère (フランス, Furansu, *France*, voir D2 ci-contre), de certains onomatopées ou encore d'un mot sur lequel on veut attirer l'attention ou mettre l'accent.

D 4 Les lettres rômaji

■ Signifiant mot à mot *écriture romane*, le **rômaji**, ローマ字, est l'appellation de l'alhabet occidental. Jusqu'à présent, Son usage restait relativement limité à des termes particuliers : par exemple, **km** pour le mot *kilomètre* (voir D2 ci-contre) ou les sigles, GNP, USA, EC, GATT. Il devient cependant de plus en plus fréquent puisque les Japonais d'aujourd'hui sont de gros consommateurs de langues européennes, notamment de l'anglais. Ainsi, des mots tels que **fax** ou **CDRom**, sont bien ancrés maintenant dans les mœurs linguistiques.

2 かれ Kare

A 1 PRÉSENTATION

Hiragana, *graphie japonaise*

hiragana	rômaji	prononc.	ordre des traits
か	ka	[ka]	
れ	re	[ré]	
ら	ra	[ra]	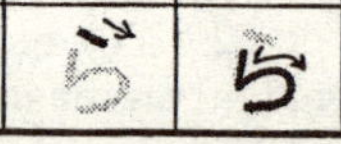

Vocabulaire

mot en hiragana	rômaji	prononc.	traduction
かれ	kare	[karé]	*lui*
かれら	karera	[karéra]	*eux*
か	ka	[ka]	*ou*

A 2 APPLICATION

1. か
2. れ
3. ら
4. かれら
5. わたしたち　か　かれら
6. かれ　か　あなた　か　わたし

A 3 REMARQUES

Prononciation

- Le **ka** se prononce comme le ***ca*** de *cadeau*. Il est figuré par [ka].
- Le **e** du rômaji **re** se situe entre le **é** et le **è**. Il est cependant figuré dans ce manuel par [é], bien que le **è** semble être plus proche pour l'oreille des Français dans certains mots japonais.
- Rappel : le **r** japonais se situe entre le ***r*** légèrement roulé et le ***l*** français.

Grammaire

- Il existe en japonais des mots d'une seule syllabe, appelés particules, qui, placées à la suite d'un mot, indiquent son rôle dans la phrase.
- Le hiragana か, **ka**, est employé ici pour former le mot かれ, **kare**, ou かれら, **karera**, et pour servir de particule de liaison qui signale le choix entre des objets (ou des êtres) opposés.
- Cette particule de choix se répète quand il y a plus de deux objets ou êtres à relier, et correspond au ***ou*** français.

ex. *lui, toi ou moi* se dit : かれ か あなた か わたし
kare ka anata ka watashi
(littéralement ➡) *lui ou toi ou moi*

- Le suffixe ら, **ra**, est réservé à la formation du masculin pluriel de かれ, **kare**, *lui* ➡ かれら, **karera**, *eux*.

A 4 TRANSCRIPTION ET TRADUCTION

1. ka [ka] か 2. re [ré] れ 3. ra [ra] ら
4. karera [karéra] *eux* かれら
5. watashitachi ka karera [watashitatchi ka karéra]
nous ou eux わたしたちかかれら
6. kare ka anata ka watashi [karé ka anata ka watashi]
lui ou toi ou moi かれ か あなた かわたし

2 かのじょ Kanojo

B 1 PRÉSENTATION

Hiragana, *graphie japonaise*

hiragana	rômaji	prononc.	ordre des traits			
の	no	[no]	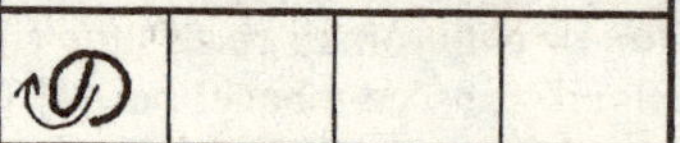			
じ	ji	[dji]	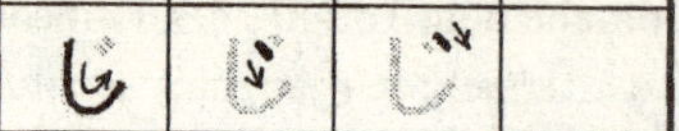			
よ	yo	[yo]				

Vocabulaire

mot en hiragana	rômaji	prononc.	traduction
かのじょ	kanojo	[kanodjo]	*elle*
かのじょたち	kanojotachi	[kanodjotatchi]	*elles*

B 2 APPLICATION

1. の
2. じ
3. よ
4. じょ
5. かのじょたち
6. かれ　か　かのじょ　か　あなた
7. あなたたち　か　かのじょたち

B3 REMARQUES

■ Prononciation

- Le **o** dans **no**, **yo** ou **jo**, se prononce comme le ***o*** de *dossier*. Il est figuré par [o].
- Le **yo** se prononce comme dans *yo-yo*.
- Le **j** japonais est toujours prononcé comme le ***dj***. Les **ji** et **jo** doivent donc se prononcer [dji] et [djo].

■ Transcription

- On obtient le じ, **ji** [dji], en ajoutant deux petits points au し, **shi** [shi]. Ils se placent toujours en haut et à droite de ce dernier : じ, **ji** [dji].
- Pour sa transcription en hiragana, le **jo** est une composition du じ, **ji** [dji], de taille normale et du よ, **yo** [yo], de taille réduite : じょ, **jo** [djo].

■ Grammaire : Tableau récapitulatif

- Rappel : le suffixe たち, **tachi** [tatchi] (cf. 1 B3), sert à former le pluriel des pronoms personnels à l'exception de *lui* (cf. 2 A3) :

singulier			pluriel		
わたし	[watashi]	*moi*	わたしたち	[watashitatchi]	*nous*
あなた	[anata]	*toi*	あなたたち	[anatatatchi]	*vous*
かのじょ	[kanodjo]	*elle*	かのじょたち	[kanodjotatchi]	*elles*
かれ	[kare]	*lui*	かれら	[karéra]	*eux*

B4 TRANSCRIPTION ET TRADUCTION

1. no [no] 2. ji [dji] 3. yo [yo] 4. jo [djo]
5. kanojotachi [kanodjotatchi] *elles*
6. kare ka kanojo ka anata [karé ka kanodjo ka anata]
   lui, elle ou toi
7. anatatachi ka kanojotachi [anatatatchi ka kanodjotatchi]
   vous (pl.) *ou elles*

2 EXERCICES

C 1 EXERCICES ●● (CD)

A. Prononcez les **hiragana** suivants et écrivez-les ensuite en **rômaji**.

1. れ 2. か 3. ら 4. じょ

5. よ 6. じ 7. の

B. Prononcez et écrivez les mots ou les locutions suivants en **rômaji**. Traduisez-les ensuite en français.

1. かれら か かのじょたち
2. わたし か かれ
3. かのじょ
4. あなた か かのじょ

C. Traduisez et écrivez les mots ou les locutions suivants en **hiragana**.

1. *vous* (pl.) *ou elle* 2. *lui* 3. *eux ou nous* 4. *elles*

C 2 CORRIGÉ

A. 1. [ré] re 2. [ka] ka 3. [ra] ra 4. [djo] jo
5. [yo] yo 6. [dji] ji 7. [no] no

B. 1. [karéra ka kanodjotatchi] karera ka kanojotachi *eux ou elles*
2. [watashi ka karé] watashi ka kare *moi ou lui*
3. [kanodjo] kanojo *elle*
4. [anata ka kanodjo] anata ka kanojo *toi ou elle*

C. 1. あなたたち か かのじょ
2. かれ 3. かれら か わたしたち
4. かのじょたち

C 3 HIRAGANA

hiragana	ordre des traits					exercez-vous	
ka か	1 か	2 か	3 か	4	5	か	か
no の	1 の	2	3	4	5	の	の
ra ら	1 ら	2 ら	3	4	5	ら	ら
re れ	1 れ	2 れ	3 れ	4	5	れ	れ
yo よ	1 よ	2 よ	3	4	5	よ	よ
ji じ	1 じ	2 じ	3 じ	4	5	じ	じ

C 4 EXERCEZ-VOUS

か	か	か	か	か	の	の	の	の	の
ら	ら	ら	ら	ら	れ	れ	れ	れ	れ
よ	よ	よ	よ	よ	じ	じ	じ	じ	じ

D1/2 アジア地図, Ajia-chizu, *la carte d'Asie*

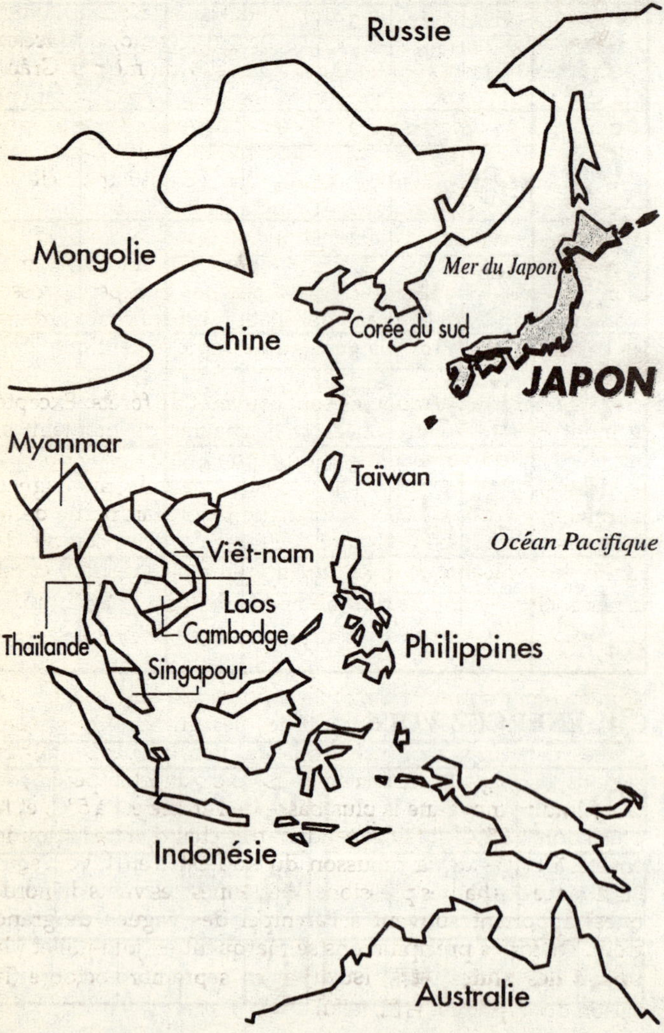

D 3 地 理, chiri, *géographie*

■ Le Japon est un archipel en forme d'arc, qui est situé à la périphérie du continent eurasiatique. Composé de quatre îles principales, Hokkaido, Honshu, Shikoku et Kyushu (voir p.34), et de plus de 6800 petites îles, il s'étend, à l'Océan Pacifique, sur une longueur d'environ 3500 kilomètres. Grâce à la mer du Japon qui sépare la Chine et la Corée du Japon, ce dernier a pu longtemps conserver et développer sa propre culture, tout en assimilant la culture continentale.

Avec environ 380000 kilomètres carrés de sa superficie, le Japon correspond à peu près à la taille de la Californie, et il a environ 126 millions d'habitants au total, soit la moitié de la population des États-Unis. Le Japon est un pays très montagneux : les collines et les montagnes occupent grosso modo 60% du territoire et la population est concentrée dans les bassins et dans les plaines, qui ne représentent que 25% du pays.

75% du territoire japonais sont couverts de forêts. Excepté le mont Fuji (3776 m), et les trois chaînes de montagnes, appelées collectivement Alpes du Japon (2000 - 3200 m), qui se dressent sur le centre du Honshu, peu de montagnes japonaises dépassent 2000 mètres. Le Japon fait partie de la zone volcanique de la ceinture Pacifique ; ce pays compte de nombreux **volcans**, 火山, kazan, (il y en a plus de 150) et est très souvent victime de **tremblements de terre**, 地震, jishin.

D 4 気 候, kikô, *climat*

■ L'archipel nippon s'étend du nord-est au sud-ouest. L'île d'Okinawa (voir D1/2, p.34), et les îles du Sud-Ouest sont situées dans une zone sub tropicale, tandis que les autres régions du pays se trouvent dans une zone tempérée ; la température moyenne la plus basse de l'année est à 5°C, et la plus haute à 25°C. Il fait cependant très chaud et très humide en été à cause de la mousson du sud-est ; en hiver, sous l'influence des hautes pressions sibériennes, les vents du nord-ouest apportent souvent à l'archipel des vagues de grand froid. De fortes précipitations se marquent en juin-juillet (la **saison des pluies**, 梅雨, tsuyu) et en septembre-octobre (la saison des **typhons**, 台風, taifû).

3 ほん Hon

A 1 PRÉSENTATION

■ **Hiragana**, *graphie japonaise*

hiragana	rômaji	prononc.	ordre des traits
え	e	[é]	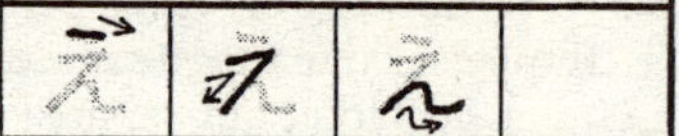
ほ	ho	[ho]	
ん	n	[n]	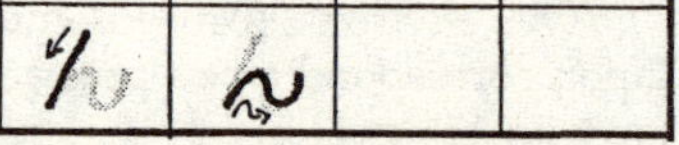

■ **Vocabulaire**

mot en hiragana	rômaji	prononc.	traduction
ほん	hon	[honn]	*livre(s)*
じしょ	jisho	[djisho]	*dictionnaire(s)*
※え	e	[é]	*peinture(s)* *dessin(s)*

※ え, e [é], signifie *peinture(s)* comme art ou tout ce qui est dessiné au pinceau, au crayon, etc.

A 2 APPLICATION

1. え
2. ほ
3. ん
4. え　か　ほん
5. じしょ

3 *Livre(s)*

A 3 REMARQUES

■ Prononciation

- Rappel : le **e** japonais se situe entre le ***é*** et le ***è***. Il est figuré par [é].
- Rappel : le **h** est toujours expiré en japonais.
- Le **n** (ん) n'est pas considéré comme une consonne mais comme une syllabe en japonais. Il est nettement prononcé au milieu ou à la fin d'un mot : ほん, hon [honn].

■ Transcription

- La syllabe **sho** est une composition du し, shi [shi] de taille normale et du よ, yo [yo] de taille réduite : しょ, sho [sho].

■ Grammaire

- En japonais, il n'y a ni article, ni genre.
- D'autre part, les noms japonais ignorent le singulier et le pluriel.

ex. Le mot ほん, hon [honn], signifie selon les contextes : ***un** livre*, ***des** livres*, ***le** livre*, ***les** livres*.

- Rappel : les pronoms personnels possèdent le singulier et le pluriel (cf. 2 B3 Grammaire).

A 4 TRANSCRIPTION ET TRADUCTION

1. e [é]
2. ho [ho]
3. n [n]
4. e ka hon [é ka hon] *peinture(s) ou livre(s)*
5. jisho [djisho] *dictionnaire(s)*

3 あなた の いえ Anata no ie

B 1 PRÉSENTATION

■ **Hiragana**, *graphie japonaise*

hiragana	rômaji	prononc.	ordre des traits			
い	i	[i]	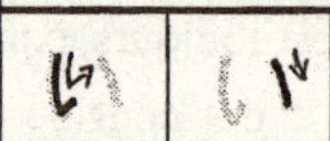			
く	ku	[kou]				
つ	tsu	[tsou]				

■ **Vocabulaire**

の	no	[no]	*de*
いえ	ie	[ié]	*maison(s)*
くつ	kutsu	[koutsou]	*chaussure(s)*
くつした	kutsushita	[koutsoushita]	*chaussette(s)*

N.B. Nous vous indiquons désormais de gauche à droite le nouveau vocabulaire, sa transcription en rômaji, sa prononciation, et sa traduction française en italique.

■ あなた の いえ *ta maison (= maison de toi)*
anata no ie
toi / de / maison

B 2 APPLICATION CD

1. い 2. く 3. つ
4. わたしたち の いえ
5. かのじょ の くつした
6. かれら の ほん
7. あなたたち の くつ

B 3 REMARQUES

Prononciation

- Rappel : le **i** se prononce comme dans *idée*.
- Le **u** de **ku** ou de **tsu** est prononcé **ou**.
- Le son de **ts** est celui qu'on entend au début du mot français ***tsigane***.

Grammaire

- Il n'existe pas en japonais d'adjectifs possessifs (mon, ma, ton...). On crée leurs équivalents à partir des pronoms personnels et de la particule du complément de nom の, **no** : les pronoms personnels se placent toujours devant la particule の, **no** :

ex.

pronom personnel	particule	traduction
あなた [anata] *toi*	の [no] *de*	*ton ; ta ; tes* *= de toi* (littéralement)

- Les pronoms personnels suivis de の, **no** (= **possesseur**) se trouvent devant le mot qui correspond à ce qui est **possédé**.

ex.

possesseur		possédé	traduction
かれら karera *eux*	の no *de*	いえ ie [ié] *maison(s)*	*leur(s) maison(s)* *= maison(s) d'eux* (littéralement)

B 4 TRANSCRIPTION ET TRADUCTION

1. i [i] 2. ku [kou] 3. tsu [tsou]
4. watashitachi no ie [watashitatchi no ié]
   notre (nos) maison(s)
5. kanojo no kutsushita [kanodjo no koutsoushita]
   ses chaussettes
6. karera no hon [karéra no honn] *leur(s) livre(s)*
7. anatatachi no kutsu [anatatatchi no koutsou]
   vos chaussures

3 EXERCICES

C 1 EXERCICES

A. Prononcez les **hiragana** suivants et écrivez-les ensuite en **rômaji**.

1. つ 2. え 3. ほ 4. く 5. ん 6. い

B. Prononcez et écrivez les locutions suivants en **rômaji**. Traduisez-les ensuite en français.

1. くつ か くつした 2. わたし の じしょ
3. あなた の ほん か かれ の ほん
4. かのじょたち の え

C. Traduisez et écrivez les mots ou les locutions suivants en **hiragana**.

1. *des chaussures* 2. *mes livres*
3. *ta maison ou sa maison* (maison à elle)
4. *une peinture* 5. *nos dictionnaires*

C 2 CORRIGÉ

A. 1. [tsou] tsu 2. [é] e 3. [ho] ho
4. [kou] ku 5. [n] n 6. [i] i

B. 1. [koutsou ka koutsoushita] kutsu ka kutsushita
des chaussures ou des chaussettes
2. [watashi no djisho] watashi no jisho
mon (mes) dictionnaire(s)
3. [anata no honn ka karé no honn]
anata no hon ka kare no hon
ton(tes) livre(s) ou son (ses) livres
4. [kanodjotatchi no é] kanojotachi no e
leur(s) peinture(s) (= tableau(x) à elles)

C. 1. くつ 2. わたし の ほん
3. あなた の いえ か かのじょ の いえ
4. え 5. わたしたち の じしょ

C 3 HIRAGANA

hiragana	ordre des traits					exercez-vous	
i い	1	2	3	4	5	い	い
e え	1	2	3	4	5	え	え
ku く	1	2	3	4	5	く	く
tsu つ	1	2	3	4	5	つ	つ
ho ほ	1	2	3	4	5	ほ	ほ
n ん	1	2	3	4	5	ん	ん

C 4 EXERCEZ-VOUS

い	い	い	い	い	え	え	え	え	え
く	く	く	く	く	つ	つ	つ	つ	つ
ほ	ほ	ほ	ほ	ほ	ん	ん	ん	ん	ん

D1/2 日本地図, Nihon-chizu, *la carte du Japon*

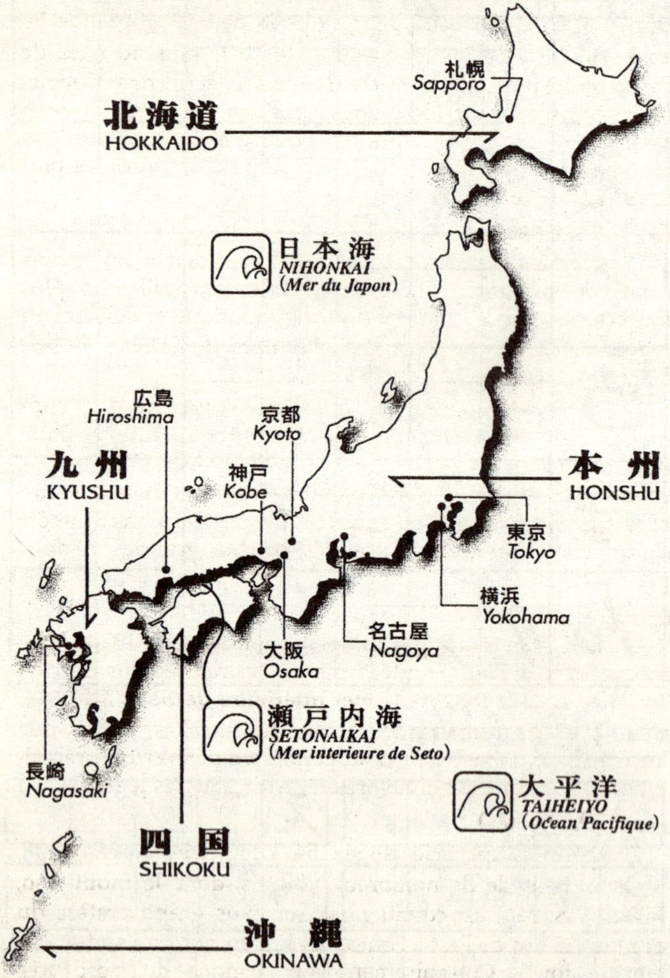

3 CIVILISATION

D3/4 Les quatre îles principales

■ 北海道, Hokkaidô :

S'étendant sur une superficie d'environ 83500 kilomètres carrés, 北海道, Hokkaidô, représente la deuxième grande île après 本州, Honshû. Puisqu'elle se situe le plus au nord de l'archipel nippon, elle a un été frais et sec, et un hiver long et froid avec beaucoup de neige. C'est une terre très ouverte avec des plaines, des forêts de conifère, des volcans et des lacs. L'industrie laitière et la pêche sont les activités les plus importantes de l'île.

■ 本 州, Honshû :

C'est la plus grande île de l'archipel avec 231000 kilomètres carrés de superficie. Elle comprend les cinq villes les plus importantes sur le plan politique, économique et culturel du Japon : 東京, Tôkyô, 横浜, Yokohama, 大阪, Ôsaka, 名古屋, Nagoya, et 京都, Kyôto.

Les chaînes de montagnes, qui s'étendent du nord au sud-ouest, divise 本州, Honshû, en deux : le côté de l'océan Pacifique et celui du mer du Japon. Les principales zones industrielles et la plupart de grandes villes sont concentrées dans le centre et le sud du côté du Pacifique. Le nord et le centre du côté du mer du Japon sont occupés par de grandes régions productrices de riz.

■ 四 国, Shikoku :

C'est la plus petite des qutre îles qui n'a que 18783 kilomètres carrés. Plus peuplées que les autres régions de l'île, les côtes nord le long de la **mer intérieure de Seto**, 瀬戸内海, Setonaikai, regroupent des zones industrielles, tandis que les côtes sud bénéficient d'un climat tempéré et de précipitations abondantes, qui favorisent le forçage des légumes.

■ 九 州, Kyûshû :

Avec une superficie de 42154 kilomètres carrés, 九州, Kyûshû, possède de nombreux volcans, dont **le mont Aso**, 阿蘇山, Asozan, est connu pour son plus grand cratère du monde (16 km de l'est à l'ouest, 24 km du nord au sud et 120 km de tour). Contrairement aux régions du nord très industrialisées, celles du sud sont principalement agricoles et menacées en été par des typhons.

4 たなかさん の かさ Tanaka-san no kasa

A 1 PRÉSENTATION

■ **Hiragana**, *graphie japonaise*

hiragana	rômaji	prononc.	ordre des traits
う	u	[ou]	
さ	sa	[sa]	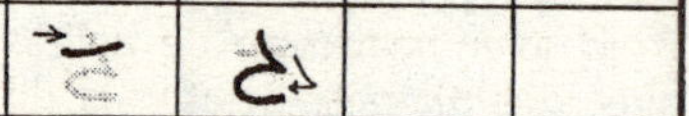
も	mo	[mo]	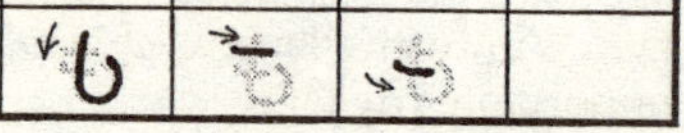

■ Vocabulaire

…さん	...san	[...sann]	*M.* ou *Mme* ou *Mlle*
たなか	Tanaka	*Tanaka* (nom d'une personne)	
かさ	kasa	[kassa]	*parapluie(s)*
うち	uchi	[outchi]	*maison(s)*
つくえ	tsukue	[tsoukoué]	*bureau(x)*
もの	mono	[mono]	*objet(s)* ; *chose(s)*

N.B.

(1) Les noms propres commencent par une majuscule en rômaji.

(2) うち, uchi [outchi], est le synonyme de いえ, ie [ié].

(3) つくえ, tsukue [tsoukoué], désigne seulement le bureau sur lequel on écrit.

■ たなかさん の かさ

Tanaka -san no kasa

Tanaka / M.(Mme / Mlle) / de / parapluie

parapluie(s) de M.(Mme / Mlle) Tanaka

A 2 APPLICATION (CD)

1. う 2. さ 3. も
4. たなかさん の もの
5. たなかさん の つくえ
6. たなかさん の うち か わたし の うち

A 3 REMARQUES

Prononciation

- Désormais on supprimera la prononciation entre crochets, quand elle correspond à la transcription en rômaji.
- Rappel : le **u** japonais est prononcé [ou].
- Le **n** dans **...san** [sann] se prononce comme dans *canne*.
- En japonais, le **s** qui se place entre les voyelles se prononce comme [ss] en français : かさ, kasa ⇒ [ka**ss**a], *parapluie*.

Grammaire

- さん, san, est un suffixe de politesse (de respect) qui correspond en français à *monsieur*, *madame* ou *mademoiselle*. Il se trouve toujours après un nom de famille, un prénom ou un nom complet. C'est le prénom ou la situation qui indique s'il s'agit d'un homme ou d'une femme.

D'autre part, puisqu'il est suffixe de politesse, il ne doit jamais s'employer pour se nommer soi-même.

- Rappel : pour marquer la possession ou l'appartenance, on utilise la particule de complément de nom の, no, qui suit le mot "possesseur" ; "ce qui est possédé" se place après の, no.

ex.

possesseur +	particule	+ possédé
たなかさん	の	かさ
Tanaka-san	no	kasa
Tanaka / M.(Mme / Mlle) /	*de*	*parapluie(s)*

- Il faut remarquer qu'en français "ce qui est possédé" précède le "possesseur", quand la préposition ***de*** les relie : ex. *le parapluie de M.Tanaka*.

A 4 TRANSCRIPTION ET TRADUCTION

1. u [ou] 2. sa 3. mo
4. Tanaka-san no mono *objet(s) de M.(Mme / Mlle) Tanaka*
5. Tanaka-san no tsukue [tsoukoué]
bureau(x) de M.(Mme / Mlle) Tanaka
6. Tanaka-san no uchi ka watashi no uchi [outchi]
maison(s) de M.(Mme / Mlle) Tanaka ou ma (mes) maison(s)

4 にほん の くるま Nihon no kuruma

B 1 PRÉSENTATION

■ **Hiragana**, *graphie japonaise*

hiragana	rômaji	prononc.	ordre des traits
に	ni	[ni]	
ま	ma	[ma]	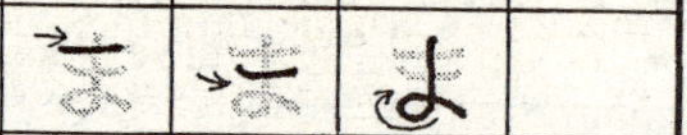
る	ru	[ru]	

■ **Vocabulaire**

にほん	Nihon	[nihonn]	*Japon*
くるま	kuruma	[kourouma]	*voiture(s)*
あした	ashita		*demain*
あさ	asa	[assa]	*matin*
よる	yoru	[yorou]	*soir*

■ にほん の くるま *voiture(s) japonaise(s)*

Nihon no kuruma *(voiture du Japon)*
Japon / de / voiture(s)

B 2 APPLICATION ●● CD

1. に 2. ま 3. る
4. あした の あさ
5. にほん の いえ
6. かれ の うち の え
7. あした の よる
8. にほん の もの

B 3 REMARQUES

Prononciation

- Rappel : le **s** entre les voyelles est prononcé [ss] est non [z] : あさ, asa, se prononce [a**ss**a], *matin*.

Grammaire

- la particule の, **no**, peut aussi s'employer pour marquer les relations d'origine, de temps, de nature (état) ou de lieu :

ex. *maison* ***du*** *Japon* ⇒ Nihon **no** ie [ié] にほん の いえ

Lorsque la particule の, **no**, lie deux noms, le premier nom qui la précède a pour fonction d'expliquer l'origine (le temps, la nature-état ou le lieu) du second : le premier nom est appelé "déterminant" et le second "déterminé".

En japonais, le déterminant se situe donc toujours devant le déterminé, tandis qu'en français le déterminant suit le déterminé, quand il est composé d'un nom et de la préposition ***de*** :

a) locutions japonaises ⇒ b) leur traduction française

déterminant	déterminé
にほん ① の ② Nihon no *Japon / de*	くるま ③ kuruma *voiture(s)*
あした ① の ② ashita no *demain / de*	よる ③ yoru *soir*

déterminé	déterminant
voiture(s) ③	*japonaise(s)* *(du Japon)* ② ①
soir ③	*de* ② *demain* ①
(demain ① *soir* ③*)*	

N.B. Les chiffres donnent l'ordre des mots en japonais.

B 4 TRANSCRIPTION ET TRADUCTION

1. ni 2. ma 3. ru [rou]
4. ashita no asa [assa] *demain matin*
5. Nihon no ie [nihonn no ié] *maison(s) japonaise(s)*
6. kare no uchi no e [karé no outchi no é]
dessin(s) de sa(ses) maison(s)
7. ashita no yoru [yorou] *demain soir*
8. Nihon [nihonn] no mono *objet(s) japonais*

4 EXERCICES

C 1 EXERCICES ●● CD

A. Prononcez les **hiragana** suivants et écrivez-les ensuite en **rômaji**.

1. も 2. に 3. う 4. さ 5. る 6. ま

B. Prononcez et écrivez les locutions suivants en **rômaji**. Traduisez-les ensuite en français.

1. にほん の うち
2. たなかさん の もの
3. あした の あさ か あした の よる
4. わたしたち の くるま の え

C. Traduisez et écrivez les locutions suivantes en **hiragana**.

1. *la voiture de Mlle Tanaka* 2. *un matin ou un soir*
3. *tes parapluies* 4. *son bureau (bureau à lui)*
5. *les chaussures de M. Tanaka*

C 2 CORRIGÉ

A. 1. mo 2. ni 3. u
4. sa 5. ru 6. ma

B. 1. Nihon no uchi
une (des) maison(s) japonaise(s)
2. Tanaka-san no mono
un (des) objet(s) de M.(Mme / Mlle) Tanaka
3. ashita no asa ka ashita no yoru
demain matin ou demain soir
4. watashitachi no kuruma no e
un (des) dessin(s) de notre(nos) voiture(s)

C. 1. たなかさん の くるま 2. あさ か よる
3. あなた の かさ 4. かれ の つくえ
5. たなかさん の くつ

C 3 HIRAGANA

hiragana	ordre des traits					exercez-vous
u う	1	2	3	4	5	う
sa さ	1	2	3	4	5	さ
ni に	1	2	3	4	5	に
ma ま	1	2	3	4	5	ま
mo も	1	2	3	4	5	も
ru る	1	2	3	4	5	る

C 4 EXERCEZ-VOUS

う	う	う			さ	さ	さ		
に	に	に			ま	ま	ま		
も	も	も			る	る	る		

Le Japon et ses 47 prefectures

1 : 北海道 Hokkaidô
2 : 青森県 Aomori-ken
3 : 秋田県 Akita-ken
4 : 岩手県 Iwate-ken
5 : 山形県 Yamagata-ken
6 : 宮城県 Miyagi-ken
7 : 新潟県 Niigata-ken
8 : 福島県 Fukushima-ken
9 : 栃木県 Tochigi-ken
10 : 群馬県 Gunma-ken
11 : 茨城県 Ibaraki-ken
12 : 埼玉県 Saitama-ken
13 : 千葉県 Chiba-ken
14 : 東京都 Tôkyô-to
15 : 神奈川県 Kanagawa-ken
16 : 山梨県 Yamanashi-ken
17 : 長野県 Nagano-ken
18 : 富山県 Toyama-ken
19 : 石川県 Ishikawa-ken
20 : 岐阜県 Gifu-ken
21 : 静岡県 Shizuoka-ken
22 : 愛知県 Aichi-ken
23 : 福井県 Fukui-ken
24 : 滋賀県 Shiga-ken
25 : 三重県 Mie-ken
26 : 京都府 Kyôto-fu

27 : 奈良県 Nara-ken
28 : 和歌山県 Wakayama-ken
29 : 大阪府 Ôsaka-fu
30 : 兵庫県 Hyôgo-ken
31 : 鳥取県 Tottori-ken
32 : 岡山県 Okayama-ken
33 : 島根県 Shimane-ken
34 : 広島県 Hiroshima-ken
35 : 山口県 Yamaguchi-ken
36 : 香川県 Kagawa-ken
37 : 徳島県 Tokushima-ken
38 : 高知県 Kôchi-ken
39 : 愛媛県 Ehime-ken
40 : 福岡県 Fukuoka-ken
41 : 佐賀県 Saga-ken
42 : 大分県 Ôita-ken
43 : 熊本県 Kumamoto-ken
44 : 長崎県 Nagasaki-ken
45 : 宮崎県 Miyazaki-ken
46 : 鹿児島県 Kagoshima-ken
47 : 沖縄県 Okinawa-ken

D3/4 Les paysages pittoresques du Japon

■ 日本三景, Nihon sankei :

● **Miyajima** (宮島) de la préfecture de Hiroshima (N°34 ci-contre), **Ama-no-hashidate** (天橋立) de la préfecture de Kyôto (N°26) et **Matsushima** (松島) de la préfecture de Miyagi (N°6) sont très célèbres pour leur beauté représentative du Japon ; on les appelle 日本三景, Nihon sankei, ***les trois plus jolis paysages du Japon***. Situé dans la mer intérieure de Seto, **Miyajima** (宮島) accueille beaucoup de touristes qui visitent le sanctuaire de couleur vermillon, 厳島神社, Itsukushima Jinja, destiné à protéger la famille des Heike à l'ère Heian (voir p.50). **Ama-no-hashidate** (天橋立), ***le Pont du ciel***, est un banc de sable d'environ 3 km de long recouvert de pins. Lorsqu'on le voit de loin et à l'envers, ce paysage ressemble à un pont qui monte vers le ciel, d'où son nom japonais, *le Pont du ciel*. **Matsushima** (松島) se traduit littéralement ***île de pins***. Et, comme son nom l'indique, **Matsushima** (松島) est un chapelet de petites îles (on en compte plus de 260) entièrement recouvertes de pins. On y trouve de nombreux temples, dont le Temple Zuiganji, 瑞巌寺, Zuiganji, construit en 838, est classé comme trésor national.

■ 日本三名園, Nihon san meien :

● Parmi le bon nombre de jardins japonais, le **Kenrokuen** (兼六園) à Kanazawa (de la préfecture d'Ishikawa, N°19 ci-contre), le **Kairakuen** (偕楽園) à Mito (de la préfecture d'Ibaraki, N°11) et le **Kôrakuen** (後楽園) à Okayama (de la préfecture d'Okayama, N°32) ont été désignés 日本三名園, Nihon san meien, ***les trois plus jolis jardins du Japon*** par la loi de protection des biens culturels du pays. Il a fallu 200 ans (1624 à 1844) pour construire entièrement le **Kenrokuen** (兼六園) de Kanazawa, qui s'étend sur une superficie d'environ 100700 km^2. Le **Kairakuen** (偕楽園) de Mito est très connu pour son verger de près de 3000 pruniers en fleurs au début du printemps. Le **Kôrakuen** (後楽園) d'Okayama est un célèbre jardin de promenade, muni de petites rivières, de petits chemins de flânerie, et d'une maison pour la cérémonie du thé (voir D4, p.301).

5 これ と それ Kore to sore

A 1 PRÉSENTATION

■ **Hiragana**, *graphie japonaise*

hiragana	rômaji	prononc.	ordre des traits			
こ	ko	[ko]	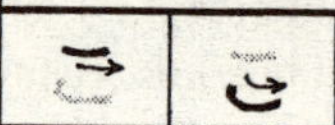			
と	to	[to]	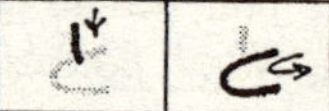			
そ	so	[so]	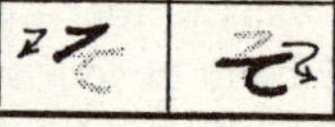			

■ Vocabulaire

これ	kore	[koré]	*ceci ; celui-ci ; celle-ci*
それ	sore	[soré]	*cela ; celui-là ; celle-là*
にく	niku	[nikou]	*viande(s)*
さかな	sakana	[sakana]	*poisson(s)*
と	to	[to]	*et* (pour l'énumération complète)

■ これ　と　それ
kore　to　sore
ceci / *et* / *cela*

A 2 APPLICATION ●● (CD)

1. こ　2. と　3. そ
4. にく　と　さかな
5. わたし　の　くつ　と　かれ　の　くつ
6. あさ　と　よる
7. あなた　と　わたし　と　かのじょ

A 3 REMARQUES

■ Grammaire

• これ, kore [koré], et それ, sore [soré], sont des pronoms démonstratifs d'objet :

– これ, kore, *ceci*, désigne l'objet qui est proche du locuteur (celui qui parle) ou qui lui appartient ;

– それ, sore, *cela*, indique l'objet qui se trouve près de l'interlocuteur (celui à qui l'on s'adresse) ou qui lui appartient.

• Utilisée seule, la syllabe と, to, est ici particule de liaison entre les noms (un équivalent de ***et*** français) : elle s'emploie pour énumérer tous les objets ou êtres vivants concernés : c'est ce qu'on appelle une énumération complète.

ex. A supposer que vous ayez trois objets dans votre sac et que votre interlocuteur vous demande d'énumérer tout ce qu'il y a dedans : dans ce cas, vous devrez citer tous vos trois objets en les reliant avec la particule と, to :

え と ほん と じしょ *tableau, livre et dictionnaire*
e **to** hon **to** jisho

• En français, on peut n'utiliser la conjonction ***et*** qu'une seule fois, même s'il y a plus de deux objets (ou êtres vivants) à énumérer. Par contre, la particule と, to, se répète jusqu'à ce que le dernier objet (ou être) soit cité.

ex. *toi, moi et elle* = あなた と わたし と かのじょ
anata **to** watashi **to** kanojo
toi / et / moi / et / elle

A 4 TRANSCRIPTION ET TRADUCTION

1. ko 2. to 3. so
4. niku [nikou] to sakana *viande(s) et poisson(s)*
5. watashi no kutsu to kare no kutsu [koutsou]
mes chaussures et ses chaussures (à lui)
6. asa to yoru [assa to yorou] *matin et soir*
7. anata to watashi to kanojo [kanodjo] *toi, moi et elle*

5 やさい や くだもの Yasai ya kudamono

B 1 PRÉSENTATION

■ **Hiragana**, *graphie japonaise*

hiragana	rômaji	prononc.	ordre des traits
み	mi	[mi]	
や	ya	[ya]	
だ	da	[da]	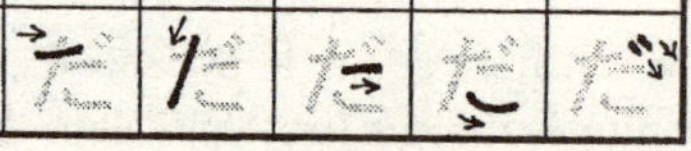

■ **Vocabulaire**

やさい	yasai	[yassai]	*légume(s)*
くだもの	kudamono	[koudamono]	*fruit(s)*
やま	yama		*montagne(s)*
うみ	umi	[oumi]	*mer(s)*
かわ	kawa		*rivière(s)*
や	ya		*et (entre autres)*
あれ	are	[aré]	*cela (celui ; celle) là-bas*

■ やさい や くだもの yasai ya kudamono
légume(s) / et / fruit(s)

= *légume(s) et fruit(s)* (entre autres)

B 2 APPLICATION ●● CD

1. み 2. や 3. だ
4. やま や かわ や うみ
5. これ や あれ
6. たなかさん の かさ や あなた の かさ
7. ほん や じしょ

B 3 REMARQUES

Prononciation

- La syllabe や, ya, se prononce comme dans *yaourt*.
- Le son de **ai** en rômaji correspond au son de ***aï*** dans *haïr*. Il est donc figuré par [aï] : やさい, yasai [yassaï], *légume(s)*.
- En ajoutant deux petits points en haut à droite de た, ta, on obtient だ, da : た, ta + ゛ = だ, da.

Grammaire

- Comme これ, kore [koré], et それ, sore [soré], あれ, are [aré], est également un pronom démonstratif d'objet ; il sert à désigner ce qui est éloigné à la fois du locuteur et de l'interlocuteur : *cela là-bas*.
- La syllabe や, ya, est aussi utilisée comme particule de liaison entre les noms : on l'utilise pour l'énumération d'une partie des objets ou des êtres vivants concernés (énumération incomplète), ce qui diffère de la particule と, to, qui sert à l'énumération complète (cf. 5 A3).
- Nous indiquons la différence entre la particule d'énumération complète と, to, et la particule d'énumération incomplète や, ya, en ajoutant ***entre autres*** à la traduction française de cette dernière (B4-4, 5, 6, 7 ci-après).
- Comme la particule と, to, la particule や, ya, doit se répéter quand il y a plus de deux objets ou êtres (voir B2-4 ci-contre).

B 4 TRANSCRIPTION ET TRADUCTION

1. mi 2. ya 3. da
4. yama ya kawa ya umi [oumi]
montagne(s), rivière(s) et mer(s) (entre autres)
5. kore ya are [koré ya aré] *ceci et cela là-bas (entre autres)*
6. Tanaka-san no kasa ya anatano kasa [kassa]
parapluie(s) de M.(Mme / Mlle) Tanaka et ton (tes) parapluies (entre autres)
7. hon ya jisho [honn ya djisho]
livre(s) et dictionnaire(s)

5 EXERCICES

C1 EXERCICES ●● (CD)

A. Prononcez les **hiragana** suivants et écrivez-les ensuite en **rômaji**.

1. や 2. み 3. そ 4. と 5. だ 6. こ

B. Prononcez et écrivez les locutions suivantes en **rômaji**. Traduisez-les ensuite en français.

1. かれ の うち と わたし の うち
2. それ や あれ
3. やま の え や うみ の え
4. くつ と くつした

C. Traduisez et écrivez les locutions suivantes en **hiragana**.

1. *mes objets et les objets de Mme Tanaka (entre autres)*
2. *votre* (pl.) *voiture et leur voiture (voiture à eux)*
3. *celui-ci et celui-là là-bas (entre autres)*
4. *toi, elle et lui*

C2 CORRIGÉ

A. 1. ya 2. mi 3. so 4. to 5. da 6. ko

B. 1. kare no uchi to watashi no uchi
sa maison et ma maison
2. sore ya are *cela et cela là-bas (entre autres)*
3. yama no e ya umi no e
peinture(s) de la montagne et peinture(s) de la mer (entre autres)
4. kutsu to kutsushita *chaussure(s) et chaussette(s)*

C. 1. わたし の もの や たなかさん の もの
2. あなたたち の くるま と かれら の くるま
3. これ や あれ
4. あなた と かのじょ と かれ

C 3 HIRAGANA

hiragana	ordre des traits					exercez-vous
ko こ	1	2	3	4	5	こ
to と	1	2	3	4	5	と
so そ	1	2	3	4	5	そ
mi み	1	2	3	4	5	み
ya や	1	2	3	4	5	や
da だ	1	2	3	4	5	だ

C 4 EXERCEZ-VOUS

こ	こ	こ			と	と	と		
そ	そ	そ			み	み	み		
や	や	や			だ	だ	だ		

D1/2 REPÈRES HISTORIQUES (593 - 1603)

■ 飛鳥時代, Asuka-jidai, *Ère Asuka* : 593 - 710 après J.-C.

593 Le prince Shotoku est nommé régent.
604 Établissement de la Constitution des 17 articles.
607 Consécration du Temple Horyuji.

■ 奈良時代, Nara-jidai, *Ère Nara* : 710 - 794

710 Transfert de la capitale à Nara.
712 Compilation du « Kojiki ».
720 Compilation du « Nihon shoki ».
Vers 759 Compilation du « Man'yôshû » (voir D4, p.293).

■ 平安時代, Heian-jidai, *Ère Heian* : 794 - 1185

794 Transfert de la capitale à Kyoto.
Vers 1010 Murasaki Shikibu rédige le « Genji Monogatari », *le roman du Genji*.
1167 Kiyomori Taira (des Heike) devient Ministre-Président qui gouverne à la place de l'empereur.

■ 鎌倉時代, Kamakura-jidai, *Ère Kamakura* : 1185 - 1333

1192 Yoritomo Minamoto établit le gouvernement à Kamakura et devient commandeur en chef.
Vers 1244 Le « Heike Monogatari », *le roman du clan Heike*. est écrit.
1274/1281 Échec des invasions mongoles.

■ 南北朝時代, Nanbokuchô-jidai, *Ère de scission impériale entre la cour du nord et celle du sud* : 1336 - 1392

■ 室町時代, Muromachi-jidai, *Ère Muromachi* : 1392 - 1573

1397 Consécration du Temple Kinkakuji (Pavillon d'or) par Yoshimitsu Ashikaga.
1549 Saint François Xavier arrive à Kyushu et prêche le christianisme.

■ 安土桃山時代, Azuchi-Momoyama-jidai, *Ère Azuchi-Momoyama* : 1573 - 1603

1582 Mission en Europe (au Vatican) de jeunes Japonais chrétiens.
1587 Émission, par le Ministre-Président Hideyoshi, d'un édit anti-chrétien pour expulser les missionnaires.

D3/4 REPÈRES HISTORIQUES (1603 -)

■ 江戸時代, Edo-jidai, *Ère Edo* : 1603 - 1867

1603	Ieyasu Tokugawa est nommé shogun et inaugure le shogunat à Edo (Tokyo).
1633	Début de la politique de fermeture du pays.
1854	Traité d'amitié nippo-américain.
1855	Traité d'amitié franco-japonais.
1858	Traité de paix, d'amitié et de commerce avec les 5 puissances (Angleterre, France, Hollande, Russie et États-Unis).

■ 明治時代, Meiji-jidai, *Ère Meiji* : 1868 - 1912

1868	Restauration de Meiji.
1886	Mise en vigueur de la loi sur l'éducation nationale.
1889	Promulgation de la Constitution de l'Empire du Japon.
1894-1895	Guerre sino-japonaise.
1904-1905	Guerre russo-japonaise.
1910	Annexion de la Corée au Japon

■ 大正時代, Taishô-jidai, *Ère Taisho* : 1912 - 1926

1914	Entrée du Japon dans la première guerre mondiale.
1923	Grand tremblement de terre de la région de Kanto.
1925	Promulgation de la loi sur le suffrage universel.

■ 昭和時代, Shôwa-jidai, *Ère Showa* : 1926 - 1989

1945	Capitulation du Japon par la Proclamation de Potsdam. Fin de la seconde guerre mondiale.
1946	Promulgation de la Constitution (voir p.203).
1956	Admission du Japon à l'ONU.
1972	Retour de l'île d'Okinawa au Japon. Normalisation des relations avec la Chine

■ 平成時代, Heisei-jidai, *Ère Heisei* : 1989 -

1993	Le parti libéral-démocrate est écarté du pouvoir pour la première fois depuis 38 ans. Naissance d'un gouvernement de coalition.
1995	Grand séisme de Kobe qui coûta la vie à plus de 6000 personnes.
2000	Introduction du système d'assurance de soins (voir p.75).

6 この おかし か その おかし
Kono okashi ka sono okashi

A 1 PRÉSENTATION

■ **Hiragana**, *graphie japonaise*

hiragana	rômaji	prononc.	ordre des traits
お	o	[o]	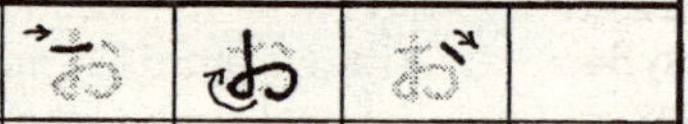
て	te	[té]	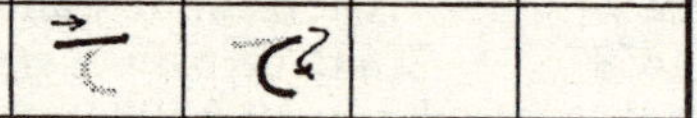
が	ga	[ga]	

■ **Vocabulaire**

この	kono		*ce (cet ; cette)...-ci*
その	sono		*ce (cet ; cette)...-là*
おかし	okashi		*gâteau(x)*
おちゃ	ocha	[otcha]	*thé*
おもちゃ	omocha	[omotcha]	*jouet(s)*
てがみ	tegami	[tégami]	*lettre(s)* (= texte écrit qu'on adresse à quelqu'un)

■ この おかし か その おかし
kono okashi ka sono okashi
ce...-ci / gâteau / ou / ce...-là / gâteau
ce gâteau-ci ou ce gâteau-là

A 2 APPLICATION ●● CD

1. お 2. て 3. が
4. その おもちゃ
5. この てがみ
6. この おちゃ と その おちゃ
7. この さかな や その さかな

A 3 REMARQUES

Prononciation et transcription

• Le **cha** en **rômaji** doit être prononcé comme le *tcha* de *Tchad* ; おちゃ, ocha, *thé*, se prononce [otcha]. Notons que la syllabe **cha**, [tcha], s'écrit en hiragana avec la syllabe ち, chi, de taille normale accompagnée de la syllabe や, ya, de taille réduite : ちゃ, cha [tcha].

• On obtient la syllabe が, ga, en ajoutant deux petits points en haut et à droite de か, ka : か, ka + ゛ = が, ga.

Grammaire

• この, kono, *ce (cette)...-ci*, et その, sono, *ce (cette)...-là*, sont des adjectifs démonstratifs qui se trouvent toujours devant un nom pour le déterminer et pour s'y rapporter ; ils servent à indiquer aussi bien les objets que les êtres.

• Cependant leur usage est ditinct :

– この, kono, s'associe directement au nom d'un objet (ou être vivant) qui est proche du locuteur : この ほん, kono hon [honn], *ce livre-ci* ;

– その, sono, s'associe directement au nom d'un objet (ou être vivant) qui est proche de l'interlocuteur : その ほん, sono hon [honn], *ce livre-là*.

• L'adjectif démonstratif この, kono (ou その, sono), ne s'emploie jamais seul, contrairement aux pronoms démonstratifs これ, kore [koré], *ceci*, (ou それ, sore [soré], *cela*).

ex. この おちゃ **kono ocha** [otcha] *ce thé-ci*

A 4 TRANSCRIPTION ET TRADUCTION

1. o 2. te [té] 3. ga
4. sono omocha [omotcha] *ce jouet-là*
5. kono tegami [tégami] *cette lettre-ci*
6. kono ocha to sono ocha [otcha] *ce thé-ci et ce thé-là*
7. kono sakana ya sono sakana
ce poisson-ci et ce poisson-là (entre autres)

6 あの いぬ と ねこ Ano inu to neko

B 1 PRÉSENTATION

■ **Hiragana**, *graphie japonaise*

hiragana	rômaji	prononc.	ordre des traits
ぬ	nu	[nu]	
ね	ne	[né]	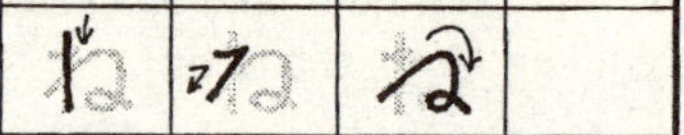
り	ri	[ri]	

■ **Vocabulaire**

あの	ano		*ce (cet ; cette)…là-bas*
いぬ	inu	[inou]	*chien(s)*
ねこ	neko	[néko]	*chat(s)*
とり	tori		*oiseau(x)*
うま	uma	[ouma]	*cheval (chevaux)*
うし	ushi	[oushi]	*bœuf(s) ; vache(s)*

■ あの いぬ と ねこ

ano inu to neko

ce…là-bas / chien / et / chat

= *ce chien là-bas et ce chat là-bas*

B 2 APPLICATION

1. ぬ 2. ね 3. り
4. この とり や あの とり
5. この うし と うま
6. あの やま や かわ
7. その くるま か あの くるま

B 3 REMARQUES

Prononciation

• Rappel : ne pas prononcer le **r** japonais comme le *r* à la française : il ressemble plutôt au *l* français.

La syllabe や, ya, se prononce comme dans *yaourt*.

• Rappel : on n'indique la prononciation entre crochets que lorsque la transcription en rômaji en diffère.

Grammaire

• あの, ano, est aussi un adjectif démonstratif et se place devant le nom ; il désigne un objet ou un être qui se trouve éloigné aussi bien du locuteur que de l'interlocuteur.

• あの, ano, adjectif démonstratif, ne s'emploie jamais seul contrairement au pronom あれ, are [aré], *cela là-bas*.

ex. あの ねこ **ano neko** [néko] *ce chat là-bas*

• Si tous les noms sont précédés du même adjectif démonstratif, il n'est pas nécessaire de le répéter devant chaque nom, lorsqu'ils sont reliés par la conjonction と, to, ou や, ya.

On ne met donc この, kono (その, sono, ou あの, ano), facteur commun, qu'une seule fois, ce que l'on ne fait jamais en français où l'on répète toujours l'adjectif démonstratif.

ex. *ce chat-ci et cet oiseau-ci* = この ねこ と とり
kono neko to tori
ce...-ci / *chat* / *et* / oiseau

B 4 TRANSCRIPTION ET TRADUCTION

1. nu [nou] 2. ne [né] 3. ri
4. kono tori ya ano tori
cet oiseau-ci et cet oiseau là-bas (entre autres)
5. kono ushi to uma [kono oushi to ouma]
ce bœuf (cette vache)-ci et ce cheval-ci
6. ano yama ya kawa
cette montagne là-bas et cette rivière là-bas
7. sono kuruma ka ano kuruma [kourouma]
cette voiture-là ou cette voiture là-bas

C1 EXERCICES

A. Prononcez les **hiragana** suivants et écrivez-les ensuite en **rômaji**.

1. お 2. が 3. ね 4. り 5. て 6. ぬ

B. Prononcez et écrivez les locutions suivantes en **rômaji**. Traduisez-les ensuite en français.

1. その ほん や じしょ
2. あの つくえ か その つくえ
3. この かさ と くつ
4. あの おもちゃ

C. Traduisez et écrivez les locutions suivantes en **hiragana**.

1. *cette maison-ci ou cette maison là-bas*
2. *cette lettre là-bas*
3. *ce fruit-ci et ce légume-ci (entre autres)*
4. *ce gâteau-là et ce thé-là*

C2 CORRIGÉ

A. 1. o 2. ga 3. ne 4. ri 5. te 6. nu

B. 1. sono hon ya jisho
ce livre-là et ce dictionnaire-là (entre autres)
2. ano tsukue ka sono tsukue
ce bureau là-bas ou ce bureau-là
3. kono kasa to kutsu
ce parapluie-ci et ces chaussures-ci
4. ano omocha *ce jouet là-bas*

C. 1. この うち か あの うち
ou この いえ か あの いえ
2. あの てがみ
3. この くだもの や やさい
4. その おかし と おちゃ

6 ÉCRITURE

C 3 HIRAGANA

hiragana	ordre des traits					exercez-vous
o お	1	2	3	4	5	お
te て	1	2	3	4	5	て
nu ぬ	1	2	3	4	5	ぬ
ne ね	1	2	3	4	5	ね
ri り	1	2	3	4	5	り
ga が	1	2	3	4	5	が

C 4 EXERCEZ-VOUS

お	お	お		
て	て	て		
ぬ	ぬ	ぬ		
ね	ね	ね		
り	り	り		
が	が	が		

D 1 DIALOGUE ●● CD

ピエール：それ、なに*？
ともこ：これ*？ ねんがじょう。
ピエール：ともだち から*？
ともこ：いいえ。
ピエール：だれ から*？
ともこ：かいしゃ の どうりょう から。

Piêru : Sore, nani*?
Tomoko : Kore* ? Nengajô.
Piêru : Tomodachi kara*?
Tomoko : Iie.
Piêru : Dare kara*?
Tomoko : Kaisha no dôryô kara.

***Remarque :** – L'intonation monte en fin de mot, puisque c'est une interrogation ;
– Pour la commodité, on emploie ici le point d'interrogation, ?, qui n'existe pourtant pas en japonais (voir p.109).

D 2 VIE PRATIQUE

■ 年賀状, ねんがじょう, nengajô :

年賀状, nengajô, est une carte de vœux destinée à célébrer l'arrivée d'une année nouvelle. Sur la carte est souvent dessiné l'un des **douze animaux du zodiaque**, 十二支, jûni-shi, qui correspond au **signe fixé par le cycle sexagénaire**, 干支, eto.

On trouve l'origine de cette carte dans une habitude allemande du quinzième siècle : sur une taille-douce on décrivait la nativité et on faisait part en même temps de ses vœux de nouvel an. Au Japon, c'est en 1900 que le bureau de poste s'est mis à distribuer des 年賀状, nengajô. En 1949 on a introduit le tirage au sort des **cartes numérotées de nouvel an**, お年玉年賀はがき, otoshidama-nengahagaki. Les gens envoient ces cartes avec des souhaits ou des résolutions pour l'année nouvelle.

D 3 DIALOGUE

Pierre : Ça, c'est quoi ?
Tomoko : Ça (Ceci) ? (C'est) une carte de vœux pour le nouvel an.
Pierre : De (la part de) ton ami(e) ?
Tomoko : Non.
Pierre : De (la part de) qui ?
Tomoko : De la part d'un(e) collègue de bureau.

❖ **Vocabulaire :**
なに, nani, *quoi ? ; que ?*
ねんがじょう, nengajô, *carte de vœux pour le nouvel an* [voir D2 ci-contre]
ともだち, tomodachi, *ami(e/s/es)*
から, kara, *de la part de ; à partir de ; depuis*
いいえ, iie, *non*
だれ, dare, *qui ?*
かいしゃ, kaisha, *bureau ; compagnie ; entreprise*
どうりょう, dôryô, *collègue*

D 4 CIVILISATION

■ 正月, しょうがつ, Shôgatsu :

Le **nouvel an**, 正月, Shôgatsu, est la fête la plus importante de toutes les fêtes traditionnelles japonaises. On le célèbre pendant ses trois premiers jours ou sa première semaine. À l'origine, le mot Shôgatsu, 正月, signifiait une cérémonie pour recevoir le **dieu du nouvel an**, appelé Toshigami-sama, 歳神さま. On croyait que ce dernier habitait dans une haute montagne et qu'il descendait dans les villes pour apporter le bonheur aux gens. Toute la famille se réunit le premier janvier pour accueillir 歳神さま, Toshigami-sama, en préparant les **plats du nouvel an**, お節料理, osechi-ryôri. Aujourd'hui, 正月, Shôgatsu, est considéré comme des vacances et beaucoup de gens en profitent pour rentrer dans leur pays natal ou partir en voyage à l'étranger.

7 あかい　ふく　Akai fuku

A 1 PRÉSENTATION

■ **Hiragana**, *graphie japonaise*

hiragana	rômaji	prononc.	ordre des traits
ふ	fu	[fou]	
ろ	ro	[ro]	
ぼ	bo	[bo]	

■ **Vocabulaire**

あかい	akai	[akaï]	*rouge*
あおい	aoi	[aoï]	*bleu*
しろい	shiroi	[shiroï]	*blanc*
くろい	kuroi	[kouroï]	*noir*
まるい	marui	[marouï]	*rond*
おもしろい	omoshiroi	[omoshiroï]	*intéressant*
ふく	fuku	[foukou]	*vêtement(s)*
ぼうし	bôshi	[bo:shi]	*chapeau(x)*

■ あかい　ふく　*vêtement(s) rouge(s)*

akai　fuku

rouge / vêtement(s)

A 2 APPLICATION

1. ふ　2. ろ　3. ぼ
4. くろい　くるま
5. おもしろい　ほん
6. まるい　ぼうし
7. あおい　ふく　と　あかい　ふく

A 3 REMARQUES

Prononciation et transcription

- Attention : le **f** dans **fu** [fou] a un son intermédiaire entre le *h* expiré et le *f*. Cependant, il est transcrit et figuré par un **f** [f].
- Le **ai** en **rômaji** se prononce [aï] : **akai** est prononcé [akaï].
- Le **oi** en **rômaji** se prononce toujours [oï] : par exemple, **shiroi** est prononcé [shiroï].
- Le son **ui** en **rômaji** est celui du mot français *ouïe*. Il est figuré par [ouï] : **marui** se prononce [marouï].
- On obtient la syllabe ぼ, bo, en ajoutant deux petits points en haut et à droite de ほ, ho : ほ, ho + ゛ = ぼ, bo.
- La syllabe う, u, après la syllabe ぼ, bo, marque l'allongement du son de **bo**, et donne la syllabe allongée ぼう, bô [bo:].

Grammaire : les adjectifs (1)

- Les adjectifs japonais, quand ils sont épithètes (fonction des adjectifs qui déterminent le nom sans l'intermédiaire d'un verbe), se placent toujours devant le nom qu'ils déterminent.

adjectif + nom	*traduction*
あかい ①* ふく ② akai fuku *rouge(s) / vêtement(s)*	*vêtement(s)* ② *rouge(s)* ①

*Les chiffres donnent l'ordre des mots en japoanis.

- Les adjectifs japonais ignorent l'accord en genre et en nombre avec le nom qu'ils qualifient, ce dernier ne connaissant lui-même ni genre ni nombre.

A 4 TRANSCRIPTION ET TRADUCTION

1. fu [fou] 2. ro 3. bo
4. kuroi kuruma [kouroï kourouma] *voiture(s) noire(s)*
5. omoshiroi hon [omoshiroï honn] *livre(s) intéressant(s)*
6. marui bôshi [marouï bo:shi] *chapeau(x) rond(s)*
7. aoi fuku to akai fuku [aoï foukou to akaï foukou] *vêtement(s) bleu(s) et vêtement(s) rouge(s)*

7 やすく て おいしい りんご
Yasuku te oishii ringo

B 1 PRÉSENTATION

■ Hiragana, *graphie japonaise*

hiragana	rômaji	prononc.	ordre des traits			
す	su	[sou]				
ず	zu	[zou]				
ご	go	[go]	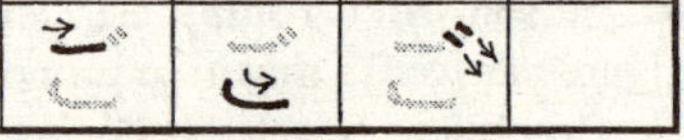			

■ Vocabulaire

やすい	yasui	[yassouï]	*bon marché*
たかい	takai	[takaï]	*cher* ; *haut*
おいしい	oishii	[oïshii]	*bon* (pour le goût)
まずい	mazui	[mazouï]	*mauvais* (pour le goût)
ちいさい	chiisai	[tchiissaï]	*petit*
りんご	ringo	[rinngo]	*pomme(s)*
いちご	ichigo	[itchigo]	*fraise(s)*
て	te	[té]	*et* (pour les adjectifs)

■ やすく て おいしい りんご

yasuku te oishii ringo

bon marché / et / bonne(s) / pomme(s)

pomme(s) bon marché et bonne(s)

B 2 APPLICATION

1. す 2. ず 3. ご
4. たかく て まずい いちご
5. ちいさく て あかい くるま
6. まるく て ちいさい おかし
7. おいしく て やすい くだもの
8. しろく て まるい ぼうし

B 3 REMARQUES

Prononciation et transcription

• Lorsqu'on ajoute deux petits points en haut et à droite de la syllabe す, su [sou], ou de la syllabe こ, ko, on obtient la syllabe ず, zu [zou], ou la syllabe ご, go.

• Le son [z] est toujours indiqué dans le **rômaji** par **z** : まずい, ma<u>z</u>ui [mazouï], *mauvais*.

Grammaire : les adjectifs (2)

• Tous les adjectifs japonais se reconnaissent par leur terminaison commune い, **i**.

Cela ne signifie cependant pas que les mots qui se terminent par la syllabe い, i, sont tous des adjectifs ; やさい, yasai, [yassaï], *légume*, est un nom, bien qu'il se termine par い, i.

• Pour relier des adjectifs, il faut le mot de liaison て, te, [té], et non pas と, to (ou や, ya), qui lie des noms (cf.5A et B).

• La terminaison de l'adjectif, い, i, qui se place juste devant la conjonction て, te, [té], se transforme en く, ku, [kou].

adjectif-1	*et*	adjectif-2	+ nom	traduction
やすく yasu**ku**	て te	おいしい oishi **i**	りんご ringo	*pomme(s) bon marché et bonnes*
おいしく oishi**ku**	て te	やすい yasu **i**	りんご ringo	*pomme(s) bonne(s) et bon marché*

B 4 TRANSCRIPTION ET TRADUCTION

1. so [sou] 2. zu [zou] 3 go
4. takaku te mazui ichigo *fraise(s) chère(s) et mauvaise(s)*
5. chiisaku te akai kuruma
petite(s) voiture(s) rouge(s) ou *voiture(s) petite(s) et rouge(s)*
6. maruku te chiisai okashi
petit(s) gâteau(x) rond(s) ou *gâteau(x) rond(s) et petit(s)*
7. oishiku te yasui kudamono *fruit(s) bon(s) et bon marché*
8. shiroku te marui bôshi *chapeau(x) blanc(s) et rond(s)*

7 EXERCICES

C 1 EXERCICES

A. Prononcez les **hiragana** suivants et écrivez-les ensuite en **rômaji**.

1. す 2. ご 3. ふ 4. ぼ 5. ず 6. ろ

B. Prononcez et écrivez les locutions suivantes en **rômaji**. Traduisez-les ensuite en français.

1. まずい　おちゃ
2. おもしろい　もの
3. やすく　て　おいしい　にく
4. しろい　うま

C. Traduisez et écrivez les locutions suivantes en **hiragana**.

1. *une petite voiture noire*
2. *des vêtements chers*
3. *des fraises mauvaises et chères*
4. *un jouet intéressant*
5. *un chapeau bleu et rond*

C 2 CORRIGÉ

A. 1. su 2. go 3. fu 4. bo 5. zu 6. ro

B.
1. mazui ocha — *mauvais thé(s)*
2. omoshiroi mono — *chose(s) intéressante(s)*
3. yasuku te oishii niku — *viande bon marché et bonne*
4. shiroi uma — *cheval (chevaux) blanc(s)*

C.
1. ちいさく　て　くろい　くるま
2. たかい　ふく
3. まずく　て　たかい　いちご
4. おもしろい　おもちゃ
5. あおく　て　まるい　ぼうし

7 ÉCRITURE

C 3 HIRAGANA

hiragana	ordre des traits					exercez-vous	
su す	1	2	3	4	5	す	
zu ず	1	2	3	4	5	ず	
fu ふ	1	2	3	4	5	ふ	
ro ろ	1	2	3	4	5	ろ	
go ご	1	2	3	4	5	ご	
bo ぼ	1	2	3	4	5	ぼ	

C 4 EXERCEZ-VOUS

す	す	す			
ず	ず	ず			
ふ	ふ	ふ			
ろ	ろ	ろ			
ご	ご	ご			
ぼ	ぼ	ぼ			

D 1 DIALOGUE

ほんだ	:	たなかさん。
		こちら、やまださん です。
たなか	:	はじめまして。たなか です。
やまだ	:	はじめまして。どうぞ、よろしく。
たなか	:	これ、わたし の めいし です。
やまだ	:	ありがとうございます。
ほんだ	:	では、こちら へ どうぞ。
やまだ	:	しつれいします。

Honda	:	Tanaka-san.
		Kochira, Yamada-san desu.
Tanaka	:	Hajimemashite. Tanaka desu.
Yamada	:	Hajimemashite. Dôzo, yoroshiku.
Tanaka	:	Kore, watashi no meishi desu.
Yamada	:	Arigatô-gozaimasu.
Honda	:	Dewa, kochira e dôzo.
Yamada	:	Shitsurei-shimasu.

D 2 VIE PRATIQUE

■ 挨拶, あいさつ, aisatsu, *les salutations* :

● Lors d'une première rencotre, vous entendrez はじめまして, hajimemashite, qui correspond au français ***enchanté de vous connaître,*** à quoi vous répondrez aussi par はじめまして, hajimemashite. Cette expression est souvent accompagnée de どうぞ、よろしく, dôzo yoroshiku, qui peut se traduire par *je me recommande à vous.*

● しつれいします, shitsurei-shimasu, qui correspond au français ***je suis désolé de vous déranger***, s'emploie également dans le sens de ***merci*** (D1 ci-dessus) ou de ***au revoir***.

● Selon le moment de la journée, vous pourrez, pour saluer et dire ***bonjour***, employer :

— おはようございます, ohayô-gozaimasu, dans la matinée,
— こんにちは, kon'nichiwa, dans l'après-midi,
— こんばんは, konbanwa, dans la soirée.

D 3 DIALOGUE

Honda : Monsieur Tanaka. Ici, c'est Monsieur Yamada.
Tanaka : Enchanté. Je suis Tanaka.
Yamada : Enchanté. Je me recommande à vous.
Tanaka : Ça, c'est ma carte de visite.
Yamada : Je vous remercie.
Honda : Eh bien, venez par ici, je vous prie.
Yamada : Merci.

❖ **Vocabilaire :**

こちら, kochira, *de ce côté-ci ; ici ; cette personne-ci*
です, desu, *c'est* [voir p.93]
はじめまして, hajimemashite, *Enchanté(e)* [voir D2 ci-contre]
どうぞ, dôzo, *je vous prie*
よろしく, yoroshiku, *je me recommande à vous* [voir D2 ci-contre]
めいし, meishi, *carte de visite*
ありがとうございます, arigatô-gozaimasu, *je vous remercie*
では, dewa, *alors ; eh bien*
...へ, e, *à, vers* [voir p.229]
しつれいします, shitsurei-shimasu, *merci* [voir D2 ci-contre]

D 4 CIVILISATION

■ 印鑑, いんかん, inkan, *sceau* :

Le *sceau*, 印鑑, inkan, est un petit objet cylindrique qui a 1 à 2 cm de diamètre et 5 à 6 cm de long. Il est souvent en bois, en plastique, en ivoire ou même en cristal. Et il a une face sculptée au nom de la personne. À la place de la signature considérée comme importante chez les occidentaux, on utilise au Japon le *sceau*, 印鑑, inkan, pour certifier l'identité d'une personne ou pour viser un papier officiel.

■ 名刺, めいし, meishi, *carte de visite* :

Se munir d'une *carte de visite*, 名刺, meishi, est d'autant plus important que, dans le monde des affaires japonais, le premier contact se fait toujours par l'échange des *cartes de visites* (名刺, meishi). Sur une 名刺, meishi, il y a le nom de la personne, le nom de sa société, son poste, l'adresse de sa société, les numéros de téléphone, de fax, l'adresse de e-mail, etc. Le premier échange des 名刺, meishi, semble s'être effectué en 1854 entre le gouvernement shogunal et un délégué américain.

8 じゅうよう な しごと Jûyô na shigoto

A 1 PRÉSENTATION

■ **Hiragana**, *graphie japonaise*

hiragana	rômaji	prononc.	ordre des traits
ひ	hi	[hi]	
め	me	[mé]	
ゆ	yu	[yu]	

■ Vocabulaire

じゅうよう（な）	jûyô(na)	[djou:yo:(na)]	*important*
ゆうめい（な）	yûmei(na)	[you:méï(na)]	*célèbre*
かんたん（な）	kantan(na)	[kanntann(na)]	*simple*
ひと	hito*		*personne(s)*
しごと	shigoto**		*travail*
たてもの	tatemono	[tatémono]	*bâtiment*

* (Rappel) Le **h** de **hito** doit se prononcer, le **h** japonais étant toujour expiré.

**しごと, shigoto, correspond au sens du mot *travail* au singulier.

■ じゅうよう　な　しごと　*travail important*

jûyô　na　shigoto
important　/　-　/　*travail*

A 2 APPLICATION

1. ひ　2. め　3. ゆ
4. かんたん　な　しごと
5. ゆうめい　な　たてもの
6. じゅうよう　な　ひと

A 3 REMARQUES

Prononciation et transcription

- La syllabe ゆ, yu [you], comme dans Yougoslavie.
- La syllabe じゅ, ju [djou], est une composition de la syllabe じ, ji [dji], de taille normale et de la syllabe ゆ, yu [you], de taille réduite : じゅ, ju [djou].
- Pour allonger le son d'une syllabe en **o** ou en **u** [ou], on la fait suivre de la syllabe う, u [ou] :

syllabe en o ou en u		+ う u [ou] ➡	syllabe longue en o ou en u	
よ	yo [yo]	+ う u [ou] ➡	よう	yô [yo:]
ゆ	yu [you]	+ う u [ou] ➡	ゆう	yû [you:]
じゅ	ju [djou]	+ う u [ou] ➡	じゅう	jû [djou:]

Grammaire : les quasi-adjectifs (1)

- On appelle quasi-adjectifs les adjectifs qui, lorsqu'ils sont épithètes, sont obligatoirement suivis du mot de liaison な, na. Les quasi-adjectifs épithètes, suivis de な, na, se placent toujours devant le nom ; な, na, ne se traduit pas.

ex. じゅうよう　な　しごと　*travail important*
jûyô [djou:yo:] + **na** shigoto

- Comme les adjectifs, les quasi-adjectifs ignorent l'accord en genre et en nombre avec le nom (cf.7A3).
- Beaucoup de quasi-adjectifs se distinguent des adjectifs par l'absence de la terminaison い, i. Exception : le quasi-adjectif ゆうめい, yûmei [you:méï], *célèbre*, se termine par い, i.

C'est pourquoi nous vous signalons dans le vocabulaire, en A1, tous les quasi-adjectifs par le な, na, entre parenthèses pour les identifier.

A 4 TRANSCRIPTION ET TRADUCTION

1. hi　　2. me [mé]　　3. yu [you]
4. kantan [kanntann] na shigoto　*travail simple*
5. yûmei na tatemono [you:méï na tatémono]
bâtiment(s) célèbre(s)
6. jûyô na hito [djou:yo: na hito]　*personne(s) importante(s)*

8 しずか で きれい な まち
Shizuka de kirei na machi

B 1 PRÉSENTATION

Hiragana, *graphie japonaise*

hiragana	rômaji	prononc.	ordre des traits
き	ki	[ki]	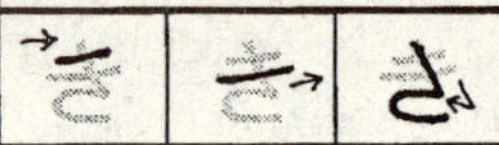
で	de	[dé]	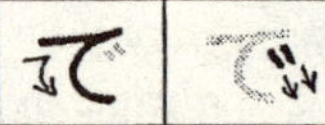
へ	he	[hé]	

Vocabulaire

しずか（な）	shizuka (na)	[shizouka (na)]	*calme*
きれい（な）	kirei (na)	[kiréï (na)]	*beau ; propre*
まじめ（な）	majime (na)	[madjimé (na)]	*sérieux*
ゆうかん（な）	yûkan (na)	[you:kann (na)]	*brave*
じゆう（な）	jiyû (na)	[djiyou: (na)]	*libre*
へいわ（な）	heiwa (na)	[héïwa (na)]	*paisible*
まち	machi	[matchi]	*ville(s)*
くに	kuni*	[kouni]	*pays*
ところ	tokoro*		*endroit(s) : lieu(x)*
で	de	[dé]	*et* (pour les quasi-adjectifs)

しずか で きれい な まち

shizuka de kirei na machi
calme(s) / *et* / *belle(s)* / - / *ville(s)*
ville(s) calme(s) et belle(s)

B 2 APPLICATION

1. き　　2. で　　3. へ
4. じゆう で へいわ な くに
5. きれい で しずか な ところ
6. まじめ で ゆうかん な ひと

B 3 REMARQUES

■ Prononciation et transcription

- On obtient la syllabe で, de [dé], quand on ajoute deux petits points au て, te [té] : て, te + ゛ = で, de [dé]
- Comme le ゆ, yu [you], de じゆう, jiyû [djiyou:], *libre*, s'écrit en taille normale, on le prononce clairement après le son じ, ji [dji]. **Rappel** : par contre, le じゅ, ju [djou], de じゅうよう, jûyô [djou:yo:], *important*, doit se prononser [djou] et non pas [djiyou], le ゅ, yu [you], étant écrit en taille réduite.

■ Grammaire : les quasi-adjectifs (2)

- Pour relier des quasi-adjectifs, il faut le mot de liaison で, de [dé] (cf.7B).
- Les quasi-adjectifs ne voient aucune transformation de leur dernière lettre devant le で, de [dé].
- Les quasi-adjectifs, reliés par で, de, [dé], se placent toujours devant le nom qu'ils déterminent : ne surtout pas oublier le mot de liaison な, na, entre le dernier quasi-adjectif et le nom.

quasi-adj.-1	*et*	quasi-adj.-2	-	+ nom	traduction
しずか shizuka *calme(s)*	で de *et*	きれい kirei *belle(s)*	な na -	まち machi *ville(s)*	*ville(s) calme(s) et belle(s)*
きれい kirei *belle(s)*	で de *et*	しずか shizuka *calme(s)*	な na -	まち machi *ville(s)*	*ville(s) belle(s) et calme(s)*

B 4 TRANSCRIPTION ET TRADUCTION

1. ki 2. de [dé] 3. he [hé]
4. jiyû de heiwa na kuni [djiyou: dé héïwa na kouni]
   pays libre(s) et paisible(s)
5. kirei de shizuka na tokoro [kiréï dé shizouka na tokoro]
   endroit(s) beau(x) et calme(s)
6. majime de yûkan na hito [madjimé de you:kann na hito]
   personne(s) sérieuse(s) et brave(s)

8 EXERCICES

C 1 EXERCICES ●● CD

A. Prononcez les **hiragana** suivants et écrivez-les ensuite en **rômaji**.

1. ひ 2. で 3. め 4. ゆ 5. へ 6. き

B. Prononcez et écrivez les locutions suivantes en **rômaji**. Traduisez-les ensuite en français.

1. ゆうめい な ところ
2. きれい な かわ
3. じゅうよう な たてもの
4. しずか で へいわ な まち

C. Traduisez et écrivez les locutions suivantes en **hiragana**.

1. *un travail sérieux*
2. *une personne brave*
3. *une mer propre* (ou *belle*) *et calme*
4. *des pays paisibles*
5. *un jouet simple*

C 2 CORRIGÉ

A. 1. hi 2. de 3. me 4. yu 5. he 6. ki

B. 1. yûmei na tokoro *endroit(s) célèbre(s)*
2. kirei na kawa *rivière(s) propre(s)* ou *belle(s) rivière(s)*
3. jûyô na tatemono *bâtiment(s) important(s)*
4. shizuka de heiwa na machi *ville(s) calme(s) et paisible(s)*

C. 1. まじめ な しごと
2. ゆうかん な ひと
3. きれい で しずか な うみ
4. へいわ な くに
5. かんたん な おもちゃ

C 3 HIRAGANA

hiragana	ordre des traits					exercez-vous
ki き	1	2	3	4	5	き
hi ひ	1	2	3	4	5	ひ
he へ	1	2	3	4	5	へ
me め	1	2	3	4	5	め
yu ゆ	1	2	3	4	5	ゆ
de で	1	2	3	4	5	で

C 4 EXERCEZ-VOUS

き	き	き			ひ	ひ	ひ		
へ	へ	へ			め	め	め		
ゆ	ゆ	ゆ			で	で	で		

D1 DIALOGUE ●● (CD)

すずき	:	いしださん、おひさしぶり です。
		おげんき です か。
いしだ	:	はい、ありがとうございます。
		すずきさん は いかが です か。
すずき	:	げんき です。
いしだ	:	おくさん は？
すずき	:	かない も げんき です。
Suzuki	:	Ishida-san, o-hisashiburi desu.
		O-genki desu ka.
Ishida	:	Hai, arigatô-gozaimasu.
		Suzuki-san wa ikaga desu ka.
Suzuki	:	Genki desu.
Ishida	:	Okusan wa ?
Suzuki	:	Kanai mo genki desu.

D2 VIE PRATIQUE

■ 敬語, けいご, keigo, *le langage de politesse* :

Le langage de politesse s'emploie très fréquemment dans une conversation japonaise pour faire apparaître la déférence ou la modestie du locuteur à l'égard de son interlocuteur.

Dans le dialogue ci-dessus, on remarque :

- un préfixe de politesse お, o, dans おひさしぶり, o-hisashiburi, *ça fait longtemps qu'on ne s'est pas vus,* pour exprimer la déférence du locuteur. Celui-ci ajoute donc ce préfixe à げんき, genki, *en bonne santé*, lorsqu'il demande à son interlocuteur s'il va bien : おげんき です か, o-genki desu ka, *Vous allez bien ?*;
- un suffixe de politesse ございます, gozaimasu, qui s'attache à ありがとう, arigatô, *merci,* pour être plus courtois ;
- les mots de politesse, いかが, ikaga, *comment,* et です, desu, *être,* pour témoigner du respect à l'interlocuteur ;
- le mot de déférense おくさん, okusan, *épouse,* qui n'est employé que pour désigner la femme de l'interlocuteur ou de quelqu'un d'autre ; pour indiquer *ma femme*, on dit かない, kanai.

D 3 DIALOGUE

Suzuki : Monsieur Ishida, ça fait longtemps que nous ne nous sommes pas vus. Vous allez bien ?
Ishida : Oui, je vous remercie. Et vous, Monsieur Suzuki, comment allez-vous ?
Suzuki : Je vais bien.
Ishida : Et votre femme ?
Suzuki : Elle va bien aussi.

❖ **Vocabulaire :**

おひさしぶり, o-hisashiburi, [voir D2 ci-contre]
おげんき, o-genki, *en bonne santé* [voir D2 ci-contre]
げんき, genki, *en bonne santé*
ありがとう, arigatô, *merci*
ございます, gozaimasu, [voir D2 ci-contre]
は, wa, particule de thème [voir p.95]
はい, hai, *oui*
いかが, ikaga, *comment* [voir D2 ci-contre]
か, ka, particule interrogative [voir p.109]
おくさん, okusan, *épouse* [voir D2 ci-contre]
かない, kanai, *femme*
も, ka, *aussi* [voir p.111]

D 4 CIVILISATION

■ 介護保険, かいごほけん, kaigo-hoken, *assurance de soins* :

Le Japon est le pays qui jouit le plus de la longévité du monde. Cependant, avec le taux de natalité en baisse d'année en année, il est en train de devenir une *société souffrant du vieillissement* (高齢化社会, kôreika-shakai). Le nombre de personnes âgées de 75 ans ou plus, qui ont le plus besoin de soins médicaux, s'élèvera au moins à 16 millions avant l'an 2020. Pour faire face au problème de vieillissement, le gouvernement japonais a adopté en avril 2000 le *système d'assurance de soins* (介護保険制度, kaigo-hoken seido). Depuis cette date, les gens de plus de 40 ans sont obligés de payer une cotisation pour cette assurance qui leur permettera en cotrepartie de profiter de services de soins à domicile ou dans un établissement spécialisé, selon leur besoin. Mais il reste toujours à résoudre des problèmes tels que la disposition de personnel ou leur salaire, etc.

9 はやく　て　べんり　な　ひこうき
Hayaku te benri na hikôki

A 1 PRÉSENTATION

■ Hiragana, *graphie japonaise*

hiragana	rômaji	prononc.	ordre des traits			
せ	se	[sé]	せ	せ	せ	
は	ha	[ha]	は	は	は	
べ	be	[bé]	べ	べ		

■ Vocabulaire

はやい	hayai	[hayaï]	*rapide ; tôt*
おそい	osoi	[ossoï]	*lent ; tardif*
ひろい	hiroi	[hiroï]	*large*
せまい	semai	[sémaï]	*étroit*
べんり（な）	benri (na)	[bénnri (na)]	*pratique ; commode*
ふべん（な）	fuben (na)	[foubénn (na)]	*incommode*
のりもの	norimono		*moyen(s) de transport*
ひこうき	hikôki	[hiko:ki]	*avion(s)*
でんしゃ	densha	[dénnsha]	*train(s)*
みち	michi	[mitchi]	*chemin(s) ; rue(s)*

■ はやく　て　べんり　な　ひこうき

hayaku　te　benri　na　hikôki

rapide / et / pratique / - / avion(s)

avion(s) rapide(s) et pratique(s)

A 2 APPLICATION ●● CD

1. せ　　2. は　　3. べ

4. せまく　て　ふべん　な　みち

5. おそく　て　ふべん　な　でんしゃ

6. やすく　て　べんり　な　のりもの

7. ひろく　て　べんり　な　うち

A 3 REMARQUES

■ Prononciation et transcription

• Rappel : en japonais, la syllabe ん, n, doit être prononcée. Le **n** dans **benri** ou **fuben** se prononce donc comme dans le français *benne*.

• La syllabe しゃ, sha, est une composition de la syllabe し, shi, de taille normale et de la syllabe や, ya, de taille réduite : しゃ, sha.

• Rappel : la syllabe う, u [ou], placée après une syllabe en **o** ou en **u**, allonge le son de cette dernière : ひこうき, hi**kô**ki, se prononce [hi**ko:**ki].

■ Grammaire : les adjectifs suivis de quasi-adjectifs

• Pour relier les adjectifs aux quasi-adjectifs, il faut le mot de liaison て, té [té], quand les adjectifs précèdent les quasi-adjectifs ; (rappel) la terminaison い, i, des adjectifs se transforme en く, ku [kou], devant le て, té [té]. Dans ce cas, comme le quasi-adjectif précède le nom, il ne faut surtout pas oublier le な, na, de liaison (cf. 8A3 et B3).

adjectif	*et*	quasi-adj.	+	nom	traduction
はやく (← い) haya**ku** (← **i**) *rapide(s)*	て te *et*	べんり benri *pratique(s)*	な na -	ひこうき hikôki *avion(s)*	*avion(s) rapide(s) et pratique(s)*

A 4 TRANSCRIPTION ET TRADUCTION

1. se [sé] 2. ha 3. be [bé]
4. semaku te fuben na michi [sémakou té foubénn na mitchi] *rue(s) étroite(s) et incommode(s) (= peu pratique(s))*
5. osoku te fuben na densha [ossokou té foubénn na dénnsha] *train(s) lent(s) et incommode(s) (= peu pratique(s))*
6. yasuku te benri na norimono [yassoukou té bénnri na norimono] *moyen(s) de transport bon marché et pratique(s)*
7. hiroku te benri na uchi [hirokou té bénnri na outchi] *grande(s) maison(s) pratique(s) (= maison(s) large(s) et pratique(s))*

9 ふくざつ　で　むずかしい　もんだい
Fukuzatsu de muzukashii mondai

B 1 PRÉSENTATION

■ **Hiragana**, *graphie japonaise*

hiragana	rômaji	prononc.	ordre des traits
け	ke	[ké]	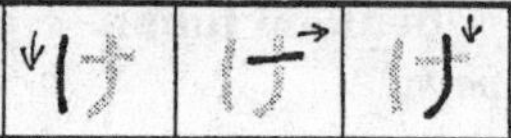
む	mu	[mou]	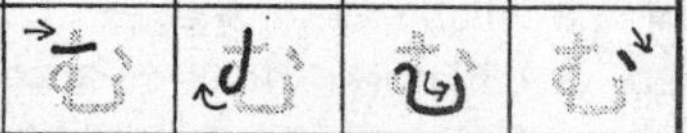
ざ	za	[za]	

■ **Vocabulaire**

むずかしい	muzukashii	[mouzoukashii]	*difficile*
やさしい	yasashii	[yassashii]	*facile*
つまらない	tsumaranai	[tsoumaranaï]	*sans intérêt*
ふくざつ（な）	fukuzatsu (na)	[foukouzatsou (na)]	*compliqué*
たいくつ（な）	taikutsu (na)	[taïkoutsou (na)]	*ennuyeux*
きけん（な）	kiken (na)	[kikénn (na)]	*dangereux*
へいぼん（な）	heibon (na)	[héïbonn (na)]	*banal*
もんだい	mondai	[monndaï]	*problème(s)*
はなし*	hanashi	[hanashi]	*histoire(s)*

*はなし, hanashi, signifie *histoire* dans le sens d'*anecdote*.

■ ふくざつ　で　むずかしい　もんだい
fukuzatsu de muzukashii mondai
compliqué(s) / *et* / *difficile(s)* / *problème(s)*
problème(s) compliqué(s) et difficile(s)

B 2 APPLICATION CD

1. け　　2. む　　3. ざ
4. たいくつ　で　つまらない　はなし
5. きけん　で　むずかしい　しごと
6. へいぼん　で　やさしい　もんだい

B 3 REMARQUES

Prononciation

- On obtient la syllabe ざ, za, en ajoutant deux petits points au さ, sa : さ, sa + ゛ = ざ, za.
- Rappel : **ai**, **oi**, **ui**, et **ei** se prononcent respectivement [aï], [oï], [ouï], et [éï].

Grammaire : les quasi-adjectifs suivis d'adjectifs

- Le mot de liaison で, de [dé] intervient pour lier les quasi-adjectifs aux adjectifs, quand les quasi-adjectifs précèdent les adjectifs.
- Rappel : les quasi-adjectifs ne voient aucune modification de leur terminaison devant le で, de [dé].

quasi-adj.	*et*	adjectif	+ nom	traduction
ふくざつ fukuzatsu *compliqué(s)*	で de *et*	むずかしい muzukashii *difficile(s)*	もんだい mondai *problème(s)*	*problème(s) compliqué(s) et difficile(s)*

- Si l'on intervertit le quasi-adjectif et l'adjectif ci-dessus, on doit remplacer le で, de, [dé], par le て, te, [té], et transformer la terminaison い, i, de l'adjectif en く, ku, [kou]. D'autre part, il faut ajouter le な, na, devant le nom (cf. 9 A3).

adjectif	*et*	quasi-adj.	+	nom	traduction
むずかしく muzukashi **ku** *difficile(s)*	て te *et*	ふくざつ fukuzatsu *compliqué(s)*	な na -	もんだい mondai *problème(s)*	*problème(s) difficile(s) et compliqué(s)*

B 4 TRANSCRIPTION ET TRADUCTION

1. ke [ké]　　2. mu [mou]　　3. za
4. taikutsu de tsumaranai hanashi [taïkoutsou dé tsoumaranaï hanashi] *histoire(s) ennuyeuse (s) et sans intérêt*
5. kiken de muzukashii shigoto [kikénn dé mouzoukashii shigoto] *travail dangereux et difficile*
6. heibon de yasashii mondai [héïbonn dé yassashii monndaï] *problème(s) banal(s) et facile(s)*

9 EXERCICES

C 1 EXERCICES ●● (CD)

A. Prononcez les **hiragana** suivants et écrivez-les ensuite en **rômaji**.

1. せ 2. ざ 3. む 4. べ 5. は 6. け

B. Prononcez et écrivez les locutions suivantes en **rômaji**. Traduisez-les ensuite en français.

1. あかく て きれい な ぼうし
2. ふくざつ で むずかしい はなし
3. はやく て べんり な ひこうき
4. たいくつ で つまらない しごと

C. Traduisez et écrivez les locutions suivantes en **hiragana**.

1. *une rue étroite et dangereuse*
2. *des moyens de transport chers et peu pratiques*
3. *une petite ville banale*
4. *un train lent et ennuyeux*

C 2 CORRIGÉ

A. 1. se 2. za 3. mu 4. be 5. ha 6. ke

B. 1. akaku te kirei na bôshi *beau(x) chapeau(x) rouge(s)*
2. fukuzatsu de muzukashii hanashi
histoire(s) compliquée(s) et difficile(s)
3. hayaku te benri na hikôki
avion(s) rapide(s) et pratique(s)
4. taikutsu de tsumaranai shigoto
travail ennuyeux et sans intérêt (= peu intéressant)

C. 1. せまく て きけん な みち
2. たかく て ふべん な のりもの
3. ちいさく て へいぼん な まち
4. おそく て たいくつ な でんしゃ

C 3 HIRAGANA

hiragana	ordre des traits					exercez-vous
	1	2	3	4	5	
ke け	け	け	げ			け
	1	2	3	4	5	
se せ	せ	せ	せ			せ
	1	2	3	4	5	
ha は	は	は	ば			は
	1	2	3	4	5	
mu む	む	む	む	む		む
	1	2	3	4	5	
za ざ	ざ	ざ	ざ			ざ
	1	2	3	4	5	
be べ	べ	べ				べ

C 4 EXERCEZ-VOUS

け	け	け		
せ	せ	せ		
は	は	は		
む	む	む		
ざ	ざ	ざ		
べ	べ	べ		

D 1 DIALOGUE

たなか : よしださん、びょうき の げんいん は なん です か。
よしだ : しごと の つかれ と かぜ です。
たなか : だいじょうぶ です か。
よしだ : はい。もう、だいぶ いい です。
たなか : これから、びょういん です か。
よしだ : はい、そう です。

Tanaka : Yoshida-san, Byôki no gen'in wa nan desu ka.
Yoshida : Shigoto no tsukare to kaze desu.
Tanaka : Daijôbu desu ka.
Yoshida : Hai. Mô, daibu ii desu.
Tanaka : Kore kara byôin desu ka.
Yoshida : Hai, sô desu..

D 2 VIE PRATIQUE

■ 健康, けんこう, kenkô, *la santé* :

Voici quelques mots ou expressions à connaître chez *le médecin*, 医者, いしゃ, isha :

- よやく, yoyaku, *rendez-vous* ; よやくします, yoyaku shimasu, *demander un rendez-vous* [voir p.221]
- くすり, kusuri, *médicament* ; くすり を のみます, kusuri o nomimasu, *prendre un médicament* [voir p.196-197]
- あたま が いたい, atama ga itai, *avoir mal à la tête*
- のど が いたい, nodo ga itai, *avoir mal à la gorge*
- は が いたい, ha ga itai, *avoir mal aux dents*
- おなか が いたい, onaka ga itai, *avoir mal au ventre*
- あし が いたい, ashi ga itai, *avoir mal aux pieds*
- きぶん が わるい, kibun ga warui, *avoir mal au cœur*
- ねつ が あります, netsu ga arimasu, *avoir de la fièvre* [voir pp.278-281]
- せき が でます, seki ga demasu, *tousser*

D 3 DIALOGUE

Tanaka : Monsieur Yoshida, quelle est la cause de votre maladie ?
Yoshida : C'est la fatigue du travail et le rhume.
Tanaka : Ça va mieux ?
Yoshida : Oui. Je vais déjà assez bien.
Tanaka : Vous allez maintenant à l'hôpital ?
[lit. Maintenant, c'est (à) l'hôpital (que vous allez) ?]
Yoshida : Oui, c'est ça.

❖ **Vocabulaire :**

びょうき, byôki, *maladie*
げんいん, gen'in, *cause*
なん, nan, *quel* [voir p.116]
しごと, shigoto, *travail*
つかれ, tsukare, *fatigue*
かぜ, kaze, *rhume*
だいじょうぶ, daijôbu, *ça va ; pas de souci*
もう, mô, *déjà*
だいぶ, daibu, *assez ; pas mal*
いい, ii, *bon ; bien*
これから, kore kara, *maintenant*
びょういん, byôin, *hôpital*
そう です, sô desu, *c'est ça ; c'est juste*

D 4 CIVILISATION

■ 労働時間, ろうどうじかん, rôdô-jikan, *temps de travail* :

Surtout dans les années soixante, l'*économie japonaise* (日本経済, nihonkeizai) a connu un essor spectaculaire, dû aux efforts de l'ensemble des Japonais qui ont travaillé dur avec le slogan « Rattraper les grands pays et les dépasser ».

Aujourd'hui, le Japon est devenu un des plus riches pays du monde. Mais les Japonais font souvent l'objet de moqueries ou de critiques à cause de leur temps de travail très très long.

C'est à partir de l'*éclatement de la bulle financière* (金融バブルの崩壊, kin'yû-baburu no hôkai), en 1990, que commence réellement la diminution des heures de travail. La loi sur le travail oblige la totalité des entreprises à deux jours chômés depuis 1997, et aux 40 heures hébdomadaires de travail depuis 1999.

10 ひらがな の まとめ Hiragana no matome 1.

A 1 / 2 PRÉSENTATION

■ Tableau du syllabaire **hiragana**

Voici la récapitulation de tous les **hiragana** que nous avons présentés dans les 9 premières leçons :

	syllabe en **a**	syllabe en **i**	syllabe en **u**	syllabe en **e**	syllabe en **o**
série 1	あ a	い i	う u	え e	お o
série 2 en **k**	か ka	き ki	く ku	け ke	こ ko
série 3 en **s**	さ sa	* し shi	す su	せ se	そ so
série 4 en **t**	た ta	* ち chi	* つ tsu	て te	と to
série 5 en **n**	な na	に ni	ぬ nu	ね ne	の no
série 6 en **h**	は ha	ひ hi	* ふ fu	へ he	ほ ho
série 7 en **m**	ま ma	み mi	む mu	め me	も mo
série 8 en **y**	や ya		ゆ yu		よ yo
série 9 en **r**	ら ra	り ri	る ru	れ re	ろ ro
série 10 en **w**	わ wa				を wo

hors série	ん n

* voir A3/4 ci-contre

■ La syllabe en **o** de la série 10 を, wo, est le quarante-sixième et dernier **hiragana** qui n'a pas encore été présenté jusqu'ici :

hiragana	rômaji	prononc.	ordre des traits
を	wo	[o]	

10 *Récapitulation du hiragana 1.*

A 3 / 4 REMARQUES

■ Tableau du syllabaire **hiragana**

● Le syllabaire hiragana contient 10 séries et une "hors série" pour classer ses 46 syllabes.

● Excepté la série 1 et la hors série, chaque série comporte une consonne commune entre ses syllabes transcrites en rômaji.

● La série 1 est une série composée de syllabes qui ne comportent que les sons des 5 voyelles : **a**, **i**, **u** [ou]; **e** [é] et **o**.

● Formant seule une série dite hors série, la syllabe ん, n, ne se raccorde en aucun cas aux syllabes de la série 1 : ex. la syllabe **na** s'écrit "な", non pas " ん, n + あ, a = んあ".

● Il n'y a que trois syllabes dans la série 8 et deux dans la série 10.

■ Ordre du syllabaire **hiragana**

● Comme pour notre alphabet, il existe un ordre du syllabaire hiragana, avec lequel les mots japonais sont classés dans les dictionnaires. Cet ordre va de la série 1 à la hors série, en commençant par la syllabe en **a** et en finissant par la syllabe en **o** dans chaque série :

série 1 ↓	あ a → い i → う u → え e → お o
série 2 ↓	か ka → き ki → く ku → け ke → こ ko
etc.	voir A1 / A2

■ し, shi, ち, chi, つ, tsu, et ふ, fu

● Par convention, les syllabes し(série 3), ち et つ(série 4), et ふ(série 6) s'écrivent respectivement en rômaji : **shi** (non si), **chi** [tchi] (non ti), **tsu** [tsou] (non tu) et **fu** [fou] (non hu).

■ を, wo [o] (syllabe en **o** de la série 10)

● La syllabe を, wo, se prononce en fait [o] comme le お, o. Mais elle ne s'associe jamais avec d'autres hiragana pour former un mot ; elle est toujours employée seule comme particule (son utilisation sera développée ultérieurement).

10 ひらがな の まとめ Hiragana no matome 2.

B 1 / 2 PRÉSENTATION

■ Tableau des syllabes dérivées (1)

	syllabe en **a**	syllabe en **i**	syllabe en **u**	syllabe en **e**	syllabe en **o**
série 2' en **g**	が ga	ぎ gi	ぐ gu	げ ge	ご go
série 3' en **z**	ざ za	じ ji	ず zu	ぜ ze	ぞ zo
série 4' en **d**	だ da	ぢ ji	づ zu	で de	ど do
série 6' en **b**	ば ba	び bi	ぶ bu	べ be	ぼ bo

● Quand on met deux petits points en haut et à droite de chaque syllabe des séries 2, 3, 4 et 6, on peut obtenir les syllabes des séries 2', 3', 4' et 6'.

● Les syllabes ぎ, gi, et げ, ge, se prononcent respectivement comme dans *guide* et *guérison*.

● Les syllabes じ et ぢ sont prononcées [dji] et écrites en rômaji **ji**.

● Les syllabes づ et ず se prononcent [zou] et s'écrivent en rômaji **zu**.

■ Tableau des syllabes dérivées (2)

	syllabe en **a**	syllabe en **i**	syllabe en **u**	syllabe en **e**	syllabe en **o**
série 6" en **p**	ぱ pa	ぴ pi	ぷ pu	ぺ pe	ぽ po

● Pour créer les 5 syllabes de la série 6" (que l'on n'a jamais rencontrées jusqu'ici), il suffit d'ajouter un petit rond en haut et à droite des 5 syllabes de la série 6.

ex. は, ha + ° = ぱ, pa

> ***Important*** ; nous ne vous demandons pas de retenir tous les signes présentés ici ; il suffit pour le moment de les reconnaître et de savoir les prononcer.

B 3 / 4 REMARQUES

■ Syllabes accompagnées de deux petits points

● Au cours des 9 premières leçons, nous avons rencontré 9 syllabes qui comportent deux petits points : じ, ji [dji] (cf. 2B1); だ, da (cf. 5B1), が, ga (cf. 6A1); ぼ, bo (cf. 7A1); ず, zu [zou] (cf. 7B1); ご, go (cf. 7B1); で, de [dé] (cf. 8B1); べ, be [bé] (cf. 9A1) et ざ, za (cf. 9B1).

● Nous vous montrons ici toutes les syllabes qui contiennent deux petits points ; elles sont figurées dans le tableau ci-contre (de la série 2' à la série 6'). Ces syllabes accompagnées de deux points sont dérivées des syllabes en **k** (série 2), en **s** (série 3), en **t** (série 4) et en **h** (série 6). Elles prennent aussi part à la formation des mots :

じしょ	jisho [djisho]	*dictionnaire* (cf.3A1)
くだもの	kudamono [koudamono]	*fruit* (cf.5B1)
いちご	ichigo [itchigo]	*fraise* (cf.7B1)
しずか	shizuka [shizouka]	*calme* (cf.8B1)
ふべん	fuben [foubénn]	*incommode* (cf.9A1)

● **Attention** : l'emploi de syllabe ぢ, ji [dji] (série 4' en **d**), et de la syllabe づ, zu [zou] (série 4' en **d**), est très rare de nos jours.

■ Syllabes accompagnées d'un petit rond

● Présentées comme la série 6", les 5 dernières syllabes sont dérivées de la série 6 (syllabes en **h**).

● Nous n'avons rencontré jusqu'ici aucun mot contenant des syllabes accompagnées d'un petit rond. Voici donc quelques exemples de ce type :

かんぱい	kanpai [kampaï]*	*Tchin-tchin !, A votre santé !*
てんぷら	tenpura [témpoura]*	*beignet de légume ou de poisson* (plat japonais)
でんぽう	denpô [démpo:]*	*télégramme*

* La syllabe se prononce [m] devant la syllabe en **p**.

10 ひらがな の まとめ Hiragana no matome 3.

C 1/2 PRÉSENTATION

■ Tableau des syllabes juxtaposées

		3 syllabes de la série 8 de petite taille		
		ゃ ya	ゅ yu	ょ yo
série 2 ki	き	きゃ kya	きゅ kyu	きょ kyo
série 2' gi [gui]	ぎ	ぎゃ gya	ぎゅ gyu	ぎょ gyo
série 3 shi	し	しゃ sha	しゅ shu	しょ sho
série 3' ji [dji]	じ	じゃ ja	じゅ ju	じょ jo
série 4 chi [tchi]	ち	ちゃ cha	ちゅ chu	ちょ cho
série 5 ni	に	にゃ nya	にゅ nyu	にょ nyo
série 6 hi	ひ	ひゃ hya	ひゅ hyu	ひょ hyo
série 6' bi	び	びゃ bya	びゅ byu	びょ byo
série 6" pi	ぴ	ぴゃ pya	ぴゅ pyu	ぴょ pyo
série 7 mi	み	みゃ mya	みゅ myu	みょ myo
série 9 ri	り	りゃ rya	りゅ ryu	りょ ryo

● On obtient les syllabes présentées dans le tableau en juxtaposant les 3 syllabes de la série 8 aux syllabes en **i** des séries 2, 2', 3, 3', 4, 5, 6, 6', 6", 7 et 9.

● Noter que les 3 syllabes de la série 8 (ゃ, ya, ゅ, yu, ょ, yo) doivent toujours s'écrire en petite taille.

ex. き, ki + ゃ, ya → きゃ, kya
び, bi + ゅ, yu → びゅ, byu
み, mi + ょ, yo → みょ, myo

C 3 / 4 REMARQUES

■ Syllabes juxtaposées

• Rappel : dans les leçons précédentes, nous avons vu quelques syllabes nées de la juxtaposition de deux syllabes :

じ, ji [dji] + よ, yo → じょ, jo [djo] (cf. 2B3)
し, shi + よ, yo → しょ, sho (cf. 3A3)
ち, chi [tchi] + や, ya → ちゃ, cha [tcha] (6A3)
じ, ji [dji] + ゆ, yu → じゅ, ju [djou] (cf. 8A3)
し, shi + や, yo → しゃ, sha (cf. 9A3)

• Les syllabes や, ya, ゆ, yu, よ, yo, s'écrivent en petite taille.

• Nous vous montrons à présent toutes les syllabes résultant de la juxtaposition de deux syllabes (cf. ci-contre).

> ***Important*** : il n'est pas nécessaire d'apprendre par cœur toutes ces syllabes, dont certaines s'emploient peu ; par contre, il est vivement recommandé de savoir les prononcer.

■ Prononciation

• Les syllabes provenant d'une telle juxtaposition doivent se prononcer comme une seule syllabe :
ex. : la syllabe きゃ, kya, considérée comme une seule syllabe, se prononce de façon à ce que la syllabe や, ya, s'entende presque en même temps que la syllabe き, ki. En revanche, si l'on écrit la syllabe や, ya, en taille normale à côté de la syllabe き, ki, on doit prononcer la syllabe き, ki, et や, ya, distinctivement, puisque ces deux dernières forment deux syllabes.

■ Transcription en rômaji des syllabes juxtaposées

• On ne trouve pas le **y** dans la transcription en rômaji des syllabes suivantes :

série 3 + série 8 : しゃ, sha ; しゅ, shu [shou] ; しょ, sho.
série 3' + série 8 : じゃ, ja ; じゅ, ju [djou] ; じょ, jo.
série 4 + série 8 : ちゃ, cha ; ちゅ, chu [tchou] ; ちょ, cho.

❖ *Prononcez les locutions japonaises, en complétant avec a, b, c ou d. (Il y a une seule bonne réponse par question.)*

1. aujourd'hui ou demain :
きょう（　）あした
a) と
b) な
c) か
d) で

2. le problème difficile :
むずかし（　）もんだい
a) く
b) や
c) い
d) な

3. de bonnes fraises rouges :
あか（　）て おいしい いちご
a) い
b) の
c) な
d) く

4. cette lettre-ci :
こ（　）てがみ
a) れ
b) の
c) や
d) と

5. la rivière et la mer :
かわ（　）うみ
a) か
b) や
c) の
d) と

6. une personne célèbre :

ゆうめい（　）ひと

a) で
b) か
c) の
d) な

7. des légumes et des fruits (entre autres) :

やさい（　）くだもの

a) や
b) で
c) て
d) な

8. un moyen de transport rapide et pratique :

はやく（　）べんり な のりもの

a) な
b) と
c) て
d) で

9. notre maison :

わたしたち（　）いえ

a) の
b) で
c) な
d) く

10. une belle chambre calme :

きれい（　）しずか な へや

a) の
b) で
c) く
d) て

➡ **Voir corrigé pp.336-337.**

11 わたし　の　カメラ　です。
Watashi no kamera desu.

A 1 PRÉSENTATION

■ **Katakana**, *graphie japonaise*

katakana	hiragana	rômaji *	ordre des traits			
カ	か	ka	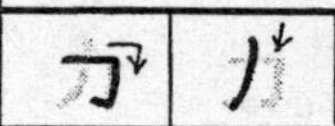			
メ	め	me	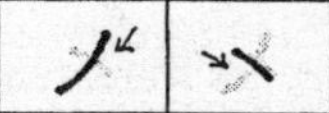			
ラ	ら	ra	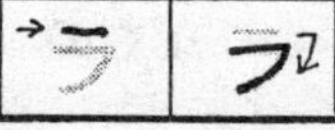			

* Le **rômaji** indique ici la transcription romane du **katakana** ainsi que du **hiragana**.

■ Vocabulaire

カメラ　kamera　[kaméra]　*appareil(s) photo(s)*
かばん　kaban　[kabann]　*cartable(s)*
めがね　megane　[mégané]　*lunettes*
うでどけい　udedokei　[oudédokéï]　*montre(s)*
です　desu　[déss]**　*être ; c'est ; ce sont ; je suis ; tu es ; il (elle) est ; nous sommes ; vous êtes ; ils (elles) sont*

** Prononcé lentement, です se dit [dé sou] ; dans la pratique courante, on n'entend cependant pas le son [ou] dans [dé s<u>ou</u>]. Il est donc figuré par [déss]

■ わたし　の　カメラ　です。

Watashi no kamera desu.
moi / de / appareil photo / c'est
C'est (ce sont) mon (mes) appareil(s) photo(s).

A 2 APPLICATION ●● CD

1. カ　2. メ　3. ラ　4. カメラ
5. べんり　な　かばん　です。
6. かのじょ　の　うでどけい　です。
7. まるい　めがね　です。

A 3 REMARQUES

■ Ecriture : le katakana

● Les 46 syllabes japonaises peuvent s'écrire avec une deuxième graphie dite **katakana** : cette dernière est destinée à transcrire en japonais les mots étrangers.

ex. : le mot **kamera** [kaméra], *appareil photo*, doit s'écrire en **katakana** カメラ, puisqu'il vient du mot anglais *camera*.

● Pour tracer les **katakana**, il existe aussi un ordre des traits qui est soumis aux mêmes principes que les **hiragana** (cf. 1A1).

■ Grammaire : です desu [déss] (Voir A1 ci-contre)

● です, desu [déss], ressemble beaucoup au verbe ***être*** français qui marque l'identité, l'état ou la qualité du sujet : il ne varie cependant pas selon les personnes et les nombres.

● です, desu [déss], s'emploie souvent sans le sujet grammatical de la phrase quand le sujet est sous-entendu par un geste ou par le contexte ; il se traduit en l'occurrence par : *c'est*, *ce sont*, *je suis*, *nous sommes*, *tu es*, *vous êtes*, *il* (*elle*) *est* ou *ils* (*elles*) *sont*.

● です, desu [déss], se place toujours en fin de phrase pour obtenir la construction suivante :

information sur le sujet + です, desu 。

ex. : (avec un geste) en indiquant du doigt un livre, on dit :

ほん です。 Hon **desu**. *C'est un livre.*

Remarques :

1. Le mot qui précède です, desu [déss], est une information sur le sujet de la phrase et n'est pas le sujet lui-même.
2. Etant absent de la phrase, le sujet doit se faire sentir par le contexte, par un geste, etc.
3. Le signe 。 en bas et à droite de す, su, correspond au point final.

A 4 TRANSCRIPTION ET TRADUCTION

1. ka 2. me 3. ra 4. kamera, *appareil(s) photo(s)*
5. benri na kaban desu. *C'est un cartable pratique.*
6. Kanojo no udedokei desu. *C'est sa montre.*
7. Marui megane desu. *Ce sont des lunettes rondes.*

11 これ は やまださん の コート です。
Kore wa Yamada-san no kôto desu.

B 1 PRÉSENTATION

■ **Katakana**, *graphie japonaise*

katakana	hiragana	rômaji	ordre des traits			
コ	こ	ko				
ト	と	to				
ノ	の	no	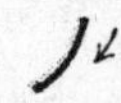			

■ Vocabulaire

コート	kôto	[ko:to]	*manteau(x) ; veste(s)*
ノート	nôto	[no:to]	*cahier(s)*
ちず*	chizu	[tchizou]	*plan(s) ; carte(s) ; atlas*
やまださん	Yamada-san		*M. (Mme ; Mlle) Yamada*
は	wa	[wa]	(particule de thème)

*ちず, chizu, ne signifie que *carte géographique*, *carte à grande échelle* (ex. *plan d'une ville*) ou *atlas*.

■ これ は やまださん の コート です。

Kore wa Yamada-san** no kôto desu.

Ceci / — / Yamada / M. / de / manteau / c'est

Ceci est le manteau de M.Yamada.

(= *Ceci, c'est le manteau de M.Yamada.*)

**On peut traduire さん, san, par *Madame* ou *Mademoiselle*.

B 2 APPLICATION ●● CD

1. コ　　2. ト　　3. ノ
4. コート　　5. ノート
6. それ は にほん の ちず です。
7. あれ は かれら の ノート です。

B 3 REMARQUES

■ Transcription et prononciation

• コート, kôto, *manteau*, *veste*, et ノート, nôto, *cahier*, viennent de l'anglais coat et note*book*.

• Pour le **katakana**, le son allongé d'une syllabe est indiqué par une barre placée à sa droite : コート, **kôto** [ko:to]; ノート, **nôto** [no:to].

• La syllabe は se prononce [wa] quand elle est employée comme particule (voir ci-dessous), bien que sa prononciation d'origine soit [ha] (cf. 9A1).

• En **rômaji**, la particule は s'écrit **wa**.

■ Grammaire : Particule de thème は, wa [wa]

• Employée seule, la syllabe は sert ici de particule de thème de la phrase. La particule de thème は, wa, désigne le thème dominant de la phrase et indique que la suite de la phrase fournira une information sur ce thème. Elle se place immédiatement après le mot sur lequel on veut focaliser l'attention de l'interlocuteur ou du locuteur.

• En associant la particule は, wa, à です, desu [déss], on obtient ici une structure typique du japonais :

thème + は, wa + information sur le thème (sujet) + です, desu.

ex. これ は コート です。 Kore wa kôto desu.
ceci / - / manteau / c'est *Ceci est un manteau.*

Remarques :

1. は, wa, pourrait se traduire par *quant à*, *s'agissant de*, *en ce qui concerne*, mais en général elle n'est pas traduite.
2. Le mot accompagné de は, wa, se trouve souvent être à la fois le thème et le sujet grammatical de la phrase.

A 4 TRANSCRIPTION ET TRADUCTION

1. ko 2. to 3. no 4. kôto, *manteau(x)* ; *veste(s)*
5. nôto, *cahier(s)*
6. Sore wa Nihon no chizu desu. *Cela (c')est la carte du Japon.*
7. Are wa karera no nôto desu. *Cela là-bas (c')est leur cahier.*

11 EXERCICES

C1 EXERCICES

A. Écrivez les **rômaji** suivants en **hiragana** et en **katakana**.

1. no 2. me 3. ko 4. to 5. ra 6. ka

B. Prononcez et écrivez en **rômaji**. Traduisez ensuite en français.

1. あれ は たなかさん の ぼうし です。
2. やすく て べんり な ノート です。
3. これ は ゆうめい な え です。
4. ふくざつ で むずかしい もんだい です。
5. にほん は へいわ な くに です。

C. Traduisez et écrivez en **hiragana**. ou en **hiragana** et **katakana**.

1. *Cela (c')est un appareil photo coûteux.*
2. *C'est une rue étroite et dangereuse.*
3. *Ceci (c')est une montre japonaise.*
4. *Ce sont des manteaux noirs.*
5. *Cela là-bazs (c')est son cartable (à elle).*
6. *Ceci (c')est le plan de notre ville.*

C2 CORRIGÉ

A. 1. の/ノ 2. め/メ 3. こ/コ
4. と/ト 5. ら/ラ 6. か/カ

B. 1. Are wa Tanaka-san no bôshi desu.
Cela là-bas est le chapeau de M. (Mme ; Mlle) Tanaka.
2. Yasuku te benri na nôto desu.
C'est (ce sont) un (des) cahier(s) bon marché et pratique(s).
3. Kore wa yûmei na e desu. *Ceci (c')est un tableau célèbre.*
4. Fukuzatsu de muzukashii mondai desu.
C'est (ce sont) un (des) problème(s) compliqué(s) et difficile(s).
5. Nihon wa heiwa na kuni desu.
Le Japon (c')est un pays paisible.

C. 1. それ は たかい カメラ です。
2. せまく て きけん な みち です。
3. これ は にほん の うでどけい です。
4. くろい コート です。
5. あれ は かのじょ の かばん です。
6. これ は わたしたち の まち の ちず です。

C 3 KATAKANA

katakana	ordre des traits					exercez-vous
ka カ	1	2	3	4	5	カ
ko コ	1	2	3	4	5	コ
to ト	1	2	3	4	5	ト
no ノ	1	2	3	4	5	ノ
me メ	1	2	3	4	5	メ
ra ラ	1	2	3	4	5	ラ

C 4 EXERCEZ-VOUS

カ	カ	カ		
コ	コ	コ		
ト	ト	ト		
ノ	ノ	ノ		
メ	メ	メ		
ラ	ラ	ラ		

11 DIALOGUE / VIE PRATIQUE / CIVILISATION

D 1 DIALOGUE ●● (CD)

たなか ： しゅうしょく、おめでとうございます！
たかし ： ありがとうございます。
たなか ： いつ から かいしゃ です か？
たかし ： らいげつ の みっか から です。
まず いっかげつ けんしゅう です。
たなか ： もうすぐ です ね。
たかし ： はい、ちょっと しんぱい です。

Tanaka : Shûshoku, omedetô-gozaimasu !
Takashi : Arigatô gozaimasu.
Tanaka : Itsu kara kaisha desu ka ?
Takashi : Raigetsu no mikka kara desu.
Mazu ikkagetsu kenshû desu.
Tanaka : Môsugu desu ne.
Takashi : Hai, chotto shinpai desu.

D 2 VIE PRATIQUE

■ 職業, しょくぎょう, shokugyô, *professions* :

- かいしゃいん, kaisha-in, *employé de bureau*
- サラリーマン, sararîman, *salarié*
- こうむいん, kômu-in, *fonctionnaire*
- ぎんこういん, ginkô-in, *employé de banque*
- えきいん, eki-in, *employé de gare*
- ゆうびんきょくいん, yûbinkyoku-in, *postier*
- てんいん, ten-in, *employé dans un magasin ; vendeur*
- パンや, pan-ya, *boulanger ; boulangerie* [voir p.272]
- にくや, niku-ya, *boucher ; boucherie* [voir p.272]
- とこや, tokoya, ou びようし, biyôshi, *coiffeur(se)*
- かんごふ, kangofu, *infirmière* ; かんごし, kangoshi, *infirmier*
- きょうし, kyôshi, *enseignant*
- エンジニア, enjinia, *ingénieur*
- ひしょ, hisho, *secrétaire*
- べんごし, bengoshi, *avocat*

D 3 DIALOGUE

Tanaka : Vous avez trouvé du travail. [*lit.* L'obtention d'un travail] Félicitations !
Takashi : Merci beaucoup.
Tanaka : Quand commencez-vous à travailler ? [*lit.* À partir de quand (allez-vous) à la compagnie ?]
Takashi : Le 3 (du mois) prochain. [lit. (C'est) à partir du 3 du mois prochain.] D'abord (je ferai) un stage pendant un mois.
Tanaka : C'est bientôt, n'est-ce pas ?
Takashi : Oui. (Je suis) un peu inquiet.

❖ **Vocabulaire :**

しゅうしょく, shûshoku, *obtention du travail*
おめでとう, omedetô, *félicitations*
ございます, gozaimasu, [voir D2, p.92]
いつ, itsu, *quand ?*
らいげつ, raigetsu, *mois prochain*
みっか, mikka, *le 3 (du mois)*
まず, mazu, *d'abord*
いっかげつ, ikkagetsu, *un mois*
けんしゅう, kenshû, *stage*
もうすぐ, môsugu, *bientôt*
ね, ne, *n'est-ce pas ?*
ちょっと, chotto, *un peu*
しんぱい, shinpai, *souci*

D 4 CIVILISATION

■ OL, ôeru, *employées de bureaux* :

C'est l'initial de chacun des deux mots anglais, *office* et *lady*, pour signifier les employées qui travaillent dans les bureaux.

La ***Banque du Japon***, 日本銀行, Nihon-ginkô, a employé pour la première fois au Japon des femme en 1888. On les appelait à cette époque « ofisu-gâru (*office girl*) ». Vers 1955 leur appellation change : on commence à les nommer « BG, biginesu-gâru (*business girl*) ». Et, depuis 1962 environ, les O L, ôeru, se généralisent dans le langage courant.

Cette généralisation coïncide avec l'augmentation progressive des femmes qui travaillent après leurs études en attendant le mariage ou la naissance de leur premier enfant.

De nos jours, il y a de plus en plus de femmes qui souhaitent reprendre (ou reprennent réellement) le travail quand leurs enfants sont grands. Et il y a aussi celles qui, devenues femmes cadres, travaillent toute leur vie sans être mariée.

12 その　スカート　は　かのじょ　の　です。
Sono sukâto wa kanojo no desu.

A 1 PRÉSENTATION

■ **Katakana**, *graphie japonaise*

katakana	hiragana	rômaji	ordre des traits			
ス	す	su				
セ	せ	se	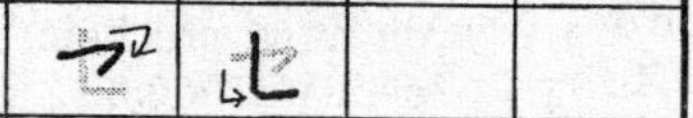			
タ	た	ta				

■ **Vocabulaire**

スカート	sukâto	[souka:to]	*jupe(s)*
セーター	sêtâ	[sé:ta:]	*pull-over(s)*
しんぶん*	shinbun*	[shimbounn]	*journal(-naux)*
ざっし	zasshi	[zas'shi]	*revue(s)*
じてんしゃ	jitensha	[djiténnsha]	*bicyclette(s)*
の（＋です）	no (+ desu)	[no (+ déss)]	*à* (appartenance)

*しんぶん, shinbun, ne signifie que *journal*, publication consacrée à l'actualité.

■ その　スカート　は　かのじょ　の　です。
Sono sukâto wa kanojo no desu.
cette...là / jupe / — / elle / à / elle est
Cette jupe-là est à elle. (= Cette jupe-là, elle est à elle.)

A 2 APPLICATION ●● (CD)

1. ス　2. セ　3. タ
4. セーター　と　スカート
5. この　じてんしゃ　は　あなた　の　です。
6. あの　セーター　は　やまださん　の　です。
7. その　しんぶん　や　ざっし　は　わたしたち　の　です。

A 3 REMARQUES

Transcription et prononciation

- Rappel : Pour le **katakana**, le son long d'une syllabe est indiqué par une barre, quelle que soit la voyelle de base qu'on allonge : ex. ター, tâ [ta:] ; セー, sê [sé:] ; コー, kô [ko:].
- Comme les mots **sukâto** [souka:to], et **sêtâ** [sé:ta:], sont d'origine anglaise, *skirt*, *sweater*, ils sont écrits en **katakana** : スカート ; セーター.
- Le **n** se prononce comme [m] quand il se place juste devant le **b** ; しんぶん, shinbun, *journal*, est prononcé [shimbounn].
- Écrit en taille réduite, つ, tsu, dans ざっし, zasshi, *revue*, ne se prononce pas ; il marque une coupure brève du son entre ざ, za, et し, shi, provoquée par la fermeture brusque de la glotte. En **rômaji**, la première consonne d'une consonne double indique le つ, tsu, de taille réduite : ざっし, zasshi.
- Rappel : le しゃ, sha, se prononce de façon que le し, shi, et le や, ya, s'entendent en même temps (cf. 10C3/4).

Grammaire

- Employée devant です, desu [déss], la particule の, no, correspond ici à la préposition française *à* qui indique l'appartenance.

この ほん は わたし の です。 *Ce livre-ci est à moi.*
Kono hon wa watashi **no** desu.
ce...-ci / livre / - / moi / à / c'est

- Rappel : le mot suivi de la particule は, wa, peut être à la fois le thème et le sujet grammatical de la phrase (cf. 11B3).

A 4 TRANSCRIPTION ET TRADUCTION

1. su 2. se 3. ta
4. sêtâ to sukâto, *pull-over(s) et jupe(s)*
5. Kono jitensha wa anata no desu. *Cette bicyclette-ci est à toi.*
6. Ano sêtâ wa Yamada-san no desu.
   Ce pull-over là-bas est à M. (Mme ; Mlle) Yamada.
7. Sono shinbun ya zasshi wa watashitachi no desu.
   Ce journal-là et cette revue-là (entre autres) sont à nous.

12 このネクタイはかれのではありません。
Kono nekutai wa kare no dewa arimasen.

B 1 PRÉSENTATION

■ **Katakana**, *graphie japonaise*

katakana	hiragana	rômaji	ordre des traits			
イ	い	i				
ク	く	ku	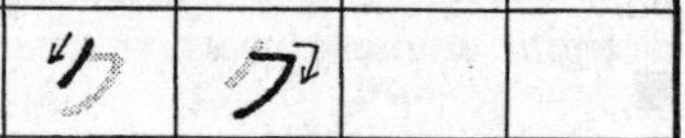			
ネ	ね	ne	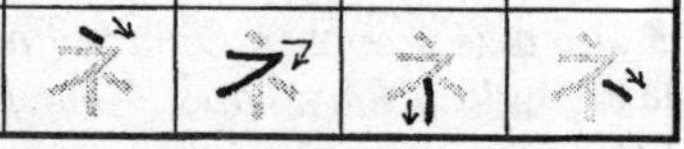			

■ **Vocabulaire**

ネクタイ nekutai [nékoutaï] *cravate(s)*
てぶくろ tebukuro [téboukouro] *gants*
しゃしん shashin [shashinn] *photo(s)*
こうすい kôsui [ko:ssouï] *parfum* (pour hommes et femmes)

ではありません dewa arimasen [déwa arimassénn] (forme négative de です, desu) *ne pas être ; ce n'est (ne sont) pas; je ne suis pas ; tu n'es pas ; il (elle) n'est pas, etc.*
*Pour faciliter la lecture en **rômaji**, nous avons séparé **dewa** et **arimasen**.

■ この　ネクタイ　は　かれ　の　ではありません。
Kono nekutai wa kare no dewa arimasen.
cette...-ci / cravate / - / *lui* / *à* / *elle n'est pas*
Cette cravate-ci(, elle) n'est pas à lui.

B 2 APPLICATION ●● (CD)

1. イ　2. ク　3. ネ　4. ネクタイ や てぶくろ
5. あの かさ は わたし の ではありません。
6. この こうすい は たなかさん の ではありません。
7. その え と しゃしん は あなたたち の ではありません。

B 3 REMARQUES

Transcription et prononciation

- Le mot nekutai [nékoutaï], *cravate*, s'écrit en katakana, ネクタイ, puisqu'il vient de l'anglais *neck-tie*.
- Rappel : le う, u [ou] dans こうすい, kôsui [ko:ssouï], *parfum*, indique le son allongé du こ, ko : こう, kô [ko:].

Grammaire

- ではありません, dewa arimasen [déwa arimassénn] est la forme négative de です, desu [déss]. Comme です, desu [déss], il ne varie pas selon les personnes et les nombres : il se traduit donc suivant le contexte par : *ce n'est* (*ne sont*) *pas*, *je* (*nous*) *ne suis* (*sommes*) *pas*, etc.
- Prononcé [wa], la syllabe は dans では ありません, dewa arimasen [déwa arimassénn], est en fait la particule は, wa, employée ici pour faire ressortir ce qui est nié et non pas pour désigner le thème.

ex. かれ　の　ではありません。 Kare no dewa arimasen.
lui / à / *ce n'est pas* *Ce n'est pas à lui.*

Remarques : il arrive souvent de rencontrer dans une seule phrase deux particules は, wa, l'une pour signifier le thème et l'autre pour donner du relief à ce qui est nié.

ex. これ　は　かれ　の　ではありません。 *Ceci n'est pas à lui.*
Kore wa kare no dewa arimasen.
ceci / - / lui / à / *ce n'est pas*

A 4 TRANSCRIPTION ET TRADUCTION

1. i 2. ku 3. ne
4. nekutai ya tebukuro, *cravate(s) et gant(s) (entre autres)*
5. Ano kasa wa watashi no dewa arimasen.
Ce parapluie là-bas n'est pas à moi.
6. Kono kôsui wa Tanaka-san no dewa arimasen.
Ce parfum-ci n'est pas à M.(Mme / Mlle) Tanaka.
7. Sono e to shashin wa anatatachi no dewa arimasen.
Cette peinture-là et cette photo-là ne sont pas à vous.

12 EXERCICES

C 1 EXERCICES ●● (CD)

A. Écrivez les **rômaji** suivants en **hiragana** et en **katakana**.

1. se 2. ta 3. ne 4. su 5. i 6. ku

B. Prononcez et écrivez en **rômaji**. Traduisez ensuite en français.

1. あの じてんしゃ は わたし の です。
2. わたし の ざっし ではありません。
3. これ は あなたたち の です。
4. それ は かのじょ の スカート ではありません。
5. かれ の ネクタイ は あれ です。

C. Traduisez et écrivez en **hiragana**. ou en **hiragana** et **katakana**.

1. *Ce bureau-là n'est pas à Mlle Yamada.*
2. *Ces gants-ci et ce pull-over là-bas sont à lui.*
3. *Cela n'est pas ton journal.*
4. *Ce chien là-bas est à M. Tanaka.*
5. *Son parfum (à elle) n'est pas celui-ci (= ceci).*
6. *Ceci n'est pas un travail simple.*

C 2 CORRIGÉ

A. 1. せ / セ 2. た / タ 3. ね / ネ
4. す / ス 5. い / イ 6. く / ク

B. 1. Ano jitensha wa watashi no desu.
Cette bicyclette là-bas est à moi.
2. Watashi no zasshi dewa arimasen.
Ce n'est pas ma revue.
3. Kore wa anatatachi no desu. *Ceci est à vous.*
4. Sore wa kanojo no sukâto dewa arimasen.
Cela n'est pas sa jupe.
5. Kare no nekutai wa are desu.
Sa cravate est celle-là là-bas.

C. 1. その つくえ は やまださん の ではありません。
2. この てぶくろ と あの セーター は かれ の です。
3. それ は あなた の しんぶん ではありません。
4. あの いぬ は たなかさん の です。
5. かのじょ の こうすい は これ ではありません。
6. これ は かんたん な しごと ではありません。

12 ÉCRITURE

C 3 KATAKANA

katakana	ordre des traits					exercez-vous
	1	2	3	4	5	
i イ						イ
ku ク						ク
su ス						ス
se セ						セ
ta タ						タ
ne ネ						ネ

C 4 EXERCEZ-VOUS

イ	イ	イ				ク	ク	ク			
ス	ス	ス				セ	セ	セ			
タ	タ	タ				ネ	ネ	ネ			

D 1 DIALOGUE ●● CD

ともこ ： たかしくん。この　あおい　かさ、あなたの　です　か？

たかし ： いいえ、ぼく　の　ではありません。ぼくの　は　この　くろい　の　です。

ともこ ： じゃ、だれ　の　です　か。

たかし ： きっと　けいこさん　の　です。

ともこ ： いいえ、けんじくん　の　かもしれません。

Tomoko : Takashi-kun. Kono aoi kasa, anata no desu ka ?

Takashi : Iie, boku no dewa arimasen. Boku no wa kono kuroi no desu.

Tomoko : Ja, dare no desu ka.

Takashi : Kitto Keiko-san no desu.

Tomoko : Iie, Kenji-kun no kamo-shiremasen.

D 2 VIE PRATIQUE

■ Les suffixes de politesses 君, くん, kun et 様, さま, sama :

君, kun, est un suffixe de politesse, similaire à さん, san (voir p.31). Mais le premier est plutôt réservé aux hommes et peut éventuellement exprimer une familialité. Dans la vie professionnelle, 君, kun, peut s'employer pour désigner aussi les hommes que les femmes. Le locuteur (ou la locutrice) n'appelle cependant son interlocuteur (ou son interlocutrice) avec 君, kun, que s'il (ou elle) est supérieur(e) ou égale à lui (ou elle) dans la hiérarchie professionnelle.

Quant à 様, さま, sama, il est aussi un suffixe de politesse, mais il marque une déférence plus grande que celle exprimée par さん, san, ou 君, kun. C'est ainsi qu'on utilise en général le suffixe 様, sama, pour appeler les *clients*, 客, kyaku, dans un hôtel, une banque, ou un grand magasin : お客様, o-kyaku-sama, *nos chers clients*.

D3 DIALOGUE

Tomoko : Takashi. Ce parapluie bleu est à toi ? [*lit.* Ce parapluie, (c'est) à toi ?]

Takashi : Non, ce n'est pas à moi. Le mien est ce noir-ci.

Tomoko : Alors, il est à qui ?

Takashi : C'est sûrement celui de Keiko.

Tomoko : Non (ce n'est pas sûr). Il est possible que ce soit celui de Kenji.

❖ **Vocabulaire :**

くん, kun, [voir D2 ci-contre]
いいえ, iie, *non*
ぼく の, boku no, *le mien ; ce qui est à moi*
くろい の, kuroi no, *ce qui est noir*
じゃ, ja, *alors ; dans ce cas*
だれ, dare, *qui* [voir p.111]
きっと, kitto, *sûrement*
かもしれません, kamo shire-masen, *il est possible que...*

D4 CIVILISATION

■ 和服, wafuku, ou 着物, kimono, et 浴衣, yukata :

À l'origine, le **kimono**, 着物, signifiait tout simplement des **vêtements**. Mais, de nos jours, il s'emploie pour désigner le **wafuku**, 和服, c'est-à-dire *le vêtement traditionnel japonais*. On le porte de moins en moins dans la vie quotidienne, mais de nomreuses femmes le mettent pour les grandes occasions, telles qu'une fête officielle, le nouvel an, et le mariage. En principe, les jeunes femmes célibataires portent le **Furisode**, *kimono à manches longues*, et les femmes mariées portent le **Tomesode**, *kimono noir à cinq emblèmes de famille*.

Le **Yukata**, 浴衣, est un *kimono d'été* en coton et sans doublure. Depuis deux ou trois ans, porter le **Yukata**, 浴衣, est devenu à la mode, et surtout de jeunes filles sortent avec pour aller voir le **feu d'artifice**, 花火, hanabi, ou la foire d'été. Le **Yukata**, 浴衣, sert aussi de robe de chambre ou de chemise de nuit dans une **auberge japonaise**, 旅館, ryokan.

13 きいろい スカーフ は あなた の です か。
Kiiroi sukâfu wa anata no desu ka.

A 1 PRÉSENTATION

■ **Katakana**, *graphie japonaise*

katakana	hiragana	rômaji	ordre des traits
オ	お	o	
フ	ふ	fu	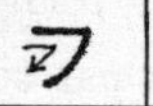
ル	る	ru	

■ **Vocabulaire**

スカーフ	sukâfu	[souka:fou]	*foulard(s)*
タオル	taoru	[taorou]	*serviette(s) de toilette*
きいろい	kiiroi	[kiiroï]	*jaune* (adjectif)
か	ka		*?* (particule interrogative)
はい	hai	[haï]	*oui*
いいえ	iie	[iié]	*non*

■ きいろい スカーフ は あなた の です か。

Kiiroi sukâfu wa anata no desu ka.
jaune / foulard / — / toi / à / il est / ?
Le foulard jaune est-il à toi ?

■ はい，わたし の です。

Hai, watashi no desu.
oui / moi / à / il est *Oui, il est à moi.*

A 2 APPLICATION

1. オ 2. フ 3. ル
4. きいろい タオル は かれ の です か。
5. はい，かれ の です。
6. あの ネクタイ は あなた の です か。
7. いいえ，わたし の ではありません。

A 3 REMARQUES

Transcription et prononciation

- スカーフ, sukâfu [souka:fou], et タオル, taoru [taorou], correspondent respectivement aux mots anglais *scarf* (*foulard*), et *towel* (*serviette de toilette*).
- Rappel : pour les **katakana**, la barre à droite d'une syllabe signifie que le son de cette dernière est allongé : カー, kâ [ka:].
- Ne pas confondre フ, fu [fou] et ラ, ra (cf. 11A1).

Grammaire

- Forme interrogative : dans la partie A3 de la leçon 2, on a vu la particule de liaison か, ka, qui correspondait au ***ou*** français. Ici cette même particule s'emploie comme particule interrogative. Pour mettre une phrase affirmative à la forme interrogative, on y ajoute donc か, ka, sans changer l'ordre des mots dans la phrase : la particule interrogative か, ka, est toujours en fin de phrase.

ほん です。Hon desu. →	ほん です か。Hon desu ka.
livre / c'est	*livre / c'est / ?**
C'est un livre.	*Est-ce un livre ?**

* Le point d'interrogation n'existe pas en japonais.

- La deuxième phrase en A1, "はい、わたし の です。Hai, watashi no desu", ne comporte pas de thème (sujet), puisque le contexte (la phrase précédente) l'indique clairement. です, desu [déss], se traduit en l'occurrence par ***il est*** (cf. 11A3).

A 4 TRANSCRIPTION ET TRADUCTION

1. o 2. fu 3. ru
4. Kiiroi taoru wa kare no desu ka.
   La serviette jaune est-elle à lui ?
5. Hai, kare no desu. *Oui, elle est à lui.*
6. Ano nekutai wa anata no desu ka.
   Cette cravate là-bas est-elle à toi ?
7. Iie, watashi no dewa arimasen. *Non, elle n'est pas à moi.*

13 これ は だれ の です か。
Kore wa dare no desu ka.

B 1 PRÉSENTATION

■ **Katakana**, *graphie japonaise*

katakana	hiragana	rômaji	ordre des traits			
ナ	な	na	ナ	ナ		
ン	ん	n	ン	ン		
プ	ぷ	pu	プ	プ		

■ **Vocabulaire**

スプーン supûn [soupou:nn] *cuillère(s)*
ナイフ naifu [naïfou] *couteau(x)*
けいたい(でんわ) keitai (denwa) [kéïtai(dénnwa)] *téléphone portable*
だれ dare [daré] *qui ?* (pronom interrogatif)
も mo *aussi*

■ これ は だれ の です か。 *À qui est ceci ?*
Kore wa dare no desu ka.
ceci / - / *qui* / *à* / *c'est* / *?*

■ それ も わたし の です。 *Cela est aussi à moi.*
Sore mo watashi no desu.
cela / aussi / *moi* / *à* / *c'est* / *?*

B 2 APPLICATION ●● CD

1. ナ 2. ン 3. プ 4. スプーン や ナイフ
5. あの けいたい は だれ の ですか。
6. かれ の です。
7. これ も かれ の です か。
8. いいえ, これ は かれ の ではありません。

B 3 REMARQUES

Transcription

- Voici l'origine anglaise des mots suivants :
  - スプーン supûn [soupou:nn] : *spoon*
  - ナイフ naifu [naïfou] : *knife*
- Comme pour le hiragana ぷ, pu [pou], le **pu** [pou] en katakana s'obtient à partir du **fu** [fou] accompagné d'un petit rond : フ, fu + ° → プ, pu [pou].
- Ne pas confondre : タ, ta, et ク, ku [kou] ; ナ, na, et メ, me [mé].

Grammaire

- だれ, dare [daré], *qui*, est un pronom interrogatif pour les personnes au singulier et au pluriel. Avec だれ, dare [daré], on questionne sur l'identité.

  だれ です か。 Dare desu ka. *Qui est-ce ?*
  qui / c'est / ?

- Ne pas oublier か, ka, particule interrogative, en fin de phrase, même si la phrase possède だれ, dare (cf. ci-contre).
- Le hiragana も, mo, sert ici de particule qui signifie ***aussi***. Si la particule も, mo, *aussi*, se rapporte au thème (sujet), elle remplace は, wa, particule de thème :

これ は かれ の です。	それ も かれ の です。
Kore **wa** kare no desu.	Sore **mo** kare no desu.
ceci / - / lui / à / c'est	*cela / **aussi** / lui / à / c'est*
Ceci est à lui.	*Cela est aussi à lui.*

A 4 TRANSCRIPTION ET TRADUCTION

1. na 2. n 3. pu
4. supûn ya naifu, *cuillère(s) et couteau(x) (entre autres)*
5. Ano keitai wa dare no desu ka.
   À qui est ce téléphone portable là-bas ?
6. Kare no desu. *Elle est à lui.*
7. Kore mo kare no desu ka. *Ceci aussi est-il à lui ?*
8. Iie, kore wa kare no dewa arimasen. *Non, ceci n'est pas à lui.*

13 EXERCICES

C 1 EXERCICES ●● CD

A. Écrivez les **rômaji** suivants en **hiragana** et en **katakana**.

1. ru 2. o 3. pu 4. n 5. fu 6. na

B. Prononcez et écrivez en **rômaji**. Traduisez ensuite en français.

1. これ は あなた の けいたい です か。
2. いいえ，わたし の ではありません。
3. その スプーン は だれ の です か。
4. かのじょ の です。
5. あの ナイフ も かのじょ の です か。

C. Traduisez et écrivez en **hiragana** ou en **hiragana** et **katakana**.

1. *La serviette (de toilette) blanche est-elle à moi ?*
2. *Non, elle est à Mme Yamada.*
3. *À qui sont cet appareil photo là-bas et cette montre là-bas ?*
4. *Ils sont à eux.*
5. *Le manteau noir et le foulard rouge sont-ils aussi à vous ?*

C 2 CORRIGÉ

A. 1. る / ル 2. お / オ 3. ぷ / プ
4. ん / ン 5. ふ / フ 6. な / ナ

B. 1. Kore wa anata no keitai desu ka.
Ceci est-ce ton téléphone portable ?
2. Iie, watashi no dewa arimasen. *Non, ce n'est pas à moi.*
3. Sono supûn wa dare no desu ka.
À qui est cette cuillère-là ?
4. Kanojo no desu. *Elle est à elle.*
5. Ano naifu mo kanojo no desu ka.
Ce couteau là-bas aussi est-il à elle ?

C. 1. しろい タオル は わたし の です か。
2. いいえ，やまださん の です。
3. あの カメラ と うでどけい は だれ の です か。
4. かれら の です。
5. くろい コート と あかい スカーフ も あなた（あなたたち）の ですか。

13 ÉCRITURE

C 3 KATAKANA

katakana	ordre des traits					exercez-vous	
o オ	1	2	3	4	5	オ	
na ナ	1	2	3	4	5	ナ	
fu フ	1	2	3	4	5	フ	
pu プ	1	2	3	4	5	プ	
ru ル	1	2	3	4	5	ル	
n ン	1	2	3	4	5	ン	

C 4 EXERCEZ-VOUS

オ	オ	オ		
ナ	ナ	ナ		
フ	フ	フ		
プ	プ	プ		
ル	ル	ル		
ン	ン	ン		

13 Dialogue / Vie pratique / Civilisation

D 1 DIALOGUE ●● CD

やまだ ： この ノートパソコン は どなた の です か。

さとう ： わたし の です。

やまだ ： いつ かいました か。

さとう ： いっかげつ まえ です。
なつ の ボーナス で かいました。

やまだ ： わたし も そう です。しごと に ひつよう です から。

さとう ： ちいさく て かるい ノートパソコン は しごと に べんり です ね。

Yamada : Kono nôto-pasokon wa donata no desu ka.

Satô : Watashi no desu.

Yamada : Itsu kaimashita ka.

Satô : Ikka-getsu mae desu. Natsu no bônasu de kaimashita.

Yamada : Watashi mo sô desu. Shigoto ni hitsuyô desu kara.

Satô : Chiisaku te karui nôto-pasokon wa shigoto ni benri desu ne.

D 2 VIE PRATIQUE

■ 家電製品, kaden-seihin, *appareils électroménagers* [voir p.242] :

- 洗濯機, せんたくき, sentakuki, *machine à laver le linge*
- 冷蔵庫, れいぞうこ, reizôko, *réfrigérateur*
- 電子レンジ, でんしレンジ, denshi-renji, *four à micro-onde*
- 掃除機, そうじき, sôjiki, *aspirateur*
- アイロン, airon, *fer à repasser*
- 暖房機具, だんぼうきぐ, danbô-kigu, *radiateur ; chauffage*
- クーラー, kûrâ, エアコン, eakon, *climatiseur*
- 扇風機, せんぷうき, senpûki, *ventilateur électrique*
- カラーテレビ, karâ-terebi, *téléviseur couleur*
- ビデオデッキ, bideo-dekki, *magnétoscope*
- ファクシミリ, fakushimiri, ファックス, fakkusu, *fax ; télécopieur*
- カセット(テープ)レコーダー, kasetto(-têpu)-rekôdâ, *magnétophone à cassettes*

D 3 DIALOGUE

Yamada : Cet ordinateur portable est à qui ?

Satô : Il est à moi.

Yamada : Quand l'avez-vous acheté ?

Satô : Il y a un mois. Je l'ai acheté avec ma prime d'été.

Yamada : Moi aussi. [lit. Moi aussi, c'est ainsi]. Parce qu'il est nécessaire pour le travail.

Satô : L'ordinateur portable, qui est petit et léger, est pratique pour le travail, n'est-ce pas ?

❖ **Vocabulaire :**

ノートパソコン, nôto-pasokon, *ordinateur portable*

どなた, donata, *qui ?* [mot de déférence, voir p.74 et p. 110]

いつ, itsu, *quand ?*

かいました, kaimashita, *avoir acheté* [voir p.207 et p.237]

いっかげつ, ikkagetsu, *un mois*

まえ, mae, *il y a ; avant*

ボーナス, bônasu, *le bonus* [voir D4 ci-après]

で, de, *par ; avec* [particule, voir p.352]

そう, sô, *juste ; pareil ; ainsi*

に, ni, *pour* [voir p.319]

ひつよう, hitsuyô, *nécessaire*

から, kara, *parce que ; puisque* [se plaçant en fin de phrase, voir p.352]

かるい, karui, *léger*

D 4 CIVILISATION

■ ボーナス, bônasu, *le bonus* :

À l'origine, le *bonus* (ボーナス, bônasu) a été une prime spéciale sans être périodique, mais aujourd'hui la plupart d'entreprises privées et publiques le distribuent à leurs employés deux fois par an, en été et en hiver. Ceux-ci attendent avec patience cette prime "extraordinaire" souvent destinée au remboursement de leurs emprunts divers à la banque (notamment à l'occasion de l'achat d'une maison ou d'un appartement).

Les deux périodes du bonus correspondent à celles de l'échange de cadeaux, l'une appelée お中元, o-chûgen, et l'autre お歳暮, o-seibo. On fait un cadeau aux gens entre le début et la mi-juillet (お中元, o-chûgen) et entre le début et la mi-décembre (お歳暮, o-seibo), afin de soigner les relations professionnelles ou privées.

14 あなた の すき な のみもの は なん です か。
Anata no suki na nomimono wa nan desu ka.

A 1 PRÉSENTATION

■ **Katakana**, *graphie japonaise*

katakana	hiragana	rômaji	ordre des traits			
ヒ	ひ	hi				
ビ	び	bi				
ワ	わ	wa				

■ **Vocabulaire**

コーヒー kôhî [ko:hi:] *café* (boisson)
ビール bîru [bi:rou] *bière*
ワイン wain [waïnn] *vin*
のみもの nomimono *boisson*
すき（な） suki (na) [souki (na)] *préféré*
なん nan [nann] *quoi ? ; que ?* (pronom interrogatif) / *quel (s) ? ; quelle(s) ?* (adjectif interrogatif)

■ あなた の すき な のみもの は なん です か。
Anata no suki na nomimono wa nan desu ka.
toi / de / préféré / — / boisson / — / quoi / c'est / ?
Quelle est ta boisson préférée ?
(*Ta boisson préférée, c'est quoi ?*)

A 2 APPLICATION

1. ヒ 2. ビ 3. ワ
4. コーヒー と ビール と ワイン
5. あれ は なん です か。
6. さかな です。
7. あなた の すき な くだもの は なん です か。
8. わたし の すき な くだもの は いちご と りんご です。

14 *Quelle est ta boisson préférée ?*

A 3 REMARQUES

■ Transcription et prononciation

• コーヒー, kôhî, ビール, bîru [bi:rou], et ワイン, wain [waïnn], sont des mots d'origine anglaise : *coffee* ; *beer* ; *wine*.

• Le ん, n, dans なん, nan [nann], se prononce comme dans le français *canne*.

• Ne pas confondre ワ, wa, フ, fu [fou] (cf. 13A1) et ラ, ra (cf. 11A1).

■ Grammaire

• Ordre des mots : on a ici la construction suivante :

Possesseur + quasi-adjectif* + な, na + ce qui est possédé

*Les quasi-adjectifs (cf. 8A3) se placent toujours entre le possesseur et ce qui est possédé ; ne pas oublier な, na, qui lie un quasi-adjectif à ce qui est possédé.

ex.: あなた の すき な のみもの — *ta boisson préférée*
anata no suki na nomimono
toi / de / préférée / - / boisson

• なん, nan [nann] :
- Pronom interrogatif : *que, quoi ?*
- adjectif interrogatif : *quel(s), quelle(s) ?*

• La particule interrogative か, ka, est nécessaire pour une phrase interrogative contenant なん, nan [nann], *que ?*, *quoi ?*.

A 4 TRANSCRIPTION ET TRADUCTION

1. hi   2. bi   3. wa
4. kôhî to bîru to wain — *café, bière et vin*
5. Are wa nan desu ka. — *Qu'est-ce que cela là-bas ?*
6. Sakana desu. — *C'est un poisson.*
7. Anata no suki na kudamono wa nan desu ka.
Quel est ton fruit préféré ?
8. Watashi no suki na kudamono wa ichigo to ringo desu.
Mes fruits préférés sont la fraise et la pomme.

14 すずきさん の オートバイ は どれ です か。
Suzuki-san no ôtobai wa dore desu ka.

B 1 PRÉSENTATION

■ **Katakana**, *graphie japonaise*

katakana	hiragana	rômaji	ordre des traits
ハ	は	ha	
バ	ば	ba	
マ	ま	ma	

■ **Vocabulaire**

オートバイ ôtobai [o:tobaï] *moto(s)*
マフラー mafurâ [mafoura:] *cache-col ; cache-nez*
どれ dore [doré] *lequel ; laquelle ; lesquels ; lesquelles*
すずきさん Suzuki-san [souzouki-sann] *M. (Mme ; Mlle) Suzuki*
(adjectif +) の no *ce (celui, celle) qui est ; ceux (celles) qui sont*

■ あかい の です。 *C'est le rouge.*
Akai no desu. *(C'est celui qui est rouge.)*
rouge / celui qui est / c'est

B 2 APPLICATION ●● (CD)

1. ハ 2. バ 3. マ
4. すずきさん の オートバイ は どれ です か。
5. あれ です。
6. かれ の てぶくろ は どれ です か。
7. ちいさく て くろい の です。
8. あなた の マフラー は あおい の です。

B 3 REMARQUES

■ Transcription

• オートバイ, ôtobai [o:tobaï], *moto*, est composé de deux mots anglais : *auto* (mobile) (*voiture*), et *bike* (*bicyclette*).

• マフラー, mafurâ [mafoura:], *cache-nez*, correspond à l'anglais *muffler*.

■ Grammaire

• Précédée des adjectifs, la particule の, no, devient ici pronom démonstratif : *ce* (*celui*, *celle*, *ceux*, *celles*) ; elle n'indique que des objets. En pratique, elle se traduit souvent par *ce (celui, celle) qui est* ou *ceux (celles) qui sont*.

あかい の *le (la) rouge* ou *ce* qui est rouge*
Akai no *rouge / ce qui est*

ちいさく て まるい の *ce* qui est petit et rond*
chiisaku te marui no
petit / et / rond / ce qui est

*Selon le contexte, *ce* est remplacé par celui, celle, ceux ou celles.

• どれ, dore [doré], *lequel*, *laquelle*, *lesquels*, *lesquelles*, est un pronom interrogatif indiquant un choix parmi des objets dont le nombre est toujours supérieur à deux ; il n'est jamais utilisé pour un choix de personnes.

かれ の オートバイ は どれ です か。
Kare no ôtobai wa dore desu ka.
lui / de / moto / - / laquelle / c'est / ?
Quelle (Laquelle) est sa moto ?

A 4 TRANSCRIPTION ET TRADUCTION

1. ha 2. ba 3. ma
4. Suzuki-san no ôtobai wa dore desu ka.
   Quelle est la moto de M.Suzuki ?
5. Are desu. *C'est celle-là là-bas.*
6. Kare no tebukuro wa dore desu ka. *Quels sont ses gants ?*
7. Chiisaku te kuroi no desu. *Ce sont ceux qui sont petits et noirs.*
8. Anata no mafurâ wa aoi no desu. *Ton cache-col est le bleu.*

14 EXERCICES

C 1 EXERCICES ●● CD

A. Écrivez les **rômaji** suivants en **hiragana** et en **katakana**.

1. ha 2. ma 3. bi 4. ba 5. wa 6. hi

B. Prononcez et écrivez en **rômaji**. Traduisez ensuite en français.

1. あなた の すき な スカート は どれ です か。
2. きいろい の です。
3. かのじょ の すき な こうすい は どれ です か。
4. これ です。
5. かれら の すき な のみもの はなん です か。

C. Traduisez et écrivez en **hiragana** ou en **hiragana** et **katakana**.

1. *Quel est ton parapluie ?*
2. *C'est le noir.*
3. *Quel est ton moyen de transport préféré ?*
4. *Ce sont la moto et l'avion.*
5. *Qu'est-ce que cela ?*
6. *C'est du café.*

C 2 CORRIGÉ

A. 1. は / ハ 2. ま / マ 3. び / ビ
4. ば / バ 5. わ / ワ 6. ひ / ヒ

B. 1. Anata no suki na sukâto wa dore desu ka.
Quelle est ta jupe préférée ?
2. Kiiroi no desu. *C'est la jaune.*
3. Kanojo no suki na kôsui wa dore desu ka.
Quel est son parfum (à elle) préféré ?
4. Kore desu. *C'est celui-ci.*
5. Karera no suki na nomimono wa nan desu ka.
Quelles sont leurs boissons préférées ?

C. 1. あなた の かさ は どれ です か。
2. くろい の です。
3. あなた の すき な のりもの は なん です か。
4. オートバイ と ひこうき です。
5. それ は なん です か。
6. コーヒー です。

C 3 KATAKANA

katakana	ordre des traits					exercez-vous
ha ハ	1	2	3	4	5	ハ
ba バ	1	2	3	4	5	バ
hi ヒ	1	2	3	4	5	ヒ
bi ビ	1	2	3	4	5	ビ
ma マ	1	2	3	4	5	マ
wa ワ	1	2	3	4	5	ワ

C 4 EXERCEZ-VOUS

ハ	ハ	ハ		
ヒ	ヒ	ヒ		
マ	マ	マ		

バ	バ	バ		
ビ	ビ	ビ		
ワ	ワ	ワ		

D 1 DIALOGUE ●● CD

さとう ： すき な たべもの は なん です か。
よしだ ： さしみ です。
さとう ： きらい な もの は なん です か。
よしだ ： やさい です。
さとう ： くだもの は どう です か。
よしだ ： だいすき です。いちばん すき な くだもの は いちご です。

Satô : Suki na tabemono wa nan desu ka.
Yoshida : Sashimi desu.
Satô : Kirai na mono wa nan desu ka.
Yoshida : Yasai desu.
Satô : Kudamono wa dô desu ka.
Yoshida : Dai-suki desu. Ichiban suki na kudamono wa ichigo desu.

D 2 VIE PRATIQUE

■ 食器, しょっき, shokki, *les ustensiles de table* :

- 箸, はし, hashi, *baguettes*
- 茶碗, ちゃわん, chawan, *bol à riz*
- お椀, おわん, o-wan, *bol à soupe*
- 皿, さら, sara, *assiette*
- コップ, koppu, *verre*
- コーヒーカップ, kôhî-kappu, *tasse à café*
- ティーカップ, tî-kappu, *tasse à thé*
- ソーサー, sôsâ, *soucoupe*
- ナイフ, naifu, *couteau*
- フォーク, fôku, *fourchette*
- スプーン, supûn, *cuillère*
- ストロー, sutorô, *paille*
- ナプキン, napukin, *serviette*
- ティーポット, tî-potto, *théière*
  急須, kyûsu, *théière pour le thé japonais*
- コーヒーポット, kôhî-potto, ou コーヒー沸かし, kôhî-wakashi, *cafetière*

D 3 DIALOGUE

Satô : Quelle est la nourriture préférée ?

Yoshida : C'est le poisson cru.

Satô : Qu'est-ce que vous n'aimez pas ? [*lit.* Quelle est la chose détestée ?]

Yoshida : C'est les légumes.

Satô : Que pensez-vous des fruits ? [*lit.* Les fruits, c'est comment ?]

Yoshida : Je les aime beaucoup. Le fruit que j'aime le plus est la fraise. [*lit.* Le fruit le plus préféré, c'est la fraise.]

❖ **Vocabukaire :**

たべもの, tabemono, *nourriture*

さしみ, sashimi, *poisson cru coupé en tranches*

きらい, kirai, *détesté* [voir p.256]

もの, mono, *chose ; objet*

どう, dô, *comment ; Que pensez-vous de... ?*

だいすきです, dai-suki desu, *adorer ; aimer beaucoup*

いちばん, ichi-ban, *le plus ; premier (le) ; numéro 1*

D 4 CIVILISATION

■ 食生活, shokuseikatsu, *régime alimentaire* :

Depuis plus de 2 mille ans, le **riz**, 米, kome, est un aliment de base indispensable à la vie japonaise. Jusqu'à l'époque d'Edo, les contributions se basaient sur le rendement en riz, et la société japonaise dépendait totalement de la culture de riz. Aujourd'hui le riz est cultivé dans tout le Japon, mais principalement dans la région de **Tôhoku**, 東北. Le **riz**, 米, kome, donne de nombreux produits alimentaires : le **saké japonais**, 日本酒, nihon-shu, le **cracker japonais**, せんべい, senbei, le **mochi**, もち, *pâte de riz cuit à la vapeur et pilonné*, etc.

Un autre aliment essentiel aux Japonais est sans doute le **soja**, 大豆, daizu, avec lequel sont fabriqués le **tôfu**, 豆腐, *pâte de soja*, le **shôyu**, 醤油, *sauce de soja*, le **miso**, 味噌, *pâte de soja fermenté*, le **nattô**, 納豆, *soja fermenté*, etc.

15 わたし の ホテル は ここ です。
Watashi no hoteru wa koko desu.

A 1 PRÉSENTATION

■ **Katakana**, *graphie japonaise*

katakana	hiragana	rômaji	ordre des traits
シ	し	shi	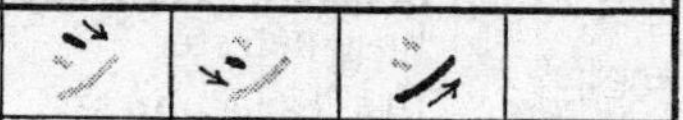
テ	て	te	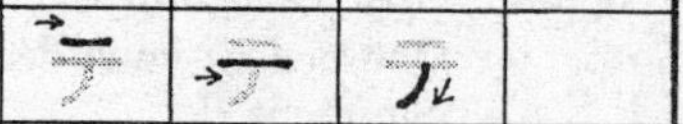
ホ	ほ	ho	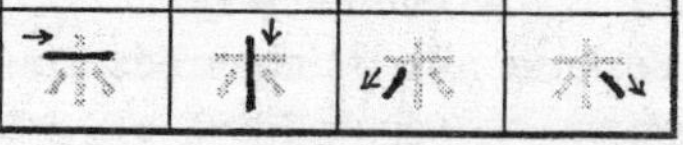

■ Vocabulaire

ホテル	hoteru	[hotérou]	*hôtel(s)*
タクシー	takushî	[takoushi:]	*taxi(s)*
バス	basu	[bassou]	*autobus*
のりば	noriba		*arrêt ou station (d'autobus, de taxi, de métro)*
ここ	koko		*cet endroit-ci*
そこ	soko		*cet endroit-là*

■ わたし の ホテル は ここ です。

Watashi no hoteru wa koko desu.
moi / de / hôtel / — / cet endroit-ci / c'est
mon hôtel est ici. (Mon hôtel, c'est cet endroit-ci.)

A 2 APPLICATION ●● (CD)

1. シ 2. ホ 3. テ
4. タクシー と バス
5. タクシー の のりば は そこ です。
6. ここ は バス の のりば です。
7. あなた の ホテル は ここ です か。
8. いいえ，ここではありません。

15 *Mon hôtel est ici.*

A 3 REMARQUES

Transcription

- ホテル, hoteru [hotérou], タクシー, takushî [takoushi:], et バス, basu [bassou], correspondent respectivement aux mots anglais *hotel*, *taxi*, et *bus*.
- Ne pas confondre シ, shi, et ン, n (cf. 13B1).

Prononciation : Rappel

- Dans le mot **hoteru** [hotérou], on doit entendre le **h** qui est expiré en japonais.
- Le **s** entre les voyelles est prononcé [ss] : バス, basu [bassou].

Grammaire

- ここ, koko, et そこ, soko, sont des pronoms démonstratifs de lieu :
  - ここ, koko, indique l'endroit où le locuteur demeure, ou l'endroit qui est proche du locuteur : *cet endroit-ci* ;
  - そこ, soko, désigne l'endroit où se trouve l'interlocuteur, ou l'endroit qui est près de l'interlocuteur : *cet endroit-là*.
- Dans la pratique, ここ, koko, est traduit en français par l'adverbe ***ici***, et そこ, soko, par l'adverbe ***là***, bien qu'ils soient des pronoms démonstratifs.

わたし の うち は ここ（そこ） です。
Watashi no uchi wa koko (soko) desu.
moi / de / maison / — / cet endroit-ci(-là) / elle est.
Ma maison est ici (là).

A 4 TRANSCRIPTION ET TRADUCTION

1. shi 2. ho 3. te 4. takushî to basu *taxi(s) et bus*
5. Takushî no noriba wa soko desu.
   La station de taxis est (cet endroit-)là.
6. Koko wa basu no noriba desu.
   Ici (Cet endroit-ci), c'est un arrêt de bus.
7. Anata no hoteru wa koko desu ka. *Ton hôtel est-il ici ?*
8. Iie, koko dewa arimasen. *Non, il n'est pas ici.*

15 かれ　の　アパート　は　どこ　です　か。
Kare no apâto wa doko desu ka.

B 1 PRÉSENTATION

■ Katakana, *graphie japonaise*

katakana	hiragana	rômaji	ordre des traits
ア	あ	a	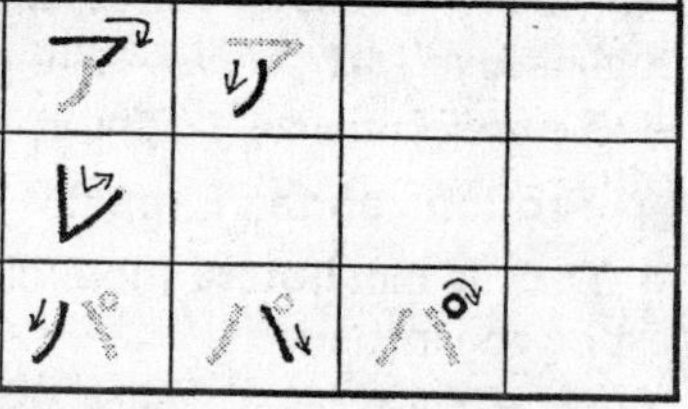
レ	れ	re	
パ	ぱ	pa	

■ Vocabulaire

アパート	apâto	[apâto]	*appartement(s)*
レストラン	resutoran	[réssoutorann]	*restaurant(s)*
トイレ	toire	[toïré]	*toilettes*
えき	eki	[éki]	*gare(s)*
ぎんこう	ginkô	[guinnko:]	*banque(s)*
ゆうびんきょく	yûbinkyoku	[you:binnkyokou]	*bureau(x) de poste*
あそこ	asoko	[assoko]	*l'endroit là-bas*
どこ	doko		*quel endroit ?*

■ かれ　の　アパート　は　どこ　です　か。

Kare no apâto wa doko desu ka.
lui / de / appartement / - / quel endroit / c'est / ?
Où (Quel endroit) est son appartement ?

B 2 APPLICATION ●● CD

1. ア 2. レ 3. パ
4. えき　は　どこ　です　か。
5. ぎんこう　は　あそこ　です　か。
6. レストラン　は　どこ　です　か。
7. ゆうびんきょく　は　どこ　です　か。
8. トイレ　は　どこ　です　か。

B 3 REMARQUES

Transcription

- Comme le hiragana ぱ, pa, le katakana パ, pa, est composé du ハ, ha et d'un petit rond : ハ, ha + ° = パ, pa.
- La syllabe kyo, en hiragana, est formée de la juxtaposition de la syllabe き, ki, de taille normale et de la syllabe よ, yo de taille réduite : き, ki + よ, yo → きょ, kyo.
- アパート, apâto, レストラン, resutoran [réssoutorann], et トイレ, toire [toïré], sont empruntés aux mots anglais *apartment*, *restaurant* et *toilet*.

Prononciation

- La syllabe **gi**, dans **ginkô**, *banque*, se prononce [gui].

Grammaire

- Comme ここ, koko, et そこ, soko, あそこ, asoko [assoko], est aussi pronom démonstratif de lieu. Il désigne l'endroit éloigné à la fois du locuteur et de l'interlocuteur : *l'endroit là-bas*.

En principe, あそこ, asoko [assoko], se traduit par l'adverbe français ***là-bas***.

えき は あそこ です。 *La gare est là-bas.*
Eki / wa / asoko / desu.
gare / - / l'endroit là-bas / elle est

- どこ, doko, est traduit en français par *où*, adverbe interrogatif, mais il est en fait pronom interrogatif : *quel endroit ?*.

ぎんこう は どこ です か。 *Où est la banque ?*
Ginkô wa doko desu ka.
banque / - / quel endroit / elle est / ?

A 4 TRANSCRIPTION ET TRADUCTION

1. a 2. re 3. pa
4. Eki wa doko desu ka. *Où est la gare ?*
5. Ginkô wa asoko desu ka. *La banque est-elle là-bas?*
6. Resutoran wa doko desu ka. *Où est le restaurant ?*
7. Yûbinkyoku wa doko desu ka. *Où est le bureau de poste ?*
8. Toire wa doko desu ka. *Où sont les toilettes ?*

15 EXERCICES

C 1 EXERCICES

A. Écrivez les **rômaji** suivants en **hiragana** et en **katakana**.

1. ho 2. a 3. shi 4. re 5. pa 6. te

B. Prononcez et écrivez en **rômaji**. Traduisez ensuite en français.

1. タクシー の のりば は ここ です か。
2. いいえ，ここ ではありません。
3. ゆうびんきょく は どこ です か。
4. かれ の レストラン は そこ です。
5. ぎんこう は どこ です か。
6. そこ です。

C. Traduisez et écrivez en **hiragana** ou en **hiragana** et **katakana**.

1. *Notre maison est là.*
2. *Où sont les toilettes ?*
3. *Elles sont là-bas.*
4. *Ici, est-ce un hôtel ?*
5. *Oui, c'est un hôtel.*
6. *Son appartement (à elle) n'est pas ici.*

C 2 CORRIGÉ

A. 1. ほ / ホ 2. あ / ア 3. し / シ
4. れ / レ 5. ぱ / パ 6. て / テ

B. 1. Takushî no noriba wa koko desu ka.
La station de taxis est-elle ici ?
2. Iie, koko dewa arimasen. *Non, elle n'est pas ici.*
3. Yûbinkyoku wa doko desu ka. *Où est la poste ?*
4. Kare no resutoran wa soko desu. *Son restaurant est là.*
5. Ginkô wa doko desu ka. *Où est la banque ?*
6. Soko desu. *Elle est là.*

C. 1. わたし の いえ（うち） は そこ です。
2. トイレ は どこ です か。
3. あそこ です。
4. ここ は ホテル です か。
5. はい，ホテル です。
6. かのじょ の アパート は ここ ではありません。

15 ÉCRITURE

C 3 KATAKANA

katakana	ordre des traits					exercez-vous
	1	2	3	4	5	
a ア	ア	ア				ア
shi シ	シ	シ	シ			シ
te テ	テ	テ	テ			テ
ho ホ	ホ	ホ	ホ	ホ		ホ
re レ	レ					レ
pa パ	パ	パ	パ			パ

C 4 EXERCEZ-VOUS

ア	ア	ア		
シ	シ	シ		
テ	テ	テ		
ホ	ホ	ホ		
レ	レ	レ		
パ	パ	パ		

D1 DIALOGUE ●● CD

おとこ の ひと：すみません。バスてい は どこ で す か。
おんな の ひと：なにゆき です か。
おとこ の ひと：ぎんざゆき です。
おんな の ひと：それじゃ、あそこ です。
おとこ の ひと：どこ です か。
おんな の ひと：あの デパート の まえ です。
おとこ の ひと：わかりました。ありがとう ございま す。

Otoko no hito : Sumimasen. Basu-tei wa doko desu ka.
Onna no hito : Nani-yuki desu ka.
Otoko no hito : Ginza-yuki desu.
Onna no hito : Soreja, asoko desu.
Otoko no hito : Doko desu ka.
Onna no hito : Ano depâto no mae desu.
Otoko no hito : Wakarimashita. Arigatô gozaimasu.

D2 VIE PRATIQUE

■ 道を教える, michi o oshieru, *indiquer le chemin* :

- まっすぐ です, massugu desu, *c'est tout droit.*
- みぎ (右) です, migi desu, *c'est sur votre droite.*
- ひだり (左) です, hidari desu, *c'est sur votre gauche.*
- えき (駅) の しょうめん (正面) です, eki no shômen desu, *c'est juste en face de la gare.*
- ガソリンスタンド の となり です, gasorin-sutando no tonari desu, *c'est juste à côté de la station service.* [voir p.280]
- ここ から 5ふん (5分) ぐらい です, koko kara go-fun gurai desu, *c'est à environ cinq minutes d'ici.* [voir p.352]
- あの しんごう (信号) を ひだり (左) です, ano shingô o hidari desu, *c'est au feu là-bas à gauche.*
- みぎ (右) に まがってください, migi ni magattekudasai, *tournez à droite.* [voir pp.310-311]
- こうさてん (交差点) を みぎ (右) に い(行)ってください, kôsaten o migi ni ittekudasai, *allez à droite au carrefour.*

D 3 DIALOGUE

Un homme : Excusez-moi. Où est l'arrêt de bus ?
Une femme : C'est pour aller où ? [*lit.* C'est à quelle destination ?]
Un homme : Pour Ginza. [*lit.* C'est à destination de Ginza.]
Une femme : Alors, c'est là-bas.
Un homme : Où ?
Une femme : C'est devant le grand magasin là-bas.
Un homme : Oui, je vois. [*lit.* j'ai compris.] Merci beaucoup.

❖ **Vocabulaire :**

おとこ, otoko, *homme*
おんな, onna, *femme*
バスてい, basu-tei, *arrêt de bus*
ぎんざ, Ginza, [voir D4 ci-après]
ーゆき, -yuki, *à destination de*
それじゃ, soreja, *alors*
デパート, depâto, *grand magasin*
まえ, mae, *devant ; avant*
わかりました, wakarimashita, *(j'ai) compris ; entendu* [voir p.237]

D 4 CIVILISATION

■ 銀座, ぎんざ, Ginza :

C'est au moment de l'ère **Meiji** que **Ginza**, 銀座, s'est développé comme le quartier le plus symbolique du Japon pour son ouverture à la civilisation occidentale. Les bâtiments en briques abritaient de nombreuses boutiques regorgeant de produits occidentaux. Et la modernité des vitrines attirait bien des curieux. La popularité du quartier était telle que beaucoup de villes locales ont adopté le nom de **Ginza**, 銀座, pour désigner leurs rues commerçantes. Après 1960, les nouveaux quartiers commerçants à **Shinjuku**, 新宿, **Shibuya**, 渋谷, ou **Ikebukuro**, 池袋, entre autres commencent à porter ombrage à **Ginza**, 銀座. Ce dernier regagne néanmoins, dès les années 80, toute sa popularité d'antan.

■ 浅草, あさくさ, Asakusa :

Asakusa, 浅草, est considéré comme symbole des quartiers populaires de **Tokyo**, 東京. Ce faubourg dispose en son centre du temple, appelé **Sensôji**, 浅草寺, et de la fameuse rue commerçante, **Nakamise**, 仲見世, Nakamise, où on trouve des objets artisanaux et traditionnels remontant à l'époque d'Edo.

16 かれら は げんき です か。
Karera wa genki desu ka.

A 1 PRÉSENTATION

■ **Katakana**, *graphie japonaise*

katakana	hiragana	rômaji	ordre des traits
リ	り	ri	
ロ	ろ	ro	
ド	ど	do	

■ Vocabulaire

とても	totemo	[totémo]	*très*
げんき（な）*	genki(na)	[guénnki(na)]	(se sentir) *en forme*
すてき（な）*	suteki(na)	[soutéki(na)]	*ravissant*
にぎやか（な）*	nigiyaka(na)	[niguiyaka(na)]	*animé*
パリ	Pari		*Paris*
ローマ	Rôma	[ro:ma]	*Rome*
ロンドン	Rondon	[ronndonn]	*Londres*

*Le mot de liaison な, na, entre parenthèses, (な), identifie les quasi-adjectifs (cf. 8A3).

■ かれら　は　げんき　です　か。

Karera　wa　genki　desu　ka.

eux / - / *en forme* / *ils sont* / ?

Vont-ils bien ? (= *Sont-ils en forme ?*)

A 2 APPLICATION ●● (CD)

1. リ　　2. ロ　　3. ド
4. パリ や ローマ は とても すてき です。
5. ロンドン の たなかさん は げんき です か。
6. はい，とても げんき です。
7. この まち は にぎやか で とても すてき です。

A 3 REMARQUES

■ Transcription

● Le nom des villes étrangères est écrit en principe en **katakana** : パリ, Pari, *Paris* ; ローマ, Rôma, *Rome* ; ロンドン, Rondon, *Londres*.

■ Grammaire

● Les quasi-adjectifs peuvent s'associer avec です, desu [déss], pour déterminer le thème (sujet) indiqué par la particule は, wa.

かれ　は　すてき　です。 *Lui, (il) est ravissant.*
Kare wa suteki desu. *lui / - / ravissant / il est*

Remarques :

1. かれ, kare, *lui*, suivi de la particule は, wa (thème), se traduit ici par ***il***, puisqu'il coïncide avec le sujet de la phrase.

2. かれ, kare, *lui*, かれら, karera, *eux*, かのじょ, kanojo, *elle*, かのじょたち, kanojotachi, *elles*, n'indiquent que des personnes.

3. Le mot de liaison な, na, n'est pas nécessaire après le quasi-adjectif, puisque です, desu, n'est pas un nom (cf. 8A3).

4. (Rappel) Les quasi-adjectifs ne s'accordent ni en genre ni en nombre (cf. 8A3).

● Les adverbes sont en japonais des mots invariables qui modifient le sens d'un quasi-adjectif. (On étudiera plus tard les adverbes qui modifient le sens d'un adjectif ou d'un verbe.) Ils se placent avant le quasi-adjectif qu'ils modifient :

かれ　は　とても　げんき　です。 *Il va très bien.*
Kare wa totemo genki desu. *(= Lui, il est très en forme.)*
lui / - / très / en forme / il est

A 4 TRANSCRIPTION ET TRADUCTION

1. ri　2. ro　3. do
4. Pari ya Rôma wa totemo suteki desu.
Paris et Rome (entre autres) sont très ravissantes.
5. Rondon no Tanaka-san wa genki desu ka.
M. (Mme ; Mlle) Tanaka de Londres va-t-il (elle) bien ?
6. Hai, totemo genki desu. *Oui, il (elle) va très bien.*
7. Kono machi wa nigiyaka de totemo suteki desu.
Cette ville-ci est animée et très ravissante.

16 かのじょ は きょう ひま ではありません。
Kanojo wa kyô hima dewa arimasen.

B 1 PRÉSENTATION

■ **Katakana**, *graphie japonaise*

katakana	hiragana	rômaji	ordre des traits
ニ	に	ni	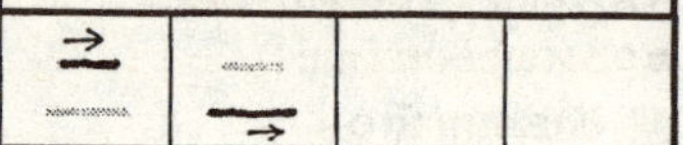
ユ	ゆ	yu	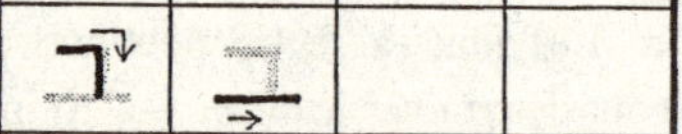
ヨ	よ	yo	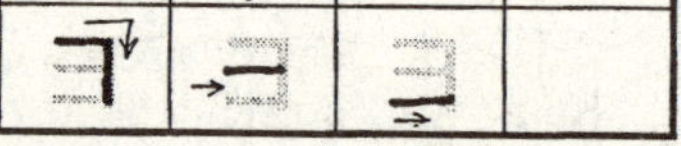

■ **Vocabulaire**

きょう	kyô	[kyo:]	*aujourd'hui*
せいかつ	seikatsu	[séïkatsou]	*vie (quotidienne)*
りょこう	ryokô	[ryoko:]	*voyage*
ニューヨーク	Nyûyôku	[nyu:yo:kou]	*New-York*
ひま（な）	hima(na)		*libre (= inoccupé)*
かいてき（な）	kaiteki(na)	[kaïtéki(na)]	*confortable ; agréable*
たいへん（な）	taihen(na)	[taïhénn(na)]	*dur ; pénible ; grave*
ばか（な）	baka(na)		*imbécile; idiot ; bête*

■ かのじょ は きょう ひま ではありません。
Kanojo wa kyô hima dewa arimasen.
elle / - / aujourd'hui / libre / elle n'est pas
Elle n'est pas libre aujourd'hui.

B 2 APPLICATION ●● CD

1. ニ 2. ヨ 3. ユ
4. ロンドン か ニューヨーク
5. ニューヨーク の せいかつ は たいへん ではありません。
6. バス の りょこう は かいてき ではありません。
7. かれ は ばか ではありません。

B 3 REMARQUES

Transcription

- La ville *New-York* s'écrit en **katakana** : ニューヨーク, Nyûyôku [nyou:yo:kou].
- Syllabes formées de 2 syllabes juxtaposées :
  - き, ki + よ, yo* → きょ, kyo
  - り, ri + よ, yo* → りょ, ryo
  - ニ, ni + ユ, yu* → ニュ, nyu

  *よ, yo, et ユ, yu, s'écrivent en taille réduite.

Grammaire

- ではありません, dewa arimasen [déwa arimasénn], s'emploie ici comme forme négative de です, desu [déss], qui est précédé des quasi-adjectifs (cf. 12B3) :

かのじょ　は　ひま　ではありません。
Kanojo wa hima dewa arimasen.
elle / - / libre / elle n'est pas
Elle n'est pas libre.

- L'adverbe de temps きょう, kyô [kyo:], est déplaçable, mais il ne se place ni devant la partcule は, wa, ni entre le quasi-adjectif et ではありません, dewa arimasen, ni en fin de phrase. Par contre, on le place en tête de phrase, si l'on veut attirer l'attention sur lui :

きょう　かのじょ　は　ひま　ではありません。
Kyô kanojo wa hima dewa arimasen.
aujourd'hui / elle / - / libre / elle n'est pas
Aujourd'hui, elle n'est pas libre.

A 4 TRANSCRIPTION ET TRADUCTION

1. ni　2. yo　3. yu
4. Rondon ka Nyûyôku　*Londres ou New-York*
5. Nyûyôku no seikatsu wa taihen dewa arimasen.
   La vie de New-York n'est pas dure.
6. Basu no ryokô wa kaiteki dewa arimasen.
   Le voyage en bus n'est pas confortable (agréable).
7. Kare wa baka dewa arimasen.　*Il n'est pas bête.*

16 EXERCICES

C 1 EXERCICES ●● CD

A. Écrivez les **rômaji** suivants en **hiragana** et en **katakana**.

1. do 2. ri 3. yu 4. ni 5. ro 6. yo

B. Prononcez et écrivez en **rômaji**. Traduisez ensuite en français.

1. ニューヨーク や ロンドン は とても にぎやか です。
2. かれ の ネクタイ は きれい ではありません。
3. パリ の せいかつ は たいへん です か。
4. いいえ，とても かいてき です。
5. この もんだい は かんたん ではありません。

C. Traduisez et écrivez en **hiragana** ou en **hiragana** et **katakana**.

1. *Mme Yamada de Rome va-t-elle bien ?*
2. *Oui, elle va très bien.*
3. *Es-tu libre aujourd'hui ?*
4. *Non, je ne suis pas libre.*
5. *M. Tanaka n'est pas bête.*
6. *Le voyage en (de) train est très ennuyeux.*

C 2 CORRIGÉ

A. 1. ど / ド 2. り / リ 3. ゆ / ユ
4. に / ニ 5. ろ / ロ 6. よ / ヨ

B. 1. Nyûyôku ya Rondon wa totemo nigiyaka desu.
New-York et Londres (entre autres) sont très animées.
2. Kare no nekutai wa kirei dewa arimasen.
Sa cravate (à lui) n'est pas belle.
3. Pari no seikatsu wa taihen desu ka.
La vie à (de) Paris est-elle dure ?
4. Iie, totemo kaiteki desu. *Non, elle est très agréable.*
5. Kono mondai wa kantan dewa arimasen.
Ce problème-ci n'est pas simple.

C. 1. ローマ の やまださん は げんき です か。
2. はい，とても げんき です。
3. あなた は きょう ひま です か。
4. いいえ，ひま ではありません。
5. たなかさん は ばか ではありません。
6. でんしゃ の りょこう は とても たいくつ です。

16 ÉCRITURE

C 3 KATAKANA

katakana	ordre des traits 1	2	3	4	5	exercez-vous	
ni ニ						ニ	
yu ユ						ユ	
yo ヨ						ヨ	
ri リ						リ	
ro ロ						ロ	
do ド						ド	

C 4 EXERCEZ-VOUS

ニ	ニ	ニ			ユ	ユ	ユ		
ヨ	ヨ	ヨ			リ	リ	リ		
ロ	ロ	ロ			ド	ド	ド		

16 Dialogue / Vie pratique / Civilisation

D 1 DIALOGUE ●● (CD)

やまだ : らいしゅう　から　かいがいしゅっちょう　です*。

たなか : どこ へ いきます*か。

やまだ : まず ぺきん です。それから ほんこん と シンガポール です。

たなか : ハード です*ね。

やまだ : はい、きっと らく ではありません*。かいがい は はじめて です*から。

Yamada : Raishû kara kaigai-shuttchô desu.*

Tanaka : Doko e ikimasu* ka.

Yamada : Mazu Pekin desu. Sorekara Honkon to Shingapôru desu.

Tanaka : Hâdo desu* ne.

Yamada : Hai, kitto raku dewa arimasen.* Kaigai wa hajimete desu* kara.

* **Remarque :** です, desu (ou ではありません, dewa arimasen) ou les verbes en ます, masu (ou ません, masen), peuvent s'employer dans une phrase au futur. [voir p.229, p.234 et p.349]

D 2 VIE PRATIQUE

■ アジア の くに, Ajia no kuni, *pays d'Asie* :

- 中国, ちゅうごく, Chûgoku, *Chine*
- 韓国, かんこく, Kankoku, *Corée du sud*
- 台湾, たいわん, Taiwan, *Taïwan (Formose)*
- ベトナム, Betonamu, *Viêt-nam*
- インドネシア, Indoneshia, *Indonésie*
- タイ, Tai, *Thaïlande*

■ Le nom d'un pays suivi du suffixe 人, じん, jin, *gens*, indique le peuple vivant dans ce pays [cf. p.265] :

- 中国人, Chûgoku-jin, *les Chinois*
- 韓国人, Kankoku-jin, *les Coréens*
- 台湾人, Taiwan-jin, *les Formosans*
- ベトナム人, Betonamu-jin, *les Vietnamiens*
- インドネシア人, Indoneshia-jin, *les Indonésiens*
- タイ人, Tai-jin, *les Thaïlandais*

D 3 DIALOGUE

Yamada : Je partirai en voyage d'affaires la semaine prochaine. [*lit.* Dès la semaine prochaine, ce sera le voyage d'affaires.]
Tanaka : Où irez-vous ?
Yamada : D'abord à Pékin. Et ensuite à Hong-Kong et à Singapour.
Tanaka : Ce sera dur, non ?
Yamada : Oui, ce ne sera sûrement pas facile, parce que je ne suis jamanais allé à l'étranger. [*lit.* Parce que les pays étrangers, ce sera pour la première fois.]

❖ **Vocabulaire :**

らいしゅう, raishû, *la semaine prochaine*
かいがい, kaigai, *outre-mer*
しゅっちょう, shuttchô, *voyage d'affaires*
へ いきます, e ikimasu, *aller à* [voir. pp.228-229]
ぺきん, Pekin, *Pékin*
それから, sorekara, *puis*
ほんこん, Honkon, *Hong-Kong*
シンガポール, Shingapôru, *Singapour*
ハード, hâdo, *dur*[quasi-adj.]
きっと, kitto, *sûrement*
らく, raku, *peu fatigant*
はじめて, hajimete, *pour la première fois*

D 4 CIVILISATION

■ 単身赴任, たんしんふにん, tanshinfunin :

C'est le fait d'être muté seul dans une nouvelle région sans que sa famille ne le suive. L'éducation des enfants ou la maison qu'il faut payer, par exemple, empêchent beaucoup de salariés de partir avec leurs familles. On trouve même des statistiques qui montrent que plus de 50 % d'hommes âgés de 40 à 49 ans choisissent ce type de mutation. Il est vrai qu'il existe des entreprises qui paient à leurs employés une prime de 単身赴任, tanshinfunin. Mais la charge financière reste tout de même très lourde pour la famille. À cela s'ajoute le très fort stress supporté par chaque membre de la famille, qui provoque quelques fois l'éclatement même de celle-ci.

Avec la restructuration des sociétés japonaises et le transfert de leurs bases de production hors du Japon, il y aura de plus en plus de 単身赴任, tanshinfunin, vers les pays étrangers.

17 ほんとうに　ざんねん　でした。
Hontôni zannen deshita.

A 1 PRÉSENTATION

■ **Katakana**, *graphie japonaise*

katakana	hiragana	rômaji	ordre des traits			
エ	え	e				
ヌ	ぬ	nu				
ヘ	へ	he				

■ **Vocabulaire**

エレーヌ　Erênu [éré:nou] *Hélène* (prénom français)
ヘリコプター　herikoputâ [hérikopouta:] *hélicoptère(s)*
ほんとうに　hontôni [honnto:ni] *vraiment*
ざんねん（な）　zannen(na) [zann'nénn(na)] *dommage*
しんせつ（な）　shinsetsu(na) [shinnsétsou(na)] *gentil*
けち（な）　kechi(na) [kétchi(na)] *avare ; mesquin*
でした*　deshita [désh'ta] *avoir été ; c'était ; j'(tu) étais ; il (elle) était ; nous étions ; etc.* (forme passée de です, desu)

*し, shi, dans でした, deshita, n'est pas clairement prononcé et s'entend plutôt [sh] ; でした, deshita [dé**sh**'ta].

■ ほんとうに　ざんねん　でした。
Hontôni zannen deshita.
vraiment / dommage / c'était
C'était vraiment dommage.

A 2 APPLICATION ●● CD

1. エ　2. ヌ　3. ヘ
4. エレーヌさん　は　ほんとうに　しんせつ　でした。
5. あの　ひと　は　ほんとうに　けち　でした。
6. この　ヘリコプター　は　とても　あんぜん　でした。
7. エレーヌさん　は　きょう　とても　げんき　でした。

A 3 REMARQUES

Transcription

• Voici un prénom français qui s'écrit en **katakana** : エレーヌ, Erênu [éré:nou] *Hélène*.

• ヘリコプター, herikoputâ [hérikopouta:], *hélicoptère*, vient de l'anglais : *helicopter*.

Grammaire

• Le japonais n'a qu'une seule forme passée de です, desu [déss] : でした, deshita [désh'ta].

Pour traduire でした, deshita [désh'ta], en français, seul le contexte peut nous dire le choix parmi le passé composé, l'imparfait, le plus-que-parfait, etc. D'autre part, il ne varie ni suivant les personnes, ni suivant les nombres.

ざんねん でした。 Zannen deshita. *C'était dommage.*
dommage / c'était

• Rappel : さん, san [sann], est un suffixe de politesse qui peut s'employer après le prénom : エレーヌさん, Erênu-san [éré:nou-sann] *Hélène* (cf. 4A3).

• **Attention** : l'adeverbe de temps きょう, kyô, *aujourd'hui*, précède toujours l'adverbe d'intensité とても, totemo [totémo], quand ils se trouvent tous les deux dans une phrase :

かれ は きょう とても げんき でした。
Kare wa kyô totemo genki deshita.
lui / - / aujourd'hui / très / en forme / il était
Il allait très bien aujourd'hui.

A 4 TRANSCRIPTION ET TRADUCTION

1. e 2. nu 3. he
4. Erênu san wa hontôni shinsetsu deshita
Hélène était vraiment gentille.
5. Ano hito wa hontôni kechi deshita.
Cette personne là-bas était vraiment avare.
6. Kono herikoputâ wa totemo anzen deshita.
Cet hélicoptère-ci était très sûr.
7. Erênu-san wa kyô totemo genki deshita.
Hélène allait très bien aujourd'hui.

17 わたし の どりょく は むだ ではありませんでした。
Watashi no doryoku wa muda dewa arimasendeshita.

B 1 PRÉSENTATION

■ **Katakana**, *graphie japonaise*

katakana	hiragana	rômaji	ordre des traits
ツ	つ	tsu	
ガ	が	ga	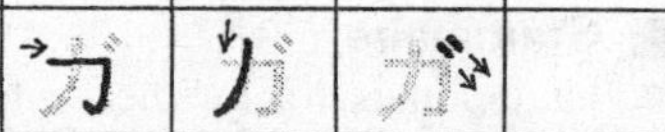
ピ	ぴ	pi	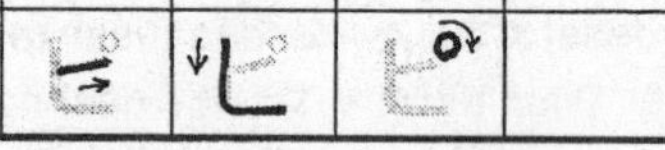

■ **Vocabulaire**

ピエール	Piêru	[pié:rou]	*Pierre*
エレガント（な）	ereganto(na)	[érégannto(na)]	*élégant*
シック（な）	shikku(na)	[shik'kou(na)]	*chic*
むだ（な）	muda(na)	[mouda(na)]	*inutile*
けいざいてき（な）	keizaiteki(na)	[kéïzaïtéki(na)]	*économique*
どりょく	doryoku	[doryokou]	*effort(s)*

ではありませんでした dewa arimasen deshita [déwa arimas-sénn désh'ta] *ne pas avoir été ; ce n'était pas ; je (tu) n'étais pas ; il (elle) n'était pas ; etc.*

■ わたし の どりょく は むだ ではありませんでした。
Watashi no doryoku wa muda dewa arimasen deshita.
moi / de / effort / - / inutile / il n'a pas été
Mon effort n'a pas été inutile.

B 2 APPLICATION ●● (CD)

1. ツ 2. ガ 3. ピ
4. ピエールさん の ネクタイ は シック ではありませんでした。
5. エレーヌさん の ぼうし は エレガント ではありませんでした。
6. この くるま は けいざいてき ではありませんでした。

B 3 REMARQUES

■ Transcription

• ピ, pi, est une syllabe commposée : ヒ, hi + ° = ピ, pi.

• *Pierre*, prénom français, s'écrit en **katakana** : ピエール, Piêru.

• Les quasi-adjectifs エレガント, ereganto [éréganto], et シック, shikku [shik'kou], viennent du français : *élégant* et *chic*.

• Écrite en petite taille, la syllabe ツ, tsu, dans シック, shikku, ne se prononce pas ; comme pour le **hiragana** っ, tsu, de petite taille (voir 12A3), elle marque une coupure très brève entre シ, shi, et ク, ku, provoquée par la fermeture de la glotte. En **rômaji**, la première consonne d'une consonne double désigne le **katakana** ツ, tsu, de petite taille : シック, shikku [shik'kou].

■ Grammaire

• La forme négative au passé de です, desu [déss], est une composition de ではありません, dewa arimasen (forme négative au présent), et de でした, deshita (forme affirmative au passé) : ではありませんでした, dewa arimasen deshita.

わたし の どりょく は むだ ではありませんでした。
Watashi no doryoku wa muda dewa arimasen deshita.
moi / de / *effort* / - / *inutile* / *il n'a pas été*
Mon effort n'a pas été inutile.

• Comme です, desu [déss] (ou ではありません, dewa arimasen ou でした, deshita), ではありませんでした, dewa arimasen deshita, ne s'accorde ni en personne ni en nombre.

A 4 TRANSCRIPTION ET TRADUCTION

1. tsu 2. ga 3. pi
4. Piêru-san no nekutai wa shikku dewa arimasen deshita.
La cravate de Pierre n'était pas chic.
5. Erênu-san no bôshi wa ereganto dewa arimasen deshita.
Le chapeau d'Hélène n'était pas élégant.
6. Kono kuruma wa keizaiteki dewa arimasen deshita.
Cette voiture-ci n'était pas économique.

17 EXERCICES

C 1 EXERCICES ●● CD

A. Écrivez les **rômaji** suivants en **hiragana** et en **katakana**.

1. nu 2. ga 3. tsu 4. e 5. he 6. pi

B. Prononcez et écrivez en **rômaji**. Traduisez ensuite en français.

1. ピエールさん と エレーヌさん は とても シック でした。
2. かのじょ は けち ではありませんでした。
3. ちいさい くるま は ほんとうに けいざいてき でした。
4. この みち は ほんとうに きけん でした。
5. あそこ は あんぜん ではありませんでした。

C. Traduisez et écrivez en **hiragana** ou en **hiragana** et **katakana**.

1. *Ses efforts (à elle) ont été inutiles.*
2. *C'était vraiment dommage.*
3. *Cette personne là-bas n'était pas aimable (gentille).*
4. *La jupe d'Hélène était très élégante.*

C 2 CORRIGÉ

A. 1. ぬ / ヌ 2. が / ガ 3. つ / ツ
4. え / エ 5. へ / ヘ 6. ぴ / ピ

B. 1. Piêru-san to Erênu-san wa totemo shikku deshita.
Pierre et Hélène étaient très chic.
2. Kanojo wa kechi dewa arimasen deshita.
Elle n'était pas avare.
3. Chiisai kuruma wa hontôni keizaiteki deshita.
La (les) petite(s) voiture(s) était (étaient) vraiment économique(s).
4. Kono michi wa hontôni kiken deshita.
Cette rue-ci était vraiment dangereuse.
5. Asoko wa anzen dewa arimasen deshita.
L'endroit là-bas n'était pas sûr.

C. 1. かのじょ の どりょく は むだでした。
2. ほんとうに ざんねん でした。
3. あの ひと は しんせつ ではありませんでした。
4. エレーヌさん の スカート は とても エレガント でした。

C 3 KATAKANA

katakana	ordre des traits					exercez-vous
e エ	1	2	3	4	5	エ
tsu ツ	1	2	3	4	5	ツ
nu ヌ	1	2	3	4	5	ヌ
he ヘ	1	2	3	4	5	ヘ
ga ガ	1	2	3	4	5	ガ
pi ピ	1	2	3	4	5	ピ

C 4 EXERCEZ-VOUS

エ	エ	エ		
ツ	ツ	ツ		
ヌ	ヌ	ヌ		
ヘ	ヘ	ヘ		
ガ	ガ	ガ		
ピ	ピ	ピ		

D 1 DIALOGUE ●● CD

[レストラン で]

かとう　：やまださん は なん に します か。
やまだ　：ラーメン に します。かとうさん は？
かとう　：そば に します。きのう ラーメン でした から。
やまだ　：すみません。
ウェイター：はい。おきまり です か。
やまだ　：ラーメン と そば、おねがいします。

[Resutoran de]

Katô : Yamada-san wa nan ni shimasu ka.
Yamada : Râmen ni shimasu. Katô-san wa ?
Katô : Soba ni shimasu. Kinô râmen deshita kara.
Yamada : Sumimasen.
Ueitâ : Hai. O-kimari desu ka.
Yamada : Râmen to soba, o-negai shimasu.

D 2 VIE PRATIQUE

■ Pour assaisonner un plat :

- 調味料, ちょうみりょう, chômiryô, *assaisonnement ; condiment*
- 塩, しお, shio, *sel*
- 砂糖, さとう, satô, *sucre*
- 胡椒, こしょう, コショウ, koshô, *poivre*
- 酢, す, su, *vinaigre*
- からし, karashi, ou マスタード, masutâdo, *moutarde*
- 山葵, わさび, wasabi, *raifort râpé* (condiment pour le さしみ, sashimi, *poisson cru,* ou le すし, sushi, *boulettes de riz vinaigré, coiffées de tranches de poisson cru, de coquillages, etc.*)
- 味噌, みそ, miso, *pâte de soja fermenté*
- 醤油, しょうゆ, shôyu, *sauce de soja*
- ソース, sôsu, *sauce*
- ケチャップ, kechappu, *ketchup*
- マヨネーズ, mayonêzu, *sauce mayonnaise*

D3 DIALOGUE

[Dans un restaurant]

Katô : Monsieur Yamada, qu'est-ce que vous prenez ?

Yamada : Je prends un *râmen*. Et vous, Monsieur Katô ?

Katô : Je prends un *soba*. Parce que j'ai mangé hier un *râmen*. [*lit.* Parce qu'hier c'était un *râmen*.]

Yamada : S'il vous plaît !

Serveur : Oui. Avez-vous choisi ? [*lit.* La décision est prise ?]

Yamada : Un *râmen* et un *soba*, s'il vous plaît.

❖ **Vocabulaire :**

に します, ni shimasu, *choisir ; prendre*

ラーメン, râmen, et そば, soba, [voir D4 ci-après]

きのう, kinô, *hier* [voir p.156]

すみません, sumimasen, *s'il vous plaît ; excusez-moi*

おきまり です か, o-kimari desu ka, *avez-vous décidé ? ; avez-vous choisi ?*

おねがい します, o-nagai shimasu, *je vous prie ; s'il vous plaît*

☞ お, o, dans おきまり, o-kimari, *décision*, et おねがい, o-nagai, *demande*, est le préfixe de politesse. [voir p.74]

D4 CIVILISATION

■ 庶民料理, shomin-ryôri, *plats populaires* :

Les Japonais adorent les plats de nouilles et on en trouve de différentes sortes. On doit citer d'abord les **udon**, うどん, *nouilles de blé*, qui ont été introduites de la Chine à l'époque de 奈良, Nara, (710-784). Et puis les **soba**, そば, *nouilles de sarrasin*, dont les amateurs sont plutôt de la région Est du Japon, 関東, Kantô, où on trouve plus de cultures de sarrasin. Il y a aussi les **sômen**, そうめん, *vermicelles de blé*, qui ont été introduites de la Chine à l'époque de 奈良, Nara, comme gâteaux. C'est maintenant un plat indispensable pour l'été très chaud et humide du Japon. Mais le plat le plus populaire chez les Japonais est sans conteste le **râmen**, ラーメン, *plat de nouilles de cuisine chinoise*. Chaque région a sa spécialité de nouilles, de bouillon, ou de garniture mise dessus. On trouve même le **instant-râmen**, インスタントラーメン, préparé en quelques minutes après avoir mis de l'eau chaude.

18 ピエールさん の ステレオ は とても いい です。
Piêru-san no sutereo wa totemo ii desu.

A 1 PRÉSENTATION

■ **Katakana**, *graphie japonaise*

katakana	hiragana	rômaji	ordre des traits
ソ	そ	so	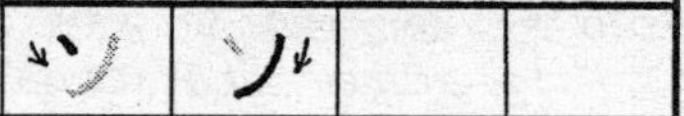
ミ	み	mi	
ジ	じ	ji	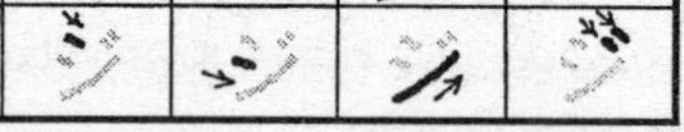

■ **Vocabulaire**

ステレオ	sutereo	[sutéréo]	*stéréo(s)*
テレビ	terebi	[térébi]	*télévision(s)*
ラジオ	rajio	[radjio]	*radio(s)*
ミシン	mishin	[mishinn]	*machine(s) à coudre*
ソファー	sofâ	[sofa:]	*canapé(s) ; divan(s)*
いい	ii		*bon* (cf. 7B1) *; bien*
かるい	karui	[karouï]	*léger*
おもい	omoi	[omoï]	*lourd*
あたらしい	atarashii		*neuf ; nouveau*
ふるい	furui	[fourouï]	*vieux ; ancien ; démodé*

■ ピエールさん の ステレオ は とても いい です。
Piêru-san no sutereo wa totemo ii desu.
Pierre / M. / de / stéréo / - / très / bon / il est
La stéréo de Pierre est très bonne.

A 2 APPLICATION (CD)

1. ソ 2. ミ 3. ジ
4. わたし の ラジオ は ほんとうに かるい です。
5. この ソファー は とても おもい です。
6. かれ の テレビ は あたらしい です か。
7. かのじょ の ミシン は とても いい です。

18 La stéréo de Pierre est très bonne.

A 3 REMARQUES

Transcription

- Voici les mots venant de l'anglais :
  - テレビ, terebi [térébi], *télévision* : *television*
  - ラジオ, rajio [radjio] : *radio*
  - ステレオ, sutereo [soutéréo], *stéréo* : *stereo*
  - ミシン, mishin [mishinn], *machine à coudre* : *sewing machine*
  - ソファー, sofâ [sofa:], *canapé* : *sofa.*

- La syllabe フ, fu [fou:], juxtaposée à la syllabe ア, a, de petite taille, ファ est une invention pour transcrire en japonais le son [fa] qui ne se trouve que dans les mots étrangers ; ファ, fa, ne trouve pas son équivalent dans le système **hiragana**.

ex. : ソファー, sofâ [sofa:], *canapé* ; *divan.*

Grammaire

- Les adjectifs s'associent ici à です, desu [déss], pour déterminer le thème (sujet) introduit par la particule は, wa : en l'occurrence, ils sont attributs de sujet :

かれ の テレビ は あたらしい です。 *Sa télévision est neuve.*
Kare no terebi wa atarashii desu.
lui / de / télé / - / neuve / elle est

- Les adverbes se placent toujours devant les adjectifs pour modifier le sens de ces derniers :

これ は ほんとうに おもい です。 *Ceci est vraiment lourd.*
Kore wa hontôni omoi desu.
ceci / - / vraiment / lourd / c'est

A 4 TRANSCRIPTION ET TRADUCTION

1. so 2. mi 3. ji
4. Watashi no rajio wa hontôni karui desu.
   Ma radio est vraiment légère.
5. Kono sofâ wa totemo omoi desu.
   Ce canapé (divan) est très lourd.
6. Kare no terebi wa atarashii desu ka.
   Sa télévision (à lui) est-elle neuve ?
7. Kanojo no mishin wa totemo ii desu.
   Sa machine à coudre (à elle) est très bonne.

18 その　ケーキ　は　あまり　あまく　ありません。
Sono kêki wa amari amaku arimasen.

B 1 PRÉSENTATION

■ Katakana, *graphie japonaise*

katakana	hiragana	rômaji	ordre des traits			
ウ	う	u				
キ	き	ki				
ケ	け	ke				

■ Vocabulaire

ケーキ	kêki	[ké:ki]	*pâtisserie(s)*
パン	pan	[pann]	*pain*
スープ	sûpu	[sou:pou]	*soupe*
ウイスキー	uisukî	[ouïssouki:]	*whisky (whiskies)*
あまい	amai	[amaï]	*sucré*
からい	karai	[karaï]	*épicé ; piquant ; salé*
つよい	tsuyoi	[tsouyoï]	*fort*
あまり	amari		*très ; tellement*
ありません	arimasen	[arimassénn]	(négation pour l'adjectif)

■ その　ケーキ　は　あまり　あまく　ありません。
Sono kêki wa amari amaku arimasen.
cette...-là / pâtisserie / - / très / sucrée / elle n'est pas
Cette pâtisserie-là n'est pas très sucrée.

B 2 APPLICATION ●● CD

1. ウ 2. キ 3. ケ
4. この　ウイスキー　は　あまり　つよく　ありません。
5. あなた　の　パン　は　おいしく　ありません。
6. この　スープ　は　あまり　からく　ありません。
7. かれ　の　テレビ　は　あまり　たかく　ありません。

B 3 REMARQUES

■ Transcription

• ケーキ, kêki [ké:ki], *pâtisserie*, スープ, sûpu [sou:pou], *soupe*, et ウイスキー, uisukî [ouïssouki:], *whisky*, viennent de l'anglais : *cake*, *soupe* et *whisky*.

• パン, pan [pann], est d'origine portugaise : *pão*.

■ Grammaire

• ***Important*** : pour marquer la négation et à la différence des quasi-adjectifs, les adjectifs à fonction d'attribut ne s'associent jamais avec ではありません, dewa arimasen, forme négative au présent de です, desu (cf. 16B3). Ils font appel à ありません, arimasen, et voient en outre leur terminaison い, i, se transformer en く, ku (cf. 7B3):

それ は あまく ありません。 *Cela n'est pas sucré.*
Sore wa amaku arimasen. *cela / - / sucré / ce n'est pas*

• ***Remarque*** : ありません, arimasen, se traduit ici comme la négation de です, desu : *ce n'est pas*, *je ne suis pas*, etc. ; il ne varie ni selon les personnes, ni selon les nombres.

• Pour la négation, l'adverbe あまり, amari, *très*, remplace l'adverbe とても, totemo, *très*, qui n'est utilisé que dans une phrase affirmative :

とても たかい です。	→	あまり たかく ありません。
Totemo takai desu.		amari takaku arimasen.
très / cher / c'est		*très / cher / ce n'est pas*
C'est très cher.		*Ce n'est pas très cher.*

A 4 TRANSCRIPTION ET TRADUCTION

1. u 2. ki 3. ke
4. Kono uisukî wa amari tsuyoku arimasen.
   Ce whisky n'est pas très fort.
5. Anata no pan wa oishiku arimasen. *Ton pain n'est pas bon.*
6. Kono sûpu wa amari karaku arimasen.
   Cette soupe-ci n'est pas très épicée (salée).
7. Kare no terebi wa amari takaku arimasen.
   Sa télévision (à lui) n'est pas très (tellement) chère.

18 EXERCICES

C 1 EXERCICES

A. Écrivez les **rômaji** suivants en **hiragana** et en **katakana**.

1. ki 2. mi 3. u 4. ke 5. so 6. ji

B. Prononcez et écrivez en **rômaji**. Traduisez ensuite en français.

1. その　ステレオ　は　あまり　おもく　ありません。
2. あの　テレビ　と　ラジオ　は　とても　あたらしく　て　いい　です。
3. この　パン　と　ケーキ　は　あまり　おいしく　ありません。
4. あなた　の　おかし　は　ほんとうに　あまい　です。

C. Traduisez et écrivez en **hiragana** ou en **hiragana** et **katakana**.

1. *Cette bière-ci et ce whisky-là ne sont pas tellement forts.*
2. *Ce vin là-bas est très vieux.*
3. *Mon canapé n'est pas léger.*
4. *Ta machine à coudre est-elle vieille ?*
5. *Non, elle est neuve.*

C 2 CORRIGÉ

A. 1. き / キ 2. み / ミ 3. う / ウ
4. け / ケ 5. そ / ソ 6. じ / ジ

B. 1. Sono sutereo wa amari omoku arimasen.
Cette stéréo-là n'est pas très lourde.

2. Ano terebi to rajio wa totemo atarashiku te ii desu.
Cette télévision là-bas et cette radio là-bas sont très neuves et bonnes.

3. Kono pan to kêki wa amari oishiku arimasen.
Ce pain-ci et cette pâtisserie-ci ne sont pas très bons.

4. Anata no okashi wa hontôni amai desu.
Ton gâteau est vraiment sucré.

C. 1. この　ビール　と　その　ウイスキー　は　あまり　つよく　ありません。
2. あの　ワイン　は　とても　ふるい　です。
3. わたし　の　ソファー　は　かるく　ありません。
4. あなた　の　ミシン　は　ふるい　です　か。
5. いいえ，あたらしい　です。

C 3 KATAKANA

katakana	ordre des traits					exercez-vous
u ウ	1	2	3	4	5	ウ
ki キ	1	2	3	4	5	キ
ke ケ	1	2	3	4	5	ケ
so ソ	1	2	3	4	5	ソ
mi ミ	1	2	3	4	5	ミ
ji ジ	1	2	3	4	5	ジ

C 4 EXERCEZ-VOUS

ウ	ウ	ウ		
キ	キ	キ		
ケ	ケ	ケ		
ソ	ソ	ソ		
ミ	ミ	ミ		
ジ	ジ	ジ		

D 1 DIALOGUE ●● (CD)

たなか : ゴールデンウィーク は どう します か ?
やまだ : かぞく で おんせん です。
たなか : いい* です ね。
やまだ : よく* ありません。こども の せわ は たいへん です。たなかさん の よてい は ?
たなか : ともだち と ハワイりょこう です。
やまだ : うらやましい です ね。

Tanaka : Gôruden-wîku wa dô shimasu ka ?
Yamada : Kazoku de onsen desu.
Tanaka : Ii desu ne.
Yamada : Yoku arimasen. Kodomo no sewa wa taihen desu. Tanaka-san no yotei wa ?
Tanaka : Tomodachi to Hawai-ryokô desu.
Yamada : Urayamashii desu ne.

***Remarque :** Pour la négation de いいです, ii desu, *c'est bien*, l'adjectif いい, ii, *bien*, est toujours remplacé par son synonyme よく, yoku, *bien*.

D 2 VIE PRATIQUE

■ 家族, かぞく, kazku, *la famille* :

En japonais, les expressions pour désigner les membres de la famille à soi-même sont différentes de celles qui indiquent les membres de la famille d'autrui (voir B3, p.305) :

	Pour ma famille	**Pour la famille d'autrui**
grand-père	そふ, sofu	おじいさん, o-jii-san
grand-mère	そぼ, sobo	おばあさん, o-baa-san
père	ちち, chichi	おとうさん, o-tô-san
mère	はは, haha	おかあさん, o-kâ-san
grand frère	あに, ani	おにいさん, o-nii-san
grande sœur	あね, ane	おねえさん, o-nee-san
petit frère	おとうと, otôto	おとうとさん, otôto-san
petite sœur	いもうと, imôto	いもうとさん, imôto-san

D 3 DIALOGUE

Tanaka : Qu'allez-vous faire pour la "semaine d'or" ?
Yamada : Nous allons dans une station thermale en famille.
Tanaka : C'est bien !
Yamada : Ce n'est pas bien. S'occuper des enfants, c'est du travail dur. [*lit.* Les soins des enfants sont durs.] Et vous, Monsieur Tanaka ? [*lit.* (Quel est) votre projet, Monsieur Tanaka ?]
Tanaka : Je vais partir en voyage à Hawaï avec des amis.
Yamada : Je vous en envie !

❖ **Vocabulaire :**

ゴールデンウィーク, gôruden-wîku, *semaine d'or*
します, shimasu, *faire* [voir p.220]
かぞく, kazoku, *famille*
で, de, *en ; avec*
おんせん, onsen, *station (source)thermale*
いい, ii, *bien ; bon*
こども, kodomo, *enfant*
せわ, sewa, *soins*
たいへん, taihen, *dur; pénible*
よてい, yotei, *projet ; plan*
と, to, *avec*
ハワイ, Hawai, *Hawaï*
りょこう, ryokô, *voyage*
うらやましい, urayamashii, *enviable*
ね, ne, particule indiquant ici le sentiment d'envie

D 4 CIVILISATION

■ 温泉, おんせん, onsen, *sources thermales* :

Le Japon, très riche en volcans, fournit bon nombre de *sources thermales* (温泉, onsen) ; on en compte plus de 3900 dans tout le pays.

Autrefois, on se rendait dans une station thermale pour soigner une blessure ou une maladie, tandis qu'aujourd'hui, les Japonais apprécient, outre ses aspects thérapeutiques, son utilité pour un lieu de loisir.

Durant, par exemple, la semaine du 29 avril au 5 mai, appelée ゴールデンウィーク, gôruden-wîku, *la semaine d'or*, où se succèdent plusieurs jours fériés, une quantité de personnes viennent dans des stations thermales séjourner en couple, en famille, entre collègues de travail, etc.

19 きのう の ピクニック は とても たのしかった です。
Kinô no pikunikku wa totemo tanoshikatta desu.

A 1 PRÉSENTATION

■ **Katakana**, *graphie japonaise*

katakana	hiragana	rômaji	ordre des traits
サ	さ	sa	
ム	む	mu	
ヤ	や	ya	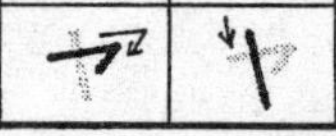

■ **Vocabulaire**

ピクニック	pikunikku	[pikounik'kou]	*pique-nique*
サービス	sâbisu	[sa:bissou]	*service*
バター	batâ	[bata:]	*beurre*
ジャム	jamu	[djamou]	*confiture*
はちみつ	hachimitsu	[hatchimitsou]	*miel*
えいが	eiga	[éïga]	*film(s)*
たのしい	tanoshii		*amusant ; joyeux*
すばらしい	subarashii	[soubarashii]	*excellent ; superbe*
きのう	kinô	[kino:]	*hier*

■ きのう の ピクニック は とても たのしかった です。*

Kinô no pikunikku wa totemo tanoshikatta desu.

hier /de / pique-nique / - / très / amusant / il était *

Le pique-nique d'hier était très amusant. (*voir A3)

A 2 APPLICATION

1. サ 2. ム 3. ヤ

4. この ジャム と はちみつ は たかかった です。

5. きのう の えいが は ほんとうに すばらしかった です。

6. この バター は とても やすかった です。

A 3 REMARQUES

Transcription et prononciation

- Les mots suivants viennent de l'anglais :
  - ピクニック, pikunikku [pikounik'kou], *pique-nique* : *picnic*
  - サービス, sâbisu [sa:bissou] : *service*
  - バター, batâ [bata:] : *butter*
  - ジャム, jamu [djamou], *confiture* : *jam*.
- Écrit en petite taille, le ッ, tsu [tsou], dans ピクニック, pikunikku, ne se prononce pas et marque une coupure très brève entre ニ, ni, et ク, ku (cf. 17B3).
- ジャ, ja [dja], est une syllabe provenant de la juxtaposition de la syllabe ジ, ji, à la syllabe ヤ, ya, de petite taille.
- La syllabe ス, su [sou], en fin de mot est souvent prononcée [ss] : サービス, sâbi**su** [sa:bi**ss**].

Grammaire

- Les adjectifs japonais possèdent leur propre forme passée : elle s'obtient par la transformation de la terminaison い, i, en かった, katta [kat'ta] :

たのしい　です。	たのし**かった**　です。
tanoshii　desu.	tanoshi**katta**　desu.
amusant / c'est	*amusant / c'**était***

Remarques :

1. L'adjectif indiquant lui-même le temps passé, です, desu, reste employé ici sans être transformé en でした, deshita (cf. 17A3).
2 Cependant, ce です, desu, se traduit en français au passé comme s'il était remplacé par でした, deshita.

A 4 TRANSCRIPTION ET TRADUCTION

1. sa　2. mu　3. ya
4. Kono jamu to hachimitsu wa takakatta desu.
   Cette confiture-ci et ce miel-ci étaient chers.
5. Kinô no eiga wa hontôni subarashikatta desu.
   Le film d'hier était vraiment superbe.
6. Kono batâ wa totemo yasukatta desu.
   Ce beurre était très bon marché.

19 このミルク は あまり つめたく ありませんでした。
Kono miruku wa amari tsumetaku arimasen deshita.

B1 PRÉSENTATION

■ **Katakana**, *graphie japonaise*

katakana	hiragana	rômaji	ordre des traits
チ	ち	chi	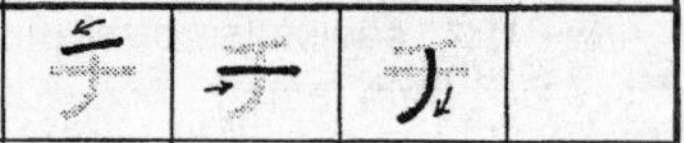
モ	も	mo	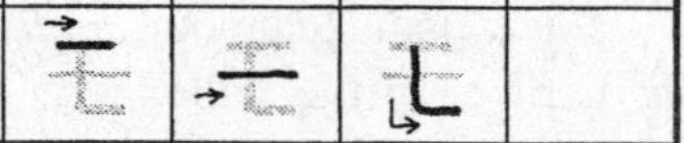
ズ	ず	zu	

■ **Vocabulaire**

オレンジ	orenji	[orénndji]	*orange(s)*	(*orange)
ジュース	jûsu	[djou:ss]	*jus*	(*juice)
オレンジジュース		orenjijûsu [orénndjidjou:ss]	*jus d'orange*	(*orange juice)
レモン	remon	[rémonn]	*citron(s)*	(*lemon)
ミルク	miruku	[miroukou]	*lait*	(*milk)
チーズ	chîzu	[tchi:zou]	*fromage*	(*cheese)
つめたい	tsumetai	[tsoumétaï]	*froid*	
あつい	atsui	[atsouï]	*chaud*	
すっぱい	suppai	[soup'paï]	*acide*	

* Les mots entre parenthèses indiquent l'origine anglaise des mots en **katakana**.

■ この ミルク は あまり つめたく ありませんでした。
Kono miruku wa amari tsumetaku arimasen deshita.
ce...-ci / lait / - / très / froid / il n'était pas
Ce lait-ci n'était pas très froid.

B2 APPLICATION ●● CD

1. チ 2. モ 3. ズ
4. わたし の ミルク は あまり あつく ありませんでした。
5. この レモン は すっぱく ありませんでした。
6. オレンジジュース は あまり おいしく ありませんでした。

B 3 REMARQUES

Transcription

- ジュ, ju [djou], dans ジュース, jûsu, *jus*, est une syllabe juxtaposée : ジ, ji + ユ, yu (de petite taille) = ジュ, ju.

Grammaire

- Quand il s'agit de la phrase négative au passé, les adjectifs s'associent à ありませんでした, arimasen deshita, et non pas ではありませんでした, dewa arimasen deshita, comme pour les quasi-adjectifs (cf. 17B3) ; en outre, la terminaison い, i, des adjectifs est transformé en く, ku (cf. 18B3).

あつく ありませんでした。 *Ce n'était pas chaud.*
Atsuku arimasen deshita. *chaud / ce n'était pas*

- ありませんでした, arimasen deshita, ne varie ni selon les personnes ni selon les nombres.

- ***Récapitulation***

Affirmation au présent	つめたい です。 Tsumetai desu.	*C'est froid.* *(froid / c'est)*
Négation au présent	つめたく ありません。 Tsumetaku arimasen.	*Ce n'est pas froid.* *(froid / ce n'est pas)*
Affirmation au passé	つめたかった です。 Tsumetakatta desu.	*C'était froid.* *(froid / c'était)*
Négation au passé	つめたく ありませんでした。 Tsumetaku arimasen deshita.	*Ce n'était pas froid.* *(froid / ce n'était pas)*

- Pour la phrase négative, il faut employer あまり, amari, et non pas とても, totemo, dans le sens de *très* (cf. 18B3).

A 4 TRANSCRIPTION ET TRADUCTION

1. chi 2. mo 3. zu
4. Watashi no miruku wa amari atsuku arimasen deshita.
   Mon lait n'était pas très (tellement) chaud.
5. Kono remon wa suppaku arimasen deshita.
   Ce citron-ci n'était pas acide.
6. Orenjijûsu wa amari oishiku arimasen deshita.
   Le jus d'orange n'était pas très (tellement) bon.

19 EXERCICES

C1 EXERCICES ●● (CD)

A. Écrivez les **rômaji** suivants en **hiragana** et en **katakana**.

1. mu 2. ya 3. chi 4. zu 5. mo 6. sa

B. Prononcez et écrivez en **rômaji**. Traduisez ensuite en français.

1. きょう の えいが は おもしろかった です。
2. この レモンジュース や オレンジジュース は あまり つめたく ありませんでした。
3. この レストラン の サービス は すばらしかった です。
4. ミルク や バター は ほんとうに おいしかった です。

C. Traduisez et écrivez en **hiragana** ou en **hiragana** et **katakana**.

1. *Le pique-nique d'hier n'était pas très amusant.*
2. *Ma soupe était très chaude.*
3. *Ce fromage était vraiment cher.*
4. *Ce miel-ci et cette confiture-ci étaient très sucrés.*
5. *Ton foulard était-il bleu ?*
6. *Non, il était jaune.*

C2 CORRIGÉ

A. 1. む / ム 2. や / ヤ 3. ち / チ
4. ず / ズ 5. も / モ 6. さ / サ

B. 1. Kyô no eiga wa omoshirokatta desu.
Le film d'aujourd'hui était intéressant.

2. Kono remonjûsu ya orenjijûsu wa amari tsumetaku arimasen deshita.
Ce jus de citron-ci et ce jus d'orange-ci (entre autres) n'étaient pas tellement froids.

3. Kono resutoran no sâbisu wa subarashikatta desu.
Le service de ce restaurant-ci était excellent.

4. Miruku ya batâ wa hontôni oishikatta desu.
Le lait et le beurre (entre autres) étaient vraiment bons.

C. 1. きのう の ピクニック は あまり たのしく ありませんでした。
2. わたし の スープ は とても あつかった です。
3. この チーズ は ほんとうに たかかった です。
4. この はちみつ と ジャム は とても あまかったです。
5. あなた の スカーフ は あおかった です か。
6. いいえ，きいろかった です。

C 3 KATAKANA

katakana	ordre des traits					exercez-vous
sa サ	1	2	3	4	5	サ
chi チ	1	2	3	4	5	チ
mu ム	1	2	3	4	5	ム
mo モ	1	2	3	4	5	モ
ya ヤ	1	2	3	4	5	ヤ
zu ズ	1	2	3	4	5	ズ

C 4 EXERCEZ-VOUS

サ	サ	サ		
チ	チ	チ		
ム	ム	ム		
モ	モ	モ		
ヤ	ヤ	ヤ		
ズ	ズ	ズ		

D1 DIALOGUE (CD)

やまだ：ハワイりょこう は どう でした か。
たなか：ほんとに よかった です。ひさしぶり の きゅうか でした から。
やまだ：ハワイ は にほんじんかんこうきゃく が おおく ありませんでした か？
たなか：おおかった です。びっくり です。やまだ さん の きゅうか は どう でした か？
やまだ：おんせん は きもちよかった です。でも、くるま の うんてん は つかれました。

Yamada : Hawai-ryokô wa dô deshita ka.
Tanaka : Hontoni yokatta desu. Hisashiburi no kyûka deshita kara.
Yamada : Hawai wa Nihonjin-kankôkyaku ga ooku arimasen-deshita ka.
Tanaka : Ookatta desu. Bikkuri desu. Yamada-san no kyûka wa dô deshita ka.
Yamada : Onsen wa kimochi-yokatta desu. Demo kuruma no unten wa tsukaremashita.

D2 VIE PRATIQUE

■ 旅行する, ryokô-suru, *voyager* :

- バカンス に いく, bakansu ni iku, *partir en vacances*
- きゅうか を とる, kyûka o toru, *prendre un congé* [pour la particule を, o, voir p.197]
- よやく を キャンセルする, yoyaku o kyanseru-suru, *annuler la réservation*
- タクシー に のる, takushî ni noru, *prendre un taxi* [voir p.231]
- つぎ の えき で おりる, tsugi no eki de oriru, *descendre à la prochaine station* [pour la particule で, de, voir p.271]
- くうこう, kûkô, *aéroport*
- ぜいかん, zeikan, *douane*
- パスポート, pasupôto, *passeport*
- ビザ, biza, *visa*
- つうやく, tsûyaku, *interprète*
- きっぷ, kippu, *billet ; ticket*
- スーツケース, sûtsukêsu, *valise*
- みやげ, miyage, *souvenir*
- きんえんせき, kin'en-seki, *place non fumeur*

D 3 DIALOGUE

Yamada : Comment s'est-il passé votre voyage à Hawaï ? [*lit.* Le voyage à Hawaï, c'était comment ?]

Tanaka : C'était vraiment bien. Parce que ça fait longtemps que je n'avais pas pris de congé.

Yamada : À Hawaï, n'y avait-il pas beaucoup de touristes japonais ? [*lit.* À Hawaï, des touristes japonais n'étaient pas nombreux ?]

Tanaka : Il y en avait beaucoup. J'ai été surpris. Et votre congé, Mme Yamada, comment c'était ?

Yamada : Ça nous a fait du bien à la station thermale. Mais c'était fatigant de conduire la voiture [*lit.* mais la conduite d'une voiture m'a fatiguée .]

❖ **Vocabulaire :**

ほんとに, hontoni, *vraiment*
よかった, yokatta, *avoir été bien (bon)*
ひさしぶり, hisashiburi, *ça fait longtemps que...*
きゅうか, kyûka, *congé*
にほんじん, Nihon-jin, *Japonais*
かんこうきゃく, kankôkyaku, *touriste*
おおい, ooi, *nombreux*
びっくり, bikkuri, *étonnant*
きもち よかった, kimochi yokatta, *s'être senti bien*
でも, demo, *mais*
うんてん, unten, *conduite*
つかれました, tsukarema-, shita, *s'être fatigué*
[voir pp.180-181]

D 4 CILVILISATION

■ 旅館, りょかん, ryokan, *les auberges* :

Ce sont des hôtels à la japonaise qui n'ont que des chambres de style japonais avec des *tapis de paille,* appelés 畳, tatami, et de *vastes salles de bain en plein air* (露天風呂, rotenburo) ou couvertes. À 旅館, ryokan, on prend une chambre avec demi-pension : une nuit plus le dîner et le petit déjeuner.

■ 駅弁, えきべん, ekiben, *les paniers-repas pour le voyage* :

駅弁, ekiben, est un mot composé de 駅, eki, *la gare,* et de 弁, ben, de 弁当, bentô, *le casse croûte*. On trouve donc les 駅弁, ekiben, dans les gares ou les trains longues distances. Ils sont souvent préparés avec les produits propres aux régions où ils sont vendus.

20 カタカナ の まとめ Katakana no matome 1.

A 1/2 PRÉSENTATION

■ Tableau du syllabaire **katakana**

Comme pour les **hiragana** (cf. 10A1/2), nous récapitulons ici les 46 syllabes **katakana** :

	syllabe en **a**	syllabe en **i**	syllabe en **u**	syllabe en **e**	syllabe en **o**
série 1	あ ア a	い イ i	う ウ u	え エ e	お オ o
série 2 en **k**	か カ ka	き キ ki	く ク ku	け ケ ke	こ コ ko
série 3 en **s**	さ サ sa	* し シ shi	す ス su	せ セ se	* そ ソ so
série 4 en **t**	た タ ta	ち チ chi	* つ ツ tsu	て テ te	と ト to
série 5 en **n**	な ナ na	に ニ ni	ぬ ヌ nu	ね ネ ne	の ノ no
série 6 en **h**	は ハ ha	ひ ヒ hi	ふ フ fu	へ ヘ he	ほ ホ ho
série 7 en **m**	ま マ ma	み ミ mi	む ム mu	め メ me	も モ mo
série 8 en **y**	や ヤ ya		ゆ ユ yu		よ ヨ yo
série 9 en **r**	ら ラ ra	り リ ri	る ル ru	れ レ re	ろ ロ ro
série 10 en **w**	わ ワ wa				を ヲ wo

hors série	* ん ン n

* voir A3/4 ci-contre

■ La syllabe en **o** de la série 10 ヲ, wo, est le 46e et dernier **katakana** qui ne s'emploie pratiquement plus de nos jours :

katakana	hiragana	rômaji	ordre des traits
ヲ	を	wo	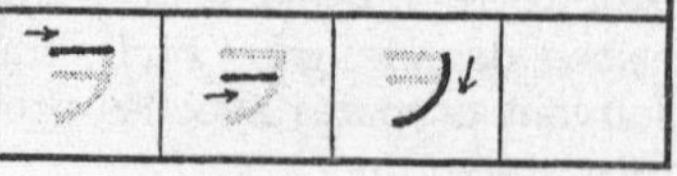

A 3 / 4 REMARQUES

■ Écriture : Rappel

• Les Japonais utilisent de plus en plus de mots venant des langues étrangères (notamment de l'anglais), en les transcrivant par la deuxième graphie dite **katakana**.

• Chaque **katakana** trouve son correspondant dans le système **hiragana**.

■ Confusions à éviter entre les **katakana** : Rappel

• Certains **katakana** se ressemblent beaucoup et ils ne diffèrent que par un trait de plus ou de moins, par le degré d'inclinaison d'un trait, etc.

1.	ウ, u	: série 1 en u (cf. 18C3)	et	ワ, wa	: série 10 en a (cf. 14C3)
2.	ク, ku	: série 2 en u (cf. 12C3)	et	ワ, wa	: série 10 en a (cf. 14C3)
3.	ク, ku	: série 2 en u (cf. 12C3)	et	タ, ta	: série 4 en a (cf. 12C3)
4.	ソ, so	: série 3 en o (cf. 18C3)	et	リ, ri	: série 9 en i (cf. 16C3)
5.	ノ, no	: série 5 en o (cf. 11C3)	et	ン, n	: hors série (cf. 13C3)
6.	フ, fu	: série 6 en u (cf. 13C3)	et	ラ, ra	: série 9 en a (cf. 11C3)
7.	フ, fu	: série 6 en u (cf. 13C3)	et	ワ, wa	: série 10 en a (cf. 14C3)

• La distinction entre les **katakana** est plus délicate quand le sens montant ou descendant d'un trait les distingue :

8. シ, shi
série 3 en i
(cf. 15C3)

et

ツ, tsu
série 4 en u
(cf. 17C3)

9. ン, n
hors série
(cf. 13C3)

et

ソ, so
série 3 en o
(cf. 18C3)

B 1 / 2 PRÉSENTATION

■ Tableau des syllabes dérivées (1)

● Comme pour les hiragana (cf. 10B1/2), on peut obtenir les syllabes des séries 2', 3', 4' et 6', si l'on met deux points en haut et à droite de chaque syllabe des séries 2, 3, 4 et 6 :

ex. キ, ki + ゛ = ギ, gi [gui]

	syllabe en **a**	syllabe en **i**	syllabe en **u**	syllabe en **e**	syllabe en **o**
série 2' en **g**	が ガ ga	* ぎ ギ gi	ぐ グ gu	* げ ゲ ge	ご ゴ go
série 3' en **z**	ざ ザ za	じ ジ ji	ず ズ zu	ぜ ゼ ze	ぞ ゾ zo
série 4' en **d**	だ ダ da	** ぢ ヂ ji	** づ ヅ zu	で デ de	ど ド do
série 6' en **b**	ば バ ba	び ビ bi	ぶ ブ bu	べ ベ be	ぼ ボ bo

* Les syllabes ギ, gi, et ゲ, ge, se prononcent respectivement comme dans *guide* et *guérison*.

** Les syllabes ヂ, ji [dji], et ヅ, zu [zou], ne sont pratiquement plus utilisées.

■ Tableau des syllabes dérivées (2)

● Pour les 5 syllabes de la série 6" en **p**, il suffit d'ajouter un petit rond en haut et à droite des 5 syllabes de la série 6 en **h**.

ex. ホ, ho + ゜ = ポ, po

	syllabe en **a**	syllabe en **i**	syllabe en **u**	syllabe en **e**	syllabe en **o**
série 6" en **p**	ぱ パ pa	ぴ ピ pi	ぷ プ pu	ぺ ペ pe	ぽ ポ po

B 3 / 4 REMARQUES

■ Syllabes dérivées : séries 2', 3', 4', 6' et 6"

• Dérivées des séries 2, 3, 4 et 6, les syllabes accompagnées de deux petits points ou d'un petit rond sont importantes pour la formation des mots : (Rappel)

スプーン	supûn [soupou:nn]	*cuillère* (cf.13B1)
ビール	bîru [bi:rou]	*bière* (cf.14A1)
オートバイ	ôtobai [o:tobaï]	*moto* (cf.14B1)
アパート	apâto [apa:to]	*appartement* (cf.15B1)
ロンドン	Rondon [ronndonn]	*Londres* (cf.16A1)
ピエール	Piêru [pié:rou]	*Pierre* (cf.17B1)
エレガント	ereganto [érégannto]	*élégant* (cf.17B1)

■ Vocabulaire

• Voici quelques mots nouveaux qui nécessitent des syllabes dérivées :

ギター	gitâ [guita:]	*guitare*
グループ	gurôpu [gourou:pou]	*groupe*
ゲーム	gêmu [gué:mou]	*jeu*
シーズン	shîzun [shi:zounn]	*saison*
ゼロ	zero [zéro]	*zéro*
デザート	dezâto [déza:to]	*dessert*
テーブル	têburu [té:bourou]	*table*
ダンス	dansu [dannsou]	*danse*
ベッド	beddo [béd'do]	*lit*
ボールペン	bôrupen [bo:roupénn]	*stylo à bille*
ポスト	posuto [possto]	*boîte aux lettres*

Important ; nous ne vous demandons pas de retenir tous les signes présentés ici ; il suffit pour le moment de les reconnaître et de savoir les prononcer.

C 1 / 2 PRÉSENTATION

■ Tableau des syllabes juxtaposées

		3 syllabes de la série 8 de petite taille		
		ヤ ya	ユ yu	ヨ yo
série 2 ki	キ	キャ kya	キュ kyu	キョ kyo
série 2' gi [gui]	ギ	ギャ gya	ギュ gyu	ギョ gyo
série 3 shi	シ	シャ sha	シュ shu	ショ sho
série 3' ji [dji]	ジ	ジャ ja	ジュ ju	ジョ jo
série 4 chi [tchi]	チ	チャ cha	チュ chu	チョ cho
série 5 ni	ニ	ニャ nya	ニュ nyu	ニョ nyo
série 6 hi	ヒ	ヒャ hya	ヒュ hyu	ヒョ hyo
série 6' bi	ビ	ビャ bya	ビュ byu	ビョ byo
série 6" pi	ピ	ピャ pya	ピュ pyu	ピョ pyo
série 7 mi	ミ	ミャ mya	ミュ myu	ミョ myo
série 9 ri	リ	リャ rya	リュ ryu	リョ ryo

● Les syllabes présentées dans le tableau ci-dessus s'obtiennent à partir de la juxtaposition des 3 syllabes de la **série 8** aux syllabes en **i** des **séries 2, 2', 3, 3', 4, 5, 6, 6', 6"**, 7 et **9**.

ex. キ, ki + ヤ, ya → キャ, kya
ビ, bi + ユ, yu → ビュ, byu
ミ, mi + ヨ, yo → ミョ, myo

C3 / 4 REMARQUES

Syllabes juxtaposées

• Le système katakana possède aussi des syllabes provenant de la juxtaposition : (Rappel)

ニュ, nyu : ニューヨーク, Nyûyôku, *New-York* (cf. 16B3)

ジャ, ja : ジャム, jamu, *confiture* (cf. 19A1)

> ***Important*** : il n'est pas nécessaire d'apprendre par cœur toutes les syllabes ci-contre, dont certaines s'emploient peu ; par contre, il est vivement recommandé de savoir les prononcer.

Nouvelles syllabes juxtaposées

• Les mots étrangers prennent une part de plus en plus importante en japonais.

Bien qu'on soit capable de les prononcer, on s'aperçoit très vite qu'il est impossible de transcrire des sons qui n'existent pas à l'origine, d'où l'invention de nouvelles syllabes juxtaposées :

1. le son [fa] : ファ, fa (フ, fu +*ァ, a)
   ex. ソファー, sofâ [sofa:], *canapé ; divan* (voir 18A3)
2. le son [fi] : フィ, fi (フ, fu + *ィ, i)
   ex. フィアンセ, fianse [fiannsé], *fiancé(e)*
3. le son [fé] : フェ, fe (フ, fu +*ェ, e)
   ex. フェリーボート, ferîbôto [féri:bo:to], *ferry-boat*
4. le son [fo] : フォ, fo (フ, fu +*ォ, o)
   ex. フォーク, fôku [fo:kou], *fourchette*
5. le son [ti] : ティ, ti (テ, te +*ィ, i)
   ex. ミルクティー, mirukutî [miroukouti:], *thé au lait*
6. le son [di] : ディ, di (デ, de +*ィ, i)
   ex. ディスコ, disuko [dissouko], *discothèque*

* ア, a, イ, i, エ, e, et オ, o, sont écrits en petite taille.

> ***Attention*** : ces syllabes nouvellement créées n'ont pas leur équivalent dans le système **hiragana**.

❖ *Prononcez les phrases japonaises, en complétant avec a, b, c ou d. (Il y a une seule bonne réponse par question.)*

11. Cet appareil photo-là est à moi.
その カメラ は わたし（　）です。
a) は　c) も
b) の　d) な

12. Quel (= lequel) est ton manteau ?
あなた の コート は（　）です か。
a) なん　c) だれ
b) どこ　d) どれ

13. J'aime aussi ce restaurant là-bas.
わたし は あの レストラン（　）すき です。
a) は　c) も
b) の　d) な

14. Hier, ce n'était pas amusant.
きのう は たのし（　）ありませんでした。
a) かった　c) い
b) は　d) く

15. Elle ne va pas bien.
かのじょ は げんき で（　）ありません。
a) は　c) な
b) も　d) す

16. Son foulard est celui (qui est) bleu.

かのじょ の スカーフ は あおい（　）です。

a) な　c) く

b) かった　d) の

17. Où est le bureau de poste ?

ゆうびんきょく は（　）です か。

a) だれ　c) なん

b) どこ　d) どれ

18. Ils sont très occupés.

かれら は とても いそがし（　）です。

a) かった　c) い

b) く　d) な

19. Ce livre était intéressant.

この ほん は おもしろ（　）です。

a) い　c) な

b) く　d) かった

20. Celui-ci est son pull préféré.

これ は かれ の すき（　）セーター です。

a) の　c) い

b) く　d) な

➡ **Voir corrigé pp.336-337.**

21 もしもし，田中さんですか。
Moshi moshi, Tanaka-san desu ka.

A 1 PRÉSENTATION

■ **Kanji**, *idéogramme d'origine chinoise*

kanji [kanndji]	lecture en hiragana	prononc.	signification
田	た	[ta]	*rizière(s)*
中	なか	[naka]	*mileu* *intérieur*

• Pour les **Kanji**, l'ordre des traits sera indiqué en C3 de chaque leçon.

■ **Vocabulaire**

田中さん	Tanaka-san	*M.(Mme ; Mlle) Tanaka* (cf.4A1)
もしもし	moshi moshi	*allô*
そう	sô [so:]	*ça ; ainsi ; exact*

■ もしもし，田中さん　です　か。
Moshi moshi, Tanaka-san desu ka.
Allô / Tanaka / M. / c'est / ?
Allô ! Est-ce Monsieur Tanaka ?

■ はい，そう　です。
Hai, sô desu.
Oui / ça / c'est
Oui, c'est lui. (← *Oui, c'est ça.*)

A 2 APPLICATION ●● CD

1. 田中さん
2. もしもし，エレーヌさん　です　か。
3. はい，そう　です。
4. もしもし，ピエールさん　です　か。
5. いいえ，そう　ではありません。

A 3 REMARQUES

Écriture

- La troisième et dernière écriture japonaise est appelée **kanji** [kanndji], qui désigne les idéogrammes d'origine chinoise (signes graphiques ayant chacun un sens).

- Avant l'an 400, le japonais était une langue parlée mais non écrite. Ainsi, les Japonais ont-ils importé de Chine les idéogrammes pour transcrire leur langue. Bien qu'elles soient phonétiques, les deux graphies **hiragana** et **katakana** sont en fait issues d'une simplification au cours du neuvième siècle d'une partie des **kanji** introduits jusqu'alors.

- Aujourd'hui, ces trois écritures se mélangent très souvent pour constituer une phrase écrite :

ex. 田中さん の コート は とても シック です。
Tanaka-san no kôto wa totemo shikku desu.
Tanaka / Mlle / de / manteau / - / très / chic / il est
Le manteau de Mademoiselle Tanaka est très chic.

Noms et prénoms japonais

- Les japonais possèdent tous leurs noms en kanji ; l'emploi des kanji pour les transcrire est le plus fréquent :

たなか, Tanaka (cf. 4A1) → 田中, Tanaka (rizière-intérieur)

- Quant aux prénoms, il arrive que les parents donnent à leur enfant un prénom en **hiragana** ; les **kanji** sont pourtant d'un usage plus courant pour former les prénoms.

A 4 TRANSCRIPTION ET TRADUCTION

1. Tanaka-san, *Monsieur (Madame ; Mademoiselle) Tanaka*
2. Moshi moshi, Erênu-san desu ka.
   Allô ! Est-ce Hélène ?
3. Hai, sô desu. *Oui, c'est elle.*
4. Moshi moshi, Piêru-san desu ka.
   Allô ! Est-ce Pierre ?
5. Iie, sô dewa arimasen. *Non, ce n'est pas lui.*

21 こちら は 山田さん です。
Kochira wa Yamada-san desu.

B 1 PRÉSENTATION

■ **Kanji**, *idéogramme d'origine chinoise*

kanji	lecture en hiragana	prononciation	signification
山	やま	[yama]	*montagne(s)*
田	た／だ	[ta] / [da]	*rizière(s)*

■ **Vocabulaire**

山田	Yamada	*Yamada* (cf.11B1)
こちら	kochira	*cette (ces) personne(s)-ci*
はじめまして	hajimemashite [hadjimémash'té]	*Enchanté(e) de faire votre connaissance*
おはよう	ohayô	*bonjour* (dans la matinée)
こんにちは	konnichiwa [konn'nitchiwa]	*bonjour* (de la fin de la matinée au soir))
こんばんは	konbanwa [kombannwa]	*bonsoir*
さようなら	sayônara	*au revoir*

■ こちら は 山田さん です。
Kochira wa Yamada-san desu.
Cette personne-ci / - / Yamada / Mme / c'est
C'est Madame Yamada.

■ はじめまして，わたし は 田中 です。
Hajimemashite, watashi wa Tanaka desu.
Enchanté / *moi* / - / *Tanaka* / *c'est*
Enchanté, je suis Monsieur Tanaka.

B 2 APPLICATION ●● (CD)

1. おはよう
2. こんにちは
3. こんばんは
4. さようなら
5. ピエールさん，こちら は エレーヌさん です。
6. はじめまして，エレーヌ です。
7 はじめまして，ピエール です。

B 3 REMARQUES

Prononciation

• Prononcé [ta] en tête d'un mot (cf. 21A1), le **kanji** 田, ta, *rizière*, se prononce très souvent [da] quand un autre **kanji** le précède :

山, yama + 田, ta → 山田, Yamada (cf. 11B1)
montagne *rizière* *Yamada* (*montagne rizière*)

• Particule d'origine, le は dans こんにちは, konnichiwa [konn'nitchiwa], et こんばんは, konbanwa [kombannwa], se prononce [wa].

• Le ん, n, est prononcé [m] devant la syllabe en **b** : こんばんは, konbanwa [kombannwa].

Grammaire

• こちら, kochira, traduit littéralement *cette direction-ci ; de ce côté-ci*, est un pronom qui indique la direction dans laquelle se trouve le locuteur. Il peut cependant s'employer, comme dans cette leçon, pour désigner la ou les personnes qui sont près du locuteur : *cette personne-ci ; ces personnes-ci.*

Expressions courantes

• はじめまして, hajimemashite, est employé lors de la première présentation ; il est échangé mutuellement entre le locuteur et l'interlocuteur (voir 6 et 7 de B4 ci-dessous, et 7D2, p.66).

• おはよう, ohayô, *bonjour*, ne s'emploie que dans la matinée et on passe ensuite à こんにちは, konnichiwa, *bonjour*.

• On ne peut pas utiliser こんばんは, konbanwa, *bonsoir*, dans le sens de *au revoir*.

B 4 TRANSCRIPTION ET TRADUCTION

1. ohayô *bonjour* 2. konnichiwa *bonjour*
3. konbanwa *bonsoir* 4. sayônara *au revoir*
5. Piêru-san, kochira wa Erênu-san desu.
Pierre, (cette personne-ci,) c'est Hélène.
6. Hajimemashite, Erênu desu. *Enchantée, je suis Hélène.*
7. Hajimemashite, Piêru desu. *Enchanté, je suis Pierre.*
(C'est la réponse à la phrase n°6)

21 EXERCICES

C 1 EXERCICES ●● CD

A. Traduisez en français.

1. もしもし，山田さん　です　か。
2. はい，そう　です。
3. エレーヌさん，こんにちは。
4. 田中さん，さようなら。
5. こちら　は　山田さん　です。
6. はじめまして，ピエール　です。

B. Traduisez en japonais.

1. *Cette personne-ci, est-ce Mademoiselle Tanaka ?*
2. *Non, ce n'est pas elle.*
3. *Bonjour ! Hélène !* (tôt dans la matinée)
4. *Bonsoir ! Pierre !*
5. *Allô ! Est-ce Madame Yamada ?*
6. *Oui, c'est elle.*
7. *Enchanté, je suis Monsieur Tanaka.*

C 2 CORRIGÉ

A.
1. *Allô ! Est-ce M.(Mme ; Mlle) Yamada ?*
2. *Oui, c'est lui (elle).*
3. *Bonjour ! Hélène !*
4. *Au revoir ! M.(Mme ; Mlle) Tanaka !*
5. *Cette personne-ci, c'est M.(Mme ; Mlle) Yamada.*
6. *Enchanté, je suis Pierre.*

B.
1. こちら　は　田中さん　です　か。
2. いいえ，そう　ではありません。
3. エレーヌ(さん)，おはよう。
4. ピエール(さん)，こんばんは。
5. もしもし，山田さん　です　か。
6. はい，そう　です。
7. はじめまして，（わたしは）田中　です。

C 3 KANJI

▼ kanji ▼ ordre des traits

田

た [ta]
だ [da]

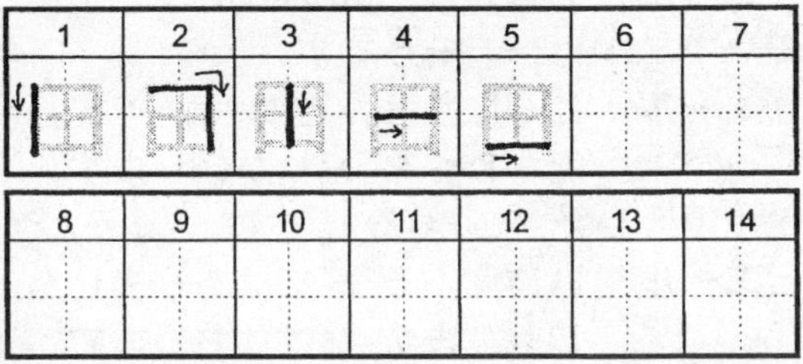

中

なか
[naka]

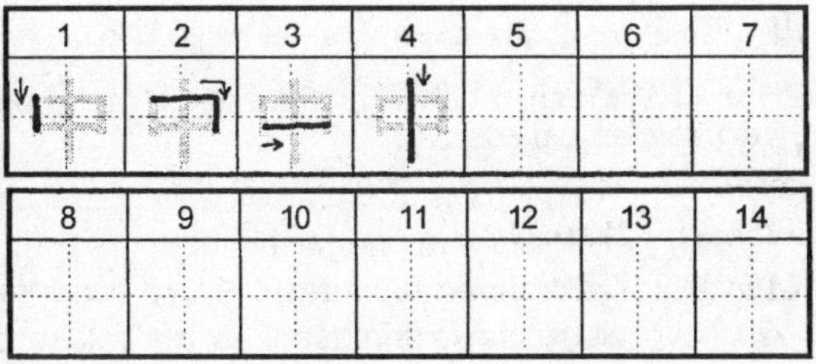

山

やま
[yama]

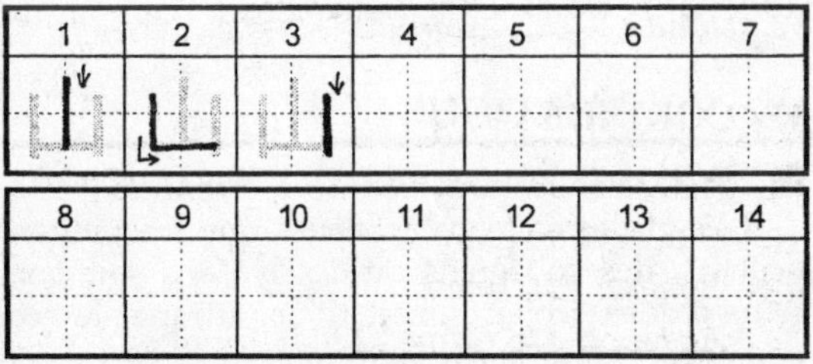

C 4 EXERCEZ-VOUS

田	田	田				田	田	田			
中	中	中				中	中	中			
山	山	山				山	山	山			

D 1 DIALOGUE

ピエール：もしもし、田中さん の おたく です か。
田　中　：はい、そうです。
ピエール：こんにちは。ピエール です。
たかしくん おねがいします。
田　中　：たかし は るす です。きゅうよう です か。
ピエール：いいえ、そう ではありません。
じゃ、また かけなおします。
田　中　：そう です か。すみません。

Piêru : Moshi moshi, Tanaka-san no otaku desu ka.
Tanaka : Hai, sô desu.
Piêru : Konnichiwa. Piêru desu.
Takashi-kun onegaishimasu.
Tanaka : Takashi wa rusu desu. Kyûyô desu ka.
Piêru : Iie, sô dewa arimasen. Ja, mata kakenaoshimasu.
Tanaka : Sô desu ka. Sumimasen.

D 2 VIE PRATIQUE

■ 塾, じゅく, juku, et 予備校, よびこう, yobikô :

Il s'agit des *écoles préparatoires* que fréquentent le soir des écoliers, des collégiens ou des lycéens soit pour compléter leurs études scolaires, soit pour rattraper le retard scolaire, soit encore pour sortir victorieux de la *guerre des examens* (受験戦争, juken-sensô).

Au Japon, il faut toujours passer et réussir un coucours pour entrer dans les lycées ou les universités, même pour entrer dans certaines écoles maternelles ou primaires de bonne réputation, ou certains collèges renommés.

Chaque année, il y a cependant de nombreux lycéens qui échouent au *concours d'entrée* (入学試験, nyûgaku-shiken) et qui passent un an (ou deux ans) à 予備校, yobikô, *école préparatoire*, pour retenter leur chance l'année suivante.

La grande rentrée scolaire étant en avril au Japon, la période de point de ces concours est de début février à la mi-mars.

D 3 DIALOGUE

Pierre : Allô. Est-ce que je suis bien chez Mme Tanaka ? [*lit.* C'est la maison de Tanaka ?]
Tanaka : Oui, c'est cela.
Pierre : Bonjour. C'est Pierre.
(Je voudrais parler à) Takashi, s'il vous plaît.
Tanaka : Takashi n'est pas là. [*lit.* Takashi est absent.] C'est urgent ? [*lit.* C'est une affaire urgente ?]
Pierre : Non. Ce n'est pas cela. Alors, je le rappellerai.
Tanaka : Entendu. [*lit.* Ah bon.] Je suis désolée.

❖ **Vocabulaire :**

おたく, otaku, *maison* [mot poli pour respecter l'interlocuteur]
おねがいします, onegaishimasu, *je vous prie ; s'il vous plaît*
るす, rusu, *absence*
きゅうよう, kyûyô, *affaire urgente*
じゃ, ja, *alors*
また, mata, *à nouveau*
かけなおします, kakenaoshimasu, *rappeler* [voir p.207]
すみません, sumimasen, *désolé ; excusez-moi*

D 4 CIVILISATION

■ 教育, きょういく, kyôiku, *éducation* :

Au Japon, les 6 années d'*école primaire* (小学校, shôgakkô) et les 3 années d'*école secondaire* (中学校, chûgakkô) sont obligatoires. À cet enseignement de 9 ans succède celui de 3 ans dans *le lycée* (高等学校, kôtôgakkô), qui absorbe plus de 90% des collégiens à la suite du concours d'entrée.

Quant à l'enseignement supérieur, deux lycéens sur cinq en moyenne entrent dans *l'université* (大学, daigaku) pour 2 ou 4 ans, après le concours d'entrée très dur. Il y a aussi des jeunes de 18 à 22 ans environ, qui vont aux *écoles de formation spécialisée* (専門学校, senmon-gakkô) donnant accès direct au travail.

On trouve par ailleurs de plus en plus de salariés qui s'inscrivent aux *cours de maîtrise ou de doctorat* (大学院, daigakuin) afin de s'armer de connaissances plus pointues.

22 3時　です。 Sanji desu.

A 1 PRÉSENTATION

■ **Kanji**, *idéogramme d'origine chinoise*

kanji	lecture en hiragana	prononc.	signification
時	じ	[dji]	*heure(s)*

■ **Vocabulaire**

1時	ichiji	[itchidji]	*une heure*
2時	niji	[nidji]	*deux heures*
3時	sanji	[sanndji]	*trois heures*
4時	yoji	[yodji]	*quatre heures*
5時	goji	[godji]	*cinq heures*
6時	rokuji	[rokoudji]	*six heures*
7時	shichiji	[shitchidji]	*sept heures*
8時	hachiji	[hatchidji]	*huit heures*
9時	kuji	[koudji]	*neuf heures*
10時	jûji	[djou:dji]	*dix heures*
11時	jûichiji	[djou:itchidji]	*onze heures*
12時	jûniji	[djou:nidji]	*douze heures*

■ Le français fait appel à ***il***, pronom personnel neutre pour exprimer l'heure. Pour le japonais, le pronom personnel neutre n'existant pas, il suffit d'ajouter です, desu, après l'heure :

3時　です。　*Il est trois heures.*
Sanji　desu.
trois / heures / il est

A 2 APPLICATION

1. 4時 です か。
2. いいえ，5時 です。
3. 10時 ではありません。
4. 12時 です。
5. 7時 か 8時 です。
6. 11時 ではありません。

A 3 REMARQUES

■ Prononcer les chiffres à la japonaise

1	いち	ichi	[itchi]
2	に	ni	
3	さん	san	[sann]
4	し／よん	shi / yon	[shi] / [yonn]
5	ご	go	
6	ろく	roku	[rokou]
7	しち／なな	shichi / nana	[shitchi] / [nana]
8	はち	hachi	[hatchi]
9	く／きゅう	ku / kyû	[kou] / [kyou:]
10	じゅう	jû	[djou:]
11	じゅういち	jûichi	[djou:itchi]
12	じゅうに	jûni	[djou:ni]

● **4**, 7 et **9** peuvent se prononcer de deux façons différentes.

● Pour prononcer les chiffres de **11** à **19**, il suffit de suivre l'ordre de l'addition : **10** + **x** (**x** varie de 1 à 9).

10 (じゅう, jû) + **2** (に, ni) = **12** (じゅうに, jûni)

■ Dire l'heure (1)

● Pour obtenir l'heure, on place **時**, ji, *heure*, après le chiffre :
3, san + **時**, ji → 3 **時**, sanji, *3 heures*.

● ***Important*** : les prononciations du chiffre 4, [shi] ou [yonn], ne peuvent pas s'employer pour le 4 dans 4 **時**, qui se prononce [yo] : 4 **時**, yoji [yodji], *4 heures*.

● On choisit [shitchi] et [kou] pour prononcer respectivement le 7 dans 7 **時**, shichiji [shitchidji], *7 heures*, et le 9 dans 9 **時**, kuji [koudji], *9 heures*.

A 4 TRANSCRIPTION ET TRADUCTION

1.	Yoji desu ka.	*Est-il quatre heures ?*
2.	Iie, goji desu.	*Non, il est cinq heures.*
3.	Jûji dewa arimasen.	*Il n'est pas dix heures.*
4.	Jûniji desu.	*Il est douze heures.*
5.	Shichiji ka hachiji desu.	*Il est sept heures ou huit heures.*
6.	Jûichiji dewa arimasen.	*Il n'est pas onze heures.*

22 何時 です か。 Nanji desu ka.

B 1 PRÉSENTATION

■ **Kanji**, *idéogramme d'origine chinoise*

kanji	lecture en hiragana	prononciation	signification
分	ふん／ぷん	[founn] / [pounn]	*minute(s)*
何	なん	[nann]	*que ? quel ?* (cf. 14A1)

● Il est vrai que le japonais peut être entièrement transcrit en **hiragana** et **katakana**. Mais dans la pratique, les Japonais remplacent les mots écrits en **hiragana** par leurs correspondants en **kanji** qu'ils apprennent au cours de leurs études : les mots transcrits en **katakana**, mots d'origine étrangère, restent par contre inchangés.

● 何, nan, doit donc s'employer désormais à la place de なん, nan, que nous avons vu dans la leçon 14A.

■ **Vocabulaire**

何時	nanji	[nanndji]	*quelle heure ?*
5 分	gofun	[gofounn]	*cinq minutes*
10 分	juppun	[djoup'pounn]	*dix minutes*
15 分	jûgofun	[djou:gofounn]	*quinze minutes ; un quart d'heure*

(... 分, fun / pun +) まえ mae *moins* (+ ... minute(s))

■ 何時 です か。 *Quelle heure est-il ?*
Nanji desu ka.
quelle heure / il est / ?

B 2 APPLICATION ●● CD

1. 何時 です か。 2. 9 時 15 分 まえ です。
3. 12 時 10 分 です か。
4. いいえ，12 時 10 分 まえ です。
5. 何時 です か。
6. 11 時 5 分 です。

B 3 REMARQUES

■ Dire l'heure (2)

• Associé ici à **時**, ji, *heure*, **何**, nan, *quel*,forme l'expression : **何時**, nanji, *quelle heure*.

• Les chiffres suivis de **分**, fun, indiquent les minutes : **5 分**, gofun [gofounn], *cinq minutes*.

• La prononciation de **分**, varie entre ふん [founn] et ぷん [pounn] selon les chiffres qui le précèdent.

Précédé de **5**, go, ou de **15**, jûgo, **分** se prononce en effet [founn] : **15分**, jûgofun [djou:gofounn], *quinze minutes*. Par contre, il est prononcé [pounn] quand il est précédé de **10** qui n'est plus prononcé [djou:], mais [djoup'] : **10分**, juppun [djoup'pounn], *dix minutes*.

• Contrairement au français, le japonais ne peut pas omettre **分**, fun (pun), pour indiquer les minutes :

ex. 9 heures 5 : **9時 5分**, kuji go**fun**, non pas **9時 5**, kuji go.

• L'expression *quart* (*d'heure*) n'existe pas en japonais ; elle est toujours traduite par **15分**, jûgofun [djou:gofounn], *quinze minutes*.

ex. 6 heures un quart : **6時 15分**, rokuji **jûgofun**.

• まえ, mae, *moins*, se place toujours après **分**, fun (pun) : **2時 10分 まえ**, niji juppun **mae**, 2 heures **moins** dix.

B 4 TRANSCRIPTION ET TRADUCTION

1. Nanji desu ka. *Quelle est-il ?*
2. Kuji jûgofun mae desu. *Il est neuf heures moins le quart.*
3. Jûniji juppun desu ka. *Est-il midi (12 heures) dix ?*
4. Iie, jûniji juppun mae desu.
   Non, il est midi (12 heures) moins dix.
5. Nanji desu ka. *Quelle heure est-il ?*
6. Jûichiji gofun desu. *Il est onze heures cinq.*

22 EXERCICES

C 1 EXERCICES ●● (CD)

A. Prononcez et traduisez en français.

1. いち時　2. よ時　3. じゅっ分　4. ご分
5. 何時 です か。　ーく時じゅうご分です。
6. じゅういち時ご分 か じゅっ分 です。
7. に時じゅうご分 まえ です。

B. Traduisez en japonais. (Il faut traduire les chiffres en hiragana).

1. *six heures*　2. *douze heures*
3. *neuf heures*　4. *sept heures*
5. *Est-il sept heures ?* — *Oui, c'est ça.*
6. *Il n'est pas trois heures et dix.*
7. *Il est huit heures moins cinq.*
8. *Il est dix heures et quart.*
9. *Quelle heure est-il ?*
10. *Il est quatre heures ou cinq heures.*

C 2 CORRIGÉ

A.
1. [itchidji] *une heure*
2. [yodji] *quatre heures*
3. [djoup'pounn] *dix minutes*
4. [gofounn] *cinq minutes*
5. *Quelle heure est-il ?* — *Il est neuf heures et quart.*
6. *Il est onze heures cinq ou dix.*
7. *Il est deux heures moins le quart.*

B.
1. ろく時　2. じゅうに時
3. く時　4. しち時
5. しち時 です か。　ーはい，そう です。
6. さん時 じゅっ分 ではありません。
7. はち時 ご分 まえ です。
8. じゅう時 じゅうご分 です。
9. 何時 です か。
10. よ時 か ご時 です。

C 3 KANJI

▼ kanji ▼ ordre des traits

分 ふん [founn] ぷん [pounn]	1	2	3	4	5	6	7
	分	分	分	分			
	8	9	10	11	12	13	14

何 なん [nann]	1	2	3	4	5	6	7
	何	何	何	何	何	何	何
	8	9	10	11	12	13	14

時 じ [dji]	1	2	3	4	5	6	7
	時	時	時	時	時	時	時
	8	9	10	11	12	13	14
	時	時	時				

C 4 EXERCEZ-VOUS

分	分	分			分	分	分		
何	何	何			何	何	何		
時	時	時			時	時	時		

D 1 DIALOGUE

田中 ： きょう の ごご は ひま です か。
山田 ： いいえ。3時 に はいしゃ です。
田中 ： ゆうがた は どう です か。
山田 ： だめ です。5時 から バイト です。
田中 ： それじゃ、あした の ごご は？
山田 ： だいじょうぶ です。何時 です か。
田中 ： 2時はん。いつも の きっさてん に きて ください。
山田 ： わかりました。

Tanaka : Kyô no gogo wa hima desu ka.
Yamada : Iie. San-ji ni haisha desu.
Tanaka : Yûgata wa dô desu ka.
Yamada : Dame desu. Go-ji kara baito desu.
Tanaka : Soreja, ashita no gogo wa ?
Yamada : Daijôbu desu. Nan-ji desu ka.
Tanaka : Ni-ji han. Itsumo no kissaten ni kitekudasai.
Yamada : Wakarimashita.

D 2 VIE PRATIQUE

■ 予約, yoyaku, *réservation ou rendez-vous* :

- 診察 の 予約 を する, shinsatsu no yoyaku o suru, *demander un rendez-vous pour la consultation médicale.*
- 席 の 予約 を する, seki no yoyaku o suru, *réserver une place* [lit. *fiare la réservation d'une place*].
- 部屋 の 予約、おねがいします, heya no yoyaku, o-negai-shimasu, *je voudrais réserver une chambre* [lit. *la réservation d'une chambre, je vous prie.*].
- 禁煙席、おねがいします, kin'en-seki, o-negai-shimasu, *je voudrais une place non fumeur* [lit. *une place non fumeur, je vous prie.*].
- キャンセル待ち です, Kyanseru-machi desu, *vous êtes sur une liste d'attente.*
- 満席です, manseki desu, *il n'y a pas de places disponibles* [lit. *les places sont pleines ; c'est complet*].

D 3 DIALOGUE

Tanaka : Êtes-vous libre cet après-midi ?
Yamada : Non. J'ai rendez-vous avec le dentiste à trois heures. [*lit.* C'est (chez) le dentiste à trois heures.]
Tanaka : Le soir, ça va ? [*lit.* Le soir, c'est comment ?]
Yamada : Ça ne va pas. Je vais travailler à partir de cinq heures. [*lit.* Dès cinq heures, ce sera un petit job.]
Tanaka : Alors, demain après-midi ?
Yamada : Ça va très bien. À quelle heure ?
Tanaka : À deux heures et demie. Venez au café habituel.
Yamada : D'accord. [*lit.* J'ai compris]

❖ **Vocabulaire :**

ごご, gogo, *après-midi*
はいしゃ, ha-isha, *dentiste*
ゆうがた, yûgata, *crépuscule ; soir ; soirée*
だめ, dame, *ça ne va pas ; inutile ; impossible*
バイト, baito, *job* [voir D4 ci-après]
はん, han, *demi(e)*
いつも の, itsumo no, *habituel*
きっさてん, kissaten, *salon de thé ; café* (lieu)
きてください, kitekudasai, *venez,* [voir p.311]

D 4 CIVILISATION

■ バイト, baito, *petit job* :

バイト, baito, est une abréviation du mot d'origine allemande, *arbeit* (アルバイト, arubaito ➡ バイト, baito), qui indique *un petit travail* dans un restaurant, un bistrot, une *supérette ouverte 24 heures sur 24* (コンビニ, konbini), etc.

Une fois entrés dans une université, la plupart des étudiants, au lieu d'assister aux cours, remplissent leur journée ou leur semaine de バイト, baito, pour gagner leur argent de poche consacré aux divers achats, au *voyage à l'étranger* (海外旅行, kaigai-ryokô), etc. Certains étudiants font un バイト, baito, pour financer une partie de leurs études.

Depuis ces dernières années, augmente le nombre des jeunes qui, après leurs études, continuent un バイト, baito, sans (vouloir) chercher un travail à temps complet dans une entreprise. On les appelle フリーター, furîtâ ; ils refusent d'être « attachés » à la société japonaise.

23 あしたは何よう日ですか。
Ashita wa nanyôbi desu ka.

A 1 PRÉSENTATION

■ **Kanji**, *idéogramme d'origine chinoise*

kanji	lecture en hiragana	prononc.	signification
土	ど	[do]	*terre ; sol*
日	にち／び	[nitchi] / [bi]	*soleil ; jour(s)*
月	げつ	[gétsou]	*lune*

■ **Vocabulaire**

よう日	yôbi	[yo:bi]	*jour de la semaine*
何よう日	nanyôbi	[nann'yo:bi]	*quel jour de la semaine ?*
土よう日	doyôbi	[doyo:bi]	*samedi*
日よう日	nichiyôbi	[nitchiyo:bi]	*dimanche*
月よう日	getsuyôbi	[gétsouyo:bi]	*lundi*

■ あした は 何よう日 です か。
Ashita wa nanyôbi desu ka.
demain / - / quel jour de la semaine / ce sera / ?
Quel jour de la semaine serons-nous demain ?

■ 日よう日 です。 *Nous serons dimanche.*
Nichiyôbi desu.
dimanche / ce sera

A 2 APPLICATION ●● CD

1. 土よう日　2. 日よう日　3. 月よう日
4. あした は 何よう日 です か。
5. 土よう日 です。
6. あした は 月よう日 ではありません。
7. きょう は 日よう日 です か。
8. いいえ，きょう は 日よう日 ではありません。

A 3 REMARQUES

Prononciation

- Le kanji 日 dans よう日 se prononce [bi] : よう日, yôbi, *jour de la semain*. Ce même kanji 日 est cependant prononcé [nitchi], quand il s'attache à よう日, yôbi, pour former le mot 日よう日, nichiyôbi, *dimanche* (← 日, nichi, *soleil* + よう日, yôbi, *jour de la semain*).
- 何よう日, nanyôbi, *quel jour de la semain*, doit se prononcer [nann'yo:bi], et non pas [nanyo:bi] puisqu'il est composé de 何, nan, *quel ?*, et de よう日, yôbi, *jour de la semain*.

Grammaire

- S'associant avec よう日, yôbi, *jour de la semain*, 何, nan, *quel* (cf.22B), forme l'expression 何よう日, nanyôbi, *quel jour de la semain.*
- です, desu, et ではありません, dewa arimasen, s'emploient sans modification dans une phrase au futur :

あした* は 日よう日 です（ではありません）。
Ashita wa nichiyôbi desu (dewa arimasen).
demain / - / dimanche / ce sera (ce ne sera pas)
Demain nous serons (ne serons pas) dimanche.

Important : A la différence du français, le japonais n'emploie pas わたしたち, watashitachi, *nous*, pour constituer la phrase.

A 4 TRANSCRIPTION ET TRADUCTION

1. doyôbi *samedi* 2. nichiyôbi *dimanche*
3. getsuyôbi *lundi*
4. Ashita wa nanyôbi desu ka. *Quel jour serons-nous demain ?*
5. Doyôbi desu. *Nous serons samedi.*
6. Ashita wa getsuyôbi dewa arimasen.
   Demain nous ne serons pas lundi.
7. Kyô wa nichiyôbi desu ka.
   Aujourd'hui sommes-nous dimanche ?
8. Iie, kyô wa nichiyôbi dewa arimasen.
   Non, nous ne sommes pas dimanche aujourd'hui.

23 きのう は 水よう日 でした。
Kinô wa suiyôbi deshita.

B 1 PRÉSENTATION

■ **Kanji**, *idéogramme d'origine chinoise*

kanji	lecture en hiragana	prononciation	signification
火	か	[ka]	*feu*
水	すい	[souï]	*eau*
木	もく	[mokou]	*arbre(s)*

■ **Vocabulaire**

火よう日	kayôbi	[kayo:bi]	*mardi*
水よう日	suiyôbi	[souïyo:bi]	*mercredi*
木よう日	mokuyôbi	[mokouyo:bi]	*jeudi*
おととい	ototoi	[ototoï]	*avant-hier*

■ きのう は 水よう日 でした。
Kinô wa suiyôbi deshita.
hier / - / mercredi / c'était
Hier nous étions mercredi. (Hier, c'était mercredi.)

B 2 APPLICATION ●● CD

1. 火よう日
2. 水よう日
3. 木よう日
4. きのう は 何よう日 でした か。
5. 木よう日 でした。
6. おととい は 火よう日 でした か。
7. いいえ，火よう日 ではありませんでした。
8. きのう は 水よう日 でした か。
9. はい，水よう日 でした。

23 Quel jour serons-nous demain ?

B 3 REMARQUES

Grammaire

• です, desu, et ではありません, dewa arimasen, peuvent indiquer non seulement le présent mais aussi le futur (cf. 23A3).

Par contre, quand il s'agit du passé, でした, deshita, et ではありませんでした, dewa arimasendeshita, les remplacent respectivement.

ex. きのう　は　水よう日　でした。

Kinô wa suiyôbi deshita.

hier / - / mercredi / c'était

Hier nous étions mercredi.

おととい　は　木よう日　ではありませんでした。

Ototoi wa mokuyôbi dewa arimasendeshita.

avant-hier / - / jeudi / ce n'était pas

*Avant-hier *__nous__ n'étions pas jeudi.*

*Rappel : on ne trouve pas l'équivalent de ***nous*** dans les phrases japonaises.

B 4 TRANSCRIPTION ET TRADUCTION

1. kayôbi *mardi* 2. suiyôbi *mercredi*
3. mokuyôbi *jeudi*
4. Kinô wa nanyôbi deshita ka.
   Quel jour étions-nous hier ?
5. Mokuyôbi deshita. *Nous étions jeudi.*
6. Ototoi wa kayôbi deshita ka.
   Avant-hier, étions-nous mardi ?
7. Iie, kayôbi dewa arimasendeshita.
   Non, nous n'étions pas mardi.
8. Kinô wa suiyôbi deshita ka.
   Hier, étions-nous mercredi ?
9. Hai, suiyôbi deshita.
   Oui, nous étions mercredi.

23 EXERCICES

C1 EXERCICES ●● (CD)

A. Traduisez en français.

1. きょう　は　木よう日　です。
2. きのう　は　月よう日　でした　か。
3. いいえ，火よう日　でした。
4. あした　は　何よう日　です　か。
5. 土よう日　です。

B. Traduisez en japonais.

1. *Hier, nous étions dimanche.*
2. *Quel jour serons-nous demain ?*
3. *Demain, nous serons mardi.*
4. *Sommes-nous jeudi aujourd'hui ?*
5. *Oui, nous sommes jeudi.*
6. *Demain, nous ne serons pas mercredi.*

C2 CORRIGÉ

A.
1. *Nous sommes jeudi aujourd'hui.*
2. *Hier, étions-nous lundi ?*
3. *Non, nous étions mardi.*
4. *Quel jour serons-nous demain ?*
5. *Nous serons samedi.*

B.
1. きのう　は　日よう日　でした。
2. あした　は　何よう日　です　か。
3. あした　は　火よう日　です。
4. きょう　は　木よう日　です　か。
5. はい，木よう日　です。
6. あした　は　水よう日　ではありません。

C 3 KANJI

▼ kanji	▼ ordre des traits						
土 ど [do]	1	2	3	4	5	6	7
	土	土	土				
日 び [bi] にち [nitchi]	8	9	10	11	12	13	14
	日	日	日	日			
月 げつ [gétsou]	1	2	3	4	5	6	7
	月	月	月	月			
火 か [ka]	1	2	3	4	5	6	7
	火	火	火	火			
水 すい [souï]	1	2	3	4	5	6	7
	水	水	水	水			
木 もく [mokou]	1	2	3	4	5	6	7
	木	木	木	木			

C 4 EXERCEZ-VOUS

土	土	土		
日	日	日		
月	月	月		

火	火	火		
水	水	水		
木	木	木		

D 1 DIALOGUE

山田 : 田中さん の やすみ は 何よう日 です か。
田中 : 土、日* です。
山田 : いい です ね。わたし は 月、木* です。
田中 : おしごと は 何 です か。
山田 : デパート で はたらいています。
田中 : それじゃ、土、日* は とくに いそがしい です ね。
山田 : はい。あさ の 10時から よる の 8時まで やすみ は ありません。

Yamada : Tanaka-san no yasumi wa nan yôbi desu ka.
Tanaka : Do, nichi * desu.
Yamada : Ii desu ne. Watashi wa getsu, moku * desu.
Tanaka : O-shigoto wa nan desu ka.
Yamada : Depâto de hataraiteimasu.
Tanaka : Soreja, do, nichi * wa tokuni isogashii desu ne.
Yamada : Hai. Asa no jûji kara yoru no hachiji made yasumi wa arimasen.

*** Remarque :** on supprime souvent よう日, yôbi, quand on site successivement deux jours de la semaine. [voir p.189]

D 2 VIE PRATIQUE

■ Au japon, nous avons au total quinze *jours fériés*, 祝日, shukujitsu, sur un an, dont voici quelques uns :

- 成人の日, seijin no hi : le second lundi du mois de janvier où une fête est célébrée pour les jeunes gens de 20 ans arrivant à l'âge de la maturité juridique ; au Japon, on a le droit de vote à partir de 20 ans.
- 建国記念の日, kenkoku-kinen no hi : le 11 février où on célèbre la fondation de la nation japonaise.
- 憲法記念日, kenpô-kinenbi : le 3 mai pour fêter la mise en vigueur en mai 1947 de l'actuelle *Constitution*, 憲法, kenpô. [voir D4, p.203]
- 文化の日, bunka no hi : le 3 novembre est la journée de la *culture*, 文化, bunka, qui est reconnue depuis 1948 fête nationale pour le respect de la liberté et de la paix.

D 3 DIALOGUE

Yamada : M. Tanaka, quels sont vos jours de congé de la semaine ? [*lit.* M. Tanaka, les jours de congé, ce sont quels jours de la semaine ?]
Tanaka : C'est le samedi et le dimanche.
Yamada : C'est bien ! Pour moi, c'est le lundi et le jeudi.
Tanaka : Quel est votre métier ?
Yamada : Je travaille dans un grand magasin.
Tanaka : Dans ce cas, le samedi et le dimanche, vous êtes particulièrement occupé, n'est-ce pas ?
Yamada : Oui. Je n'ai pas de pause depuis dix heures du matin jusqu'à huit heures du soir.

❖ **Vocabulaire :**

やすみ, yasumi, *congé ; pause ; repos*
おしごと, o-shigoto, *travail* [お, o, dans おしごと, o-shigoto, est un préfixe de politesse]
はたらいています, hataraite imasu, *travailler ; être en train de travailler* [voir p.289 et p.305]
とくに, tokuni, *surtout ; particulièrement*
いそがしい, isogashii, *occupé ; avoir des journées chargées*
から, kara, *à partir de* [voir p.302]
まで, made, *jusqu'à* [voir p.302]
ありません, arimasen, *il n'y a pas* [voir p.279]

D 4 CIVILISATION

■ 定年制, teinen-sei, *système de retraite à la limite d'âge* :

C'est un *système d'emploi* (雇用制度, koyô-seido) qui, à l'arrivée d'un certain âge, oblige les employés à quitter leur entreprise. Ce système est en général lié avec une *gratification de retraite* (退職金, taishokukin) et une *pension* (年金, nenkin).

Ce système de retraite a été adopté au Japon à l'*ère Taisho* (大正時代, Taishô-jidai, 1912-1926). C'était limité à 55 ans à cette époque, mais aujourd'hui c'est à 60 ans en général.

Ces dernières années, par suite de la *restructuration* (リストラ, risutora) des entreprises japonaises, de plus en plus d'employés quittent (doivent quitter) leur travail avant l'âge de retraite, ce qui entraîne l'effondrement progressif du système d'*emploi à vie* (終身雇用, shûshin-koyô).

24 本をよむ Hon o yomu

A 1 PRÉSENTATION

■ **Kanji**, *idéogramme d'origine chinoise*

kanji	lecture en hiragana	prononc.	signification
本	ほん	[honn]	*livre(s)* (cf. 3A1)

■ **Vocabulaire**

タバコ	tabako		*cigarette(s)*
を	o (wo)	[o]	(particule de complément d'objet direct)
すう	suu	[souou]	*fumer* (une cigarette)
かく	kaku	[kakou]	*écrire ; dessiner*
ぬぐ	nugu	[nougou]	*enlever* (son manteau) ; *ôter* (son chapeau)
さがす	sagasu	[sagassou]	*chercher ; fouiller*
たべる	taberu	[tabérou]	*manger*
まつ	matsu	[matsou]	*attendre*
しぬ	shinu	[shinou]	*mourir*
よぶ	yobu	[yobou]	*appeler*
よむ	yomu	[yomou]	*lire*

■ 本　を　よむ　　Hon　o*　yomu　　*lire un livre*
livre / - / lire

*La particule を sera transcrit en rômaji par **o** et non pas par **wo**, pour l'accorder avec sa prononciation [o] (cf. 10A).

A 2 APPLICATION ●● (CD)

1. タバコ を すう
2. てがみ を かく
3. くつした を ぬぐ
4. しずか な ホテル を さがす
5. でんしゃ を まつ
6. タクシー を よぶ
7. チーズ を たべる
8. おもしろい 本 を よむ

A 3 REMARQUES

Grammaire

• En japonais, il y a 9 terminaisons qui marquent l'infinitif des verbes :

9 terminaisons			exemples			
1.	う	u	す う	su **u**	:	*fumer*
2.	く	ku	か く	ka **ku**	:	*écrire*
3.	ぐ	gu	ぬ ぐ	nu **gu**	:	*enlever*
4.	す	su	さが す	saga **su**	:	*chercher*
5.	つ	tsu	ま つ	ma **tsu**	:	*attendre*
6.	ぬ	nu	し ぬ	shi **nu**	:	*mourir*
7.	ぶ	bu	よ ぶ	yo **bu**	:	*appeler*
8.	む	mu	よ む	yo **mu**	:	*lire*
9.	る	ru	たべ る	tabe **ru**	:	*manger*

• La syllabe を, o (wo), ne s'associe jamais avec d'autres syllabes pour former un mot : elle ne sert que comme particule dont un des rôles est d'indiquer que le mot qui la précède est le complément d'objet direct d'un verbe.

本 を よむ hon **o** yomu *livre / - / lire* → *lire un livre*

Remarques :

1. 本, hon, *livre*, est le complément d'objet direct du verbe *lire*, puisqu'il est suivi de を, o (wo).
2. Le complément d'objet direct, suivi de を, o (wo), se place toujours devant le verbe.

A 4 TRANSCRIPTION ET TRADUCTION

1. tabako o suu — *fumer une cigarette*
2. tegami o kaku — *écrire des lettres*
3. kutsushita o nugu — *enlever des chaussettes*
4. shizuka na hoteru o sagasu — *chercher un hôtel calme*
5. densha o matsu — *attendre le train*
6. takushî o yobu — *appeler un taxi*
7. chîzu o taberu — *manger du fromage*
8. omoshiroi hon o yomu — *lire un livre intéressant*

24 かれ は 車 を かう。
Kare wa kuruma o kau.

B 1 PRÉSENTATION

■ **Kanji**, *idéogramme d'origine chinoise*

kanji	lecture en hiragana	prononciation	signification
人	ひと／じん	[hito] / [djinn]	*personne(s) gens*
車	くるま	[kourouma]	*voiture(s)* (cf. 4B1)

■ **Vocabulaire**

かう	kau	[kaou]	*acheter*
きく	kiku	[kikou]	*écouter*
えらぶ	erabu	[érabou]	*choisir*
のむ	nomu	[nomou]	*boire*
とる	toru	[torou]	*prendre*
うる	uru	[ourou]	*vendre*
みる	miru	[mirou]	*regarder ; voir*
あける	akeru	[akérou]	*ouvrir*
しめる	shimeru	[shimérou]	*fermer*
まど	mado		*fenêtre(s)*

■ かれ は 車 を かう。 *Il achète une voiture.*
Kare wa kuruma o kau.
lui / - / voiture / - / acheter

B 2 APPLICATION ●● CD

1. わたし は ラジオ を きく。
2. かれら は しゃしん を とる。
3. わたしたち は この 人 を えらぶ。
4. あの 人 は コーヒー を のむ。
5. かのじょ は テレビ を みる。
6. あなたたち は ふるい 車 を うる。
7. かれ は まど を あける。
8. あなた は まど を しめる。

B 3 REMARQUES

Prononciation et transcription

- La particule を, prononcée [o], se transcrit en **rômaji**, par **o** et non pas **wo**.

Grammaire

- Le japonais peut employer l'infinitif pour faire une phrase affirmative au présent : cette dernière est cependant une **forme neutre** qui ne comporte aucune notion de politesse (cf. 25A3).

かれ は 車 を かう。 *Il achète une voiture.*
Kare wa kuruma o **kau**.
lui / - / voiture / - / acheter

Remarques :

1. Le japonais place toujours les verbes à la fin de la phrase.
2. Rappel : le complément d'objet direct, suivi de la particule を, o (wo), se trouve devant le verbe.

- Les verbes japonais ne varient ni en personnes, ni en nombre :

わたし は ラジオ を きく。 *J'écoute la radio.*
Watashi wa rajio o **kiku**. *moi / - / radio / - / écouter*
かれら は ラジオ を きく。 *Ils écoutent la radio.*
Karera wa rajio o **kiku**. *eux / - / radio / - / écouter*

B 4 TRANSCRIPTION ET TRADUCTION

1. Watashi wa rajio o kiku. *J'écoute la radio.*
2. Karera wa shashin o toru. *Ils prennent des photos.*
3. Watashitachi wa kono hito o erabu.
   Nous choisissons cette personne-ci.
4. Ano hito wa kôhî o nomu.
   Cette personne là-bas boit du café.
5. Kanojo wa terebi o miru. *Elle regarde la télé.*
6. Anatatachi wa furui kuruma o uru.
   Vous vendez une vieille voiture.
7. Kare wa mado o akeru. *Il ouvre une fenêtre.*
8. Anata wa mado o shimeru. *Tu fermes une fenêtre.*

24 EXERCICES

C 1 EXERCICES

A. Traduisez en français.

1. わたし は 田中さん と 山田さん を よぶ。
2. 人 は しぬ。
3. かれら は いい 車 を えらぶ。
4. かのじょたち は ワイン や オレンジジュース を のむ。
5. かれ は ふく を ぬぐ。
6. あなた は あかい マフラー を かう。

B. Traduisez en japonais.

1. *J'ouvre une fenêtre.*
2. *Monsieur Tanaka fume une cigarette.*
3. *Ils mangent des pâtisseries.*
4. *Mademoiselle Yamada lit un livre intéressant.*
5. *Elle cherche un appartement bon marché.*
6. *Nous écoutons la radio.*

C 2 CORRIGÉ

A. 1. *J'appelle Mme Tanaka et M.Yamada.*
2. *Les gens meurent.*
3. *Ils choisissent une bonne voiture.*
4. *Elles boivent du vin et du jus d'orange (entre autres).*
5. *Il enlève ses (les) vêtements. (Il se déshabille.)*
6. *Tu achètes un cache-nez rouge.*

B. 1. わたし は まど を あける。
2. 田中さん は タバコ を すう。
3. かれら は ケーキ を たべる。
4. 山田さん は おもしろい 本 を よむ。
5. かのじょ は やすい アパート を さがす。
6. わたしたち は ラジオ を きく。

C 3 KANJI

▼ **kanji** ▼ **ordre des traits**

本

ほん
[honn]

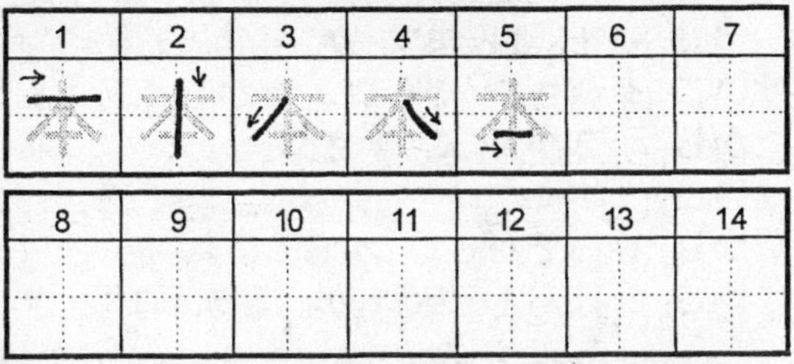

人

ひと
[hito]

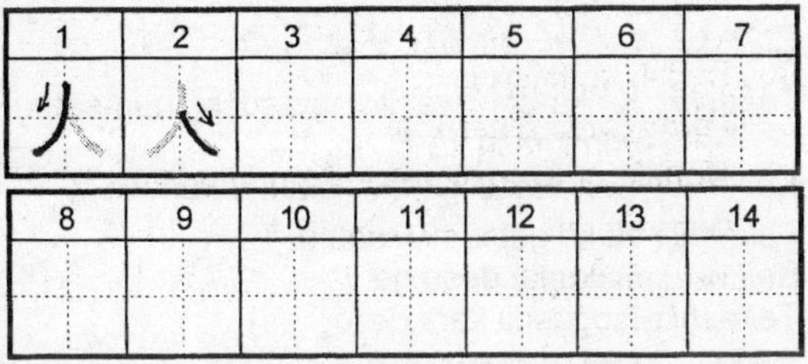

車

くるま
[kourouma]

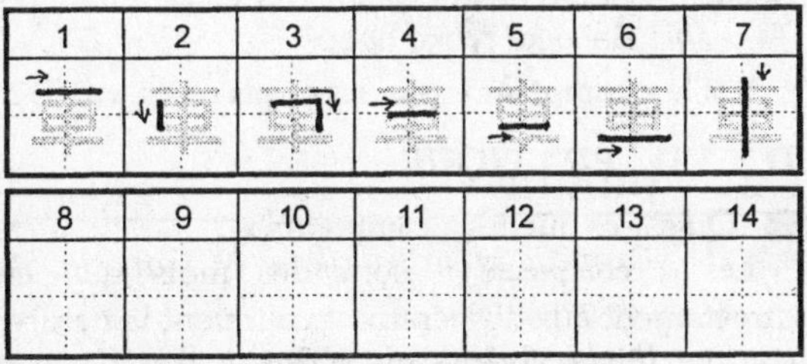

C 4 EXERCEZ-VOUS

本	本	本			
人	人	人			
車	車	車			

本	本	本			
人	人	人			
車	車	車			

D 1 DIALOGUE

たかし ： けいこさん は 1か月 に 何さつ* の 本 を よみます か。
けいこ ： 3さつ* ぐらい。たかしくん は？
たかし ： 2か月 に 1さつ。
けいこ ： すくない です ね。
たかし ： いそがしい から です。
けいこ ： ほんと です か。ひま な とき は 何 を します か。
たかし ： バイト か りょこう です。

Takashi : Keiko-san wa ikkagetsu ni nan-satsu* no hon o yomimasu ka.
Keiko : San-satsu* gurai. Takashi-kun wa ?
Takashi : Ni ka getsu ni issatsu.
Keiko : Sukunai desu ne.
Takashi : Isogashii kara desu.
Keiko : Honto desu ka.Hima na toki wa nani o shimasu ka.
Takashi : Baito ka ryokô desu.

* C'est le « **compteur** » pour les objets reliés, voir D2 ci-après.

D 2 VIE PRATIQUE

■ Qu'est-ce que les « **compteurs** » ?

Les « compteurs » sont des mots qui, en s'ajoutant directement aux numéraux, expliquent la nature de ce qu'on compte (êtres vivants ou objets) ; il faut noter que les « compteurs » ne signifient en aucun cas les êtres ou objets eux-mêmes. [voir D2, p.210, et **PRÉCIS GRAMMATICAL**, p.355]

• 冊, さつ, satsu, pour compter les objets reliés (livres, dictionnaires, chéquiers, cahiers, etc.) :

何冊 の 本, なんさつ の ほん, nan-satsu no hon, *combien de livres ?*

1冊 の 本, いっさつ の ほん, issatsu no hon, *un livre*

2冊 の 本, にさつ の ほん, ni-satsu no hon, *deux livres*

3冊 の 本, さんさつ の ほん, san-satsu no hon, *trois livres*

4冊 の 本, よんさつ の ほん, yon-satsu no hon, *quatre livres*

D 3 DIALOGUE

Takashi : Keiko, tu lis combien de livres par mois ?
Keiko : Trois livres environ. Et toi, Takashi ?
Takashi : Un livre tous les deux mois.
Keiko : C'est peu !
Takashi : C'est parce que je suis occupé.
Keiko : C'est vrai ? Que fais-tu, quand tu as du temps libre [*lit.* au moment libre] ?
Takashi : Je fais du petit job ou du voyage.

❖ **Vocabulaire :**

1か月 に, ikkagetsu ni, *par mois*

2か月 に, ni ka getsu ni, *tous les deux mois*

何さつ, nan-satsu, *combien de* (livres) [voir D2 ci-contre]

ぐらい, gurai, *environ* すくない, sukunai, *peu*

から です, kara desu, *c'est parce que*

ひま, hima, *libre* (quasi-adjectif) [voir p.69]

とき, toki, *au moment ; quand...* (conjonction)

何, nani, *que ?* (何 se prononce **nani**, devant を, o) [cf. p.213]

D 4 CIVILISATION

■ 憲法, Kenpô, *constitution* :

Le Japon ne connaît que deux *constitutions* (憲法, Kenpô) jusqu'à présent : la Constitution de l'Empire du Japon proclamée en février 1889, et la Constitution actuelle mise en vigueur en mai 1947.

Contrairement à la première qui situait l'*Empereur* (天皇, Tennô) à la tête des pouvoirs politique et militaire, la seconde ne permet aucune initiative politique à l'Empereur qui n'est plus que le symbole du Japon et de l'ensemble des Japonais. Ses rôles consistent donc seulement dans les cérémonies nationales officielles telles que l'accueil des hôtes d'États ou la déclaration de l'ouverture de la *Diète* (国会, Kokkai).

La Constitution actuelle s'appuie sur trois principes fondamentaux : la souveraineté du peuple (Préambule), le respect des droits de l'homme (Art.11) et l'abandon total de la guerre (Art.9). Cependant, il existe toujours beaucoup de discutions sur son interprétation et de cotradictions : par exemple, malgré son article 9, le Japon possède les forces militaires appelées *les Forces d'autodéfense* (自衛隊, Jieitai).

25 かのじょ は 毎日 オレンジジュース を のみます。
Kanojo wa mainichi orenjijûsu o nomimasu.

A 1 PRÉSENTATION

■ **Kanji**, *idéogramme d'origine chinoise*

kanji	lecture en hiragana	prononc.	signification
毎	まい	[maï]	*chaque* (préfixe)
週	しゅう	[shou:]	*semaine(s)*

■ **Vocabulaire**

毎日	mainichi	[maïnitchi]	*chaque jour*
毎週	maishû	[maïshou:]	*chaque semaine*
おんがく	ongaku	[onngakou]	*musique(s)*
ます	ma**su**	[*ma**ss**]	(mot de politesse)
よみます	yomimasu	[yomimass]	*lire* (cf. 24A1)
のみます	nomimasu	[nomimass]	*boire* (cf. 24B1)
かきます	kakimasu	[kakimass]	*écrire ; dessiner* (cf. 24A1)
ききます	kikimasu	[kikimass]	*écouter* (cf. 24B1)

*ます, masu, se dit lentement [ma**su**] ; dans la pratique, il se prononce plutôt [ma**ss**].

■ かのじょ は 毎日 オレンジジュース を のみます。
Kanojo wa mainichi orenjijûsu o nomimasu.
elle / - / chaque jour / jus d'orange / - / boire
Elle boit chaque jour du jus d'orange.

A 2 APPLICATION ●● CD

1. かのじょたち は 毎日 しんぶん を よみます。
2. わたしたち は 毎日 おいしい おちゃ を のみます。
3. かれ は 毎週 え を かきます。
4. 田中さん は むずかしい 本 を かきます。
5. かのじょ は 毎週 おもしろい ざっし を よみます。
6. わたし は 毎日 すき な おんがく を ききます。

A 3 REMARQUES

■ La courtoisie japonaise et l'emploi de ます, masu [mass]

● Bien qu'elle soit très complexe, la courtoisie doit se faire sentir dans une conversation en japonais. Pour cela, le moyen le plus simple et courant est d'introduire le mot de politesse ます, masu [mass], dans une phrase.

■ Grammaire

● Nous avons vu, dans la leçon 24B, la formation d'une phrase affirmative au présent avec l'infinitif. Le mot de politesse ます, masu, s'attache directement à cet infinitif présent en modifiant sa terminaison, mais sans modifier son sens :

terminaison d'origine	terminaison devant ます, masu	EXEMPLES	
く ku ➡	き ki	かく kaku ➡ かきます kakimasu	*écrire*
む mu ➡	み mi	のむ nomu ➡ のみます nomimasu	*boire*

Forme neutre : かれ は てがみ を かく。 *Il écrit une lettre.*
Kare wa tegami o kaku. *lui / - / lettre / - / écrire*

Forme polie : かれ は てがみ を かきます。 *Il écrit une lettre.*
Kare wa tegami o kakimasu. *lui / - / lettre / - / écrire*

● Les verbes associés à ます, masu, ne varient ni en personne, ni en nombre.

A 4 TRANSCRIPTION ET TRADUCTION

1. Kanojotachi wa mainichi shinbun o yomimasu.
   Elles lisent chaque jour un journal.
2. Watashitachi wa mainichi oishii ocha o nomimasu.
   Nous buvons du bon thé tous les jours.
3. Kare wa maishû e o kakimasu.
   Il fait un dessin (dessine) chaque semaine.
4. Tanaka-san wa muzukashii hon o kakimasu.
   M.(Mme ; Mlle) Tanaka écrit un livre difficile.
5. Kanojo wa maishû omoshiroi zasshi o yomimasu.
   Elle lit chaque semaine une revue intéressante.
6. Watashi wa mainichi suki na ongaku o kikimasu.
   J'écoute tous les jours ma musique préférée.

25 あなた の 友だち は タバコ を すいます か。
Anata no tomodachi wa tabako o suimasu ka.

B 1 PRÉSENTATION

■ **Kanji**, *idéogramme d'origine chinoise*

kanji	lecture en hiragana	prononciation	signification
友	とも	[tomo]	*ami(e/s/es)*

■ **Vocabulaire**

友だち	tomodachi	[tomodatchi]	*ami(e/s/es)*
いしゃ	isha		*médecin(s)*
すいます	suimasu	[souïmass]	*fumer* (cf. 24A1)
かいます	kaimasu	[kaïmass]	*acheter* (cf. 24B1)
ぬぎます	nugimasu	[nouguimass]	*enlever* (cf. 24A1)
さがします	sagashimasu	[sagashimass]	*chercher* (cf. 24A1)
まちます	machimasu	[matchimass]	*attendre* (cf. 24A1)
しにます	shinimasu	[shinimass]	*mourir* (cf. 24A1)
よびます	yobimasu	[yobimass]	*appeler* (cf. 24A1)

■ あなた の 友だち は タバコ を すいます か。
Anata no tomodachi wa tabako o suimasu ka.
toi / de / ami(e) / - / cigarette / - / fumer / ?
Est-ce que ton ami(e) fume une cigarette ?
(ou *Est-ce que tes ami(s/es) fument une cigarette ?)*

B 2 APPLICATION ●● CD

1. 山田さん は あたらしい ステレオ を かいます。
2. わたし の 友だち は やすい アパート を さがします。
3. あなた も タバコ を すいます か。
4. はい, わたし も タバコ を すいます。
5. かのじょ は コート を ぬぎます。
6. かれら は エレーヌさん を まちます か。
7. 人 は しにます。
8. ピエール は いい いしゃ を よびます。

B 3 REMARQUES

Synonyme

• 友, tomo, *ami*, est un synonyme de 友だち, tomodachi, *ami* ; l'emploi de ce dernier est cependant plus courant.

Grammaire (suite du tableau présenté en A3 de cette leçon)

terminaison d'origine		terminaison devant ます, masu	EXEMPLES			
う u	➡	い i	かう kaku	➡	かいます kaimasu	*acheter*
ぐ gu	➡	ぎ gi	ぬぐ kaku	➡	ぬぎます nugimasu	*enlever*
す su	➡	し shi	さがす sagasu	➡	さがします sagashimasu	*chercher*
つ tsu	➡	ち chi	まつ matsu	➡	まちます machimasu	*attendre*
ぬ nu	➡	に ni	しぬ shinu	➡	しにます shinimasu	*mourir*
ぶ bu	➡	び bi	よぶ yobu	➡	よびます yobimasu	*appeler*

Remarques :

1. Les terminaisons de l'infinitif sont des syllabes en **u**.
2. Ces syllabes se transforment en syllabes en **i** devant ます, masu.

B 4 TRANSCRIPTION ET TRADUCTION

1. Yamada-san wa atarashii sutereo o kaimasu.
   M.(Mme ; Mlle) Yamada achète une nouvelle stéréo.
2. Watashi no tomodachi wa yasui apâto o sagashimasu.
   Mon(Mes) ami(e/s/es) cherche(nt) un appartement bon marché.
3. Anata mo tabako o suimasu ka.
   Est-ce que tu fumes aussi une cigarette ?
4. Hai, watashi mo tabako o suimasu. *Oui, je fume aussi une cigarette.*
5. Kanojo wa kôto o nugimasu. *Elle enlève son manteau.*
6. Karera wa Erênu-san o machimasu ka.
   Est-ce qu'ils attendent Hélène ?
7. Hito wa shinimasu. *Les gens meurent.*
8. Piêru wa ii isha o yobimasu. *Pierre appelle un bon médecin.*

25 EXERCICES

C 1 EXERCICES ●● CD

A. Indiquez la forme d'origine de l'infinitif des verbes suivants. Traduisez-les ensuite en français.

1. よみます 2. かきます 3. すいます 4. ぬぎます
5. しにます 6. まちます 7. さがします 8. よびます

B. Traduisez en français.

1. かれ の 友だち は あたらしい つくえ を かいます。
2. わたし は 毎日 ミルク を のみます。
3. 田中さん は 毎週 てがみ を かきます。
4. かのじょ は 山田さん の うち を さがします。

C. Traduisez en japonais. (Utilisez la forme polie.)

1. *Nous écoutons tous les jours la radio.*
2. *Mlle Yamada lit tous les jours son (le) livre préféré.*
3. *Il enlève son chapeau.*
4. *Elles attendent des amis.*

C 2 CORRIGÉ

A.

1.	よむ	*lire*	2.	かく	*écrire*
3.	すう	*fumer*	4.	ぬぐ	*enlever*
5.	しぬ	*mourir*	6.	まつ	*attendre*
7.	さがす	*chercher*	8.	よぶ	*appeler*

B.
1. *Son ami achète un nouveau bureau.*
2. *Je bois chaque jour du lait.*
3. *M. Tanaka écrit chaque semaine des letrres.*
4. *Elle cherche la maison de Mme Yamada.*

C.
1. わたしたち は 毎日 ラジオ を ききます。
2. 山田さん は 毎日 すき な 本 を よみます。
3. かれ は ぼうし を ぬぎます。
4. かのじょたち は 友だち を まちます。

25 ÉCRITURE

C 3 KANJI

▼ **kanji** ▼ **ordre des traits**

毎

まい
[maï]

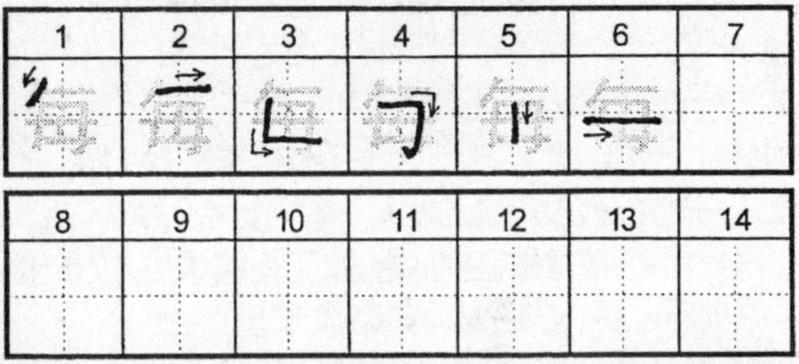

週

しゅう
[shou:]

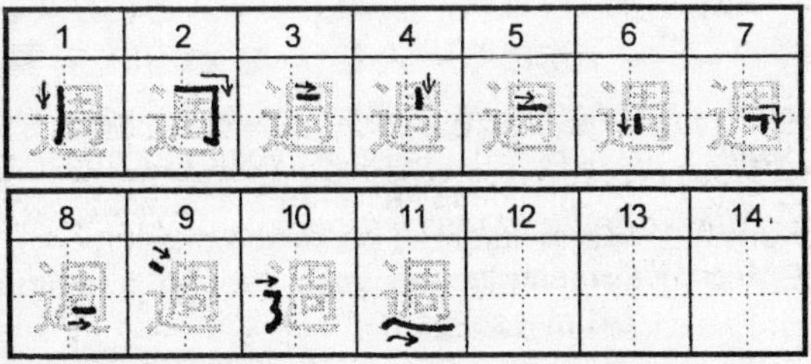

友

とも
[tomo]

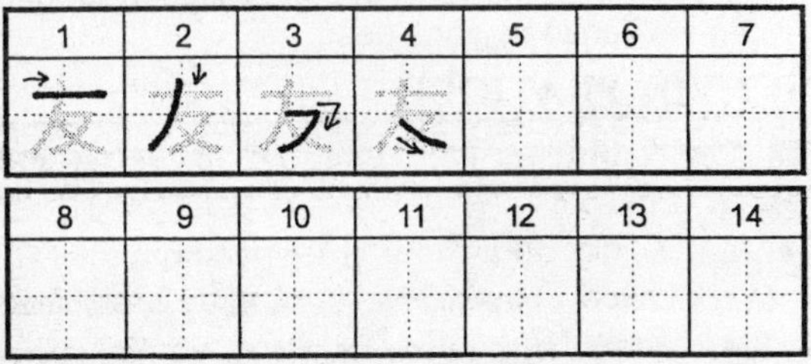

C 4 EXERCEZ-VOUS

毎	毎	毎			毎	毎	毎		
週	週	週			週	週	週		
友	友	友			友	友	友		

D 1 DIALOGUE

エレーヌ ： 日本人 は タバコ を よく すいます ね。
けんじ ： はい。それに おさけ も よく のみます。
エレーヌ ： どうして です か。
けんじ ： たぶん ストレス の かいしょう です。
エレーヌ ： フランス人 も よく タバコ を すいます。さいきん、とくに じょせい が たくさん すいます。
けんじ ： 日本 も おなじ です。とにかく、タバコ は すごく けんこう に わるい です。

Erênu : Nihon-jin wa tabako o yoku suimasu ne.
Kenji : Hai. Soreni osake mo yoku nomimasu.
Erênu : Dôshite desu ka.
Kenji : Tabun sutoresu no kaishô desu.
Erênu : Furansu-jin mo yoku tabako o suimasu. Saikin, tokuni josei ga takusan suimasu.
Kenji : Nihon mo onaji desu. Tonikaku, tabako wa sugoku kenkô ni warui desu.

D 2 VIE PRATIQUE

■ Les **compteurs** (2) : [voir D2, p.292, et **PRÉCIS GRAMMATICAL**, p.355]

• 人, にん, nin, pour compter les personnes :
ひとり, hitori, *une personne* ふたり, futari, *deux personnes*
3 人, san-nin, *trois personnes* 4 人, yo-nin, *quatre personnes*

• 枚, まい, mai, pour compter les objets plats (papiers, timbres, billets, couvertures, disques compacts, etc.) :
1 枚, ichi-mai, *une ...* 2 枚, ni-mai, *deux ...*
3 枚, san-mai, *trois...* 4 枚, yon-mai, *quatre ...*

• 本, ほん, hon, pour compter les objets longs et souvent cylindriques (cigarettes, bouteille, stylos, bananes, etc.) :
1 本, ippon, *une ...* 2 本, ni-hon, *deux ...*
3 本, san-bon, *trois...* 4 本, yon-hon, *quatre ...*

N.B. 本, ほん, hon, peut signifier *livre*, mais il est employé ici pour un compteur qui n'a aucune signification. [cf. p.196]

D 3 DIALOGUE

Hélène : Les Japonais fument beaucoup, n'est-ce pas ?
Kenji : Oui. De surcroît, on boit beaucoup.
Hélène : Pourquoi ?
Kenji : C'est peut-être pour échapper au stress.
Hélène : Les Français aussi fument beaucoup. Ces jours-ci, ce sont surtout les femmes qui fument beaucoup.
Kenji : C'est pareil au Japon. En tout cas, le tabac est très mauvais pour la santé.

❖ **Vocabulaire :**

日本人, Nihon-jin, *les Japonais*
よく, yoku, *souvent ; beaucoup*
それに, soreni, *en outre*
おさけ, o-sake, *alcool* [お, o, dans おさけ, o-sake, est le préfixe de politesse]
どうして, dô shite, *pourquoi ?*
ストレス, sutoresu, *stress*
かいしょう, kaishô, *dissipation*
さいきん, saikin, *récemment*
じょせい, josei, *femme*
たくさん, takusan, *beaucoup*
おなじ, onaji, *pareil*
とにかく, tonikaku, *en tout cas*
けんこう, kenkô, *santé ; bonne santé*
すごく, sugoku, *très*
わるい, warui, *mauvais*
フランス人, Furansu-jin, *les Français* [voir D2, p.138]

D 4 CIVILISATION

■ 内閣, Naikaku, *le Cabinet* :

Le *Cabinet* (内閣, Naikaku) est chargé d'exécuter des décisions prises par la *Diète* (国会, Kokkai). Ses principales tâches sont de conduire des affaires intérieures et extérieures, d'élaborer des proposition de lois et du budget et de conclure des traités. Au Japon, où se fonctionne le système parlementaire, la *Diète* (国会, Kokkai) choisit parmi *leurs membres* (国会議員, kokkai-giin) le *Premier ministre* (総理大臣, Sôri-daijin), le principal responsable du *Cabinet* (内閣, Naikaku). Et c'est le *Premier ministre* (総理大臣, Sôri-daijin) qui désigne ensuite les autres *ministres d'États* (国務大臣, kokumu-daijin). Le Cabinet (内閣, naikaku) dispose du droit de dissolution de la *Chambre des représentants* (衆議院, Shûgiin), et celle-ci du droit de censure.

26 わたし は 花 を おくります。
Watashi wa hana o okurimasu.

A 1 PRÉSENTATION

■ **Kanji**, *idéogramme d'origine chinoise*

kanji	lecture en hiragana	prononc.	signification
花	はな	[hana]	*fleur(s)*
何	なん／なに	[nann] / [nani]	*que ? quel ?* (cf. 22B1)

■ **Vocabulaire**

プレゼント	purezento	[pourézénnto]	*cadeau(x)*
やくそく	yakusoku	[yakoussokou]	*rendez-vous ; promesse*
おくります	okurimasu	[okourimass]	*offrir ; envoyer*
まもります	mamorimasu	[mamorimass]	*tenir* (sa promesse)
とまります	tomarimasu	[tomarimass]	*s'arrêter*
すわります	suwarimasu	[souwarimass]	*s'asseoir*
うります	urimasu	[ourimass]	*vendre* (cf. 24A1)
とります	torimasu	[torimass]	*prendre* (cf. 24B1)

■ あなた は 何 を おくります か。
Anata wa nani o okurimasu ka.
toi / - / quoi / - / offrir (envoyer) / ?
Qu'est-ce que tu offres (envoies) ?

A 2 APPLICATION ●● CD

1. かれら は やくそく を まもります。
2. 山田さん は プレゼント を おくります。
3. かのじょ は すわります。
4. わたしたち は しゃしん を とります。
5. わたし の 友だち は オートバイ を うります。
6. ピエールさん の 車 は とまります。
7. わたし は 花 を おくります。

A 3 REMARQUES

■ Prononciation

● 何, *que ?*, doit se prononcer **[nani]** quand il est suivi de la particule を, o.

あなた は 何 を おくります か。 *Qu'offres-tu ?*
Anata wa nani o okurimasu ka.
toi / - / que / - / offrir (envoyer) / ?

Par contre, il se dit **[nan]** devant です, desu, 時, ji, ou よう日, yôbi (cf. 14A, 22B, 23A).

■ Grammaire : la terminaison る, ru (1)

● La terminaison る, ru, de l'infinitif devient り, ri, devant ます, masu, si la syllabe, qui la précède, est une syllabe en **a**, en **o**, ou en **u** :

syllabe en a / o / u

す	わ	る	➡	す	わ	り	ます	*s'asseoir*
su	**wa**	ru		su	wa	**ri**	masu	
	と	る	➡		と	り	ます	*prendre*
	to	ru			to	**ri**	masu	
お	く	る	➡	お	く	り	ます	*offrir ; envoyer*
o	**ku**	ru		o	ku	**ri**	masu	

A 4 TRANSCRIPTION ET TRADUCTION

1. Karera wa yakusoku o mamorimasu.
   Ils tiennent leurs promesses.
2. Yamada-san wa purezento o okurimasu.
   M. Yamada offre un cadeau.
3. Kanojo wa suwarimasu. *Elle s'assied.*
4. Watashitachi wa shashin o torimasu.
   Nous prenons une photo.
5. Watashi no tomodachi wa ôtobai o urimasu.
   Mon ami vend une moto.
6. Piêru-san no kuruma wa tomarimasu.
   La voiture de Pierre s'arrête.
7. Watashi wa hana o okurimasu. *J'offre des fleurs.*

26 あなた は 朝 何時 に おきます か。
Anata wa asa nanji ni okimasu ka.

B 1 PRÉSENTATION

■ **Kanji**, *idéogramme d'origine chinoise*

kanji	lecture en hiragana	prononciation	signification
朝	あさ	[assa]	*matin* (cf. 4B1)
夜	よる	[yorou]	*nuit ; soir* (cf. 4B1)

■ **Vocabulaire**

に	ni		*à* (particule de temps)
おきます	okimasu	[okimass]	*se lever*
ねます	nemasu	[némass]	*se coucher ; dormir*
でかけます	dekakemasu	[dékakémass]	*partir ; sortir*
かります	karimasu	[karimass]	*emprunter ; louer*
たべます	tabemasu	[tabémass]	*manger* (cf. 24A1)
みます	mimasu	[mimass]	*regarder* (cf. 24B1)

■ あなた は 朝 何時 に おきます か。
Anata wa asa nanji ni okimasu ka.
toi / - / matin / quelle heure / à / te lever / ?
À quelle heure te lèves-tu le matin ?

B 2 APPLICATION

1. エレーヌさん は 朝 7時 に おきます。
2. 山田さん は 朝 9時15分まえ に でかけます。
3. かのじょたち は 8時 に テレビ を みます。
4. わたし は 毎週 じてんしゃ を かります。
5. あなたたち は 夜 何時 に ねます か。
6. わたしたち は 夜 10時 に ねます。
7. 田中さん は 毎日 ケーキ を たべます。
8. わたし の 友だち は 毎週 えいが を みます。

B 3 REMARQUES

Grammaire

- Employée seule, la syllabe に, ni, sert de **particule de temps** qui introduit l'heure dans une phrase ; elle se place toujours après l'heure :

かのじょ は 6時 に おきます。 *Elle se lève à six heures.*

Kanojo wa rokuji **ni** okimasu. *elle / - / six heures / **à** / se lever*

- La particule de temps に, ni, n'est jamais utilisée avec 朝, asa, *matin*, 夜, yoru, *soir*, 毎日, mainichi, *chaque jour*, et 毎週, maishû, *chaque semaine*, qui se placent en général immédiatement après la particule は, wa.

La terminaison る, ru (2)

- La terminaison る, ru, de l'infinitif disparaît devant ます, masu, si la syllabe, qui la précède, est une syllabe soit en **e**, soit en **i** :

syllabe en e / i

た ta	べ be	る ru	➡	た ta	べ be	□	ます masu	*manger*
お o	き ki	る ru	➡	お o	き ki	□	ます masu	*se lever*

N.B. : Le signe □ indique la disparition de る, ru.

B 4 TRANSCRIPTION ET TRADUCTION

1. Erênu-san wa asa shichiji ni okimasu.
   Hélène se lève le matin à 7 heures.
2. Yamada-san wa asa kuji jûgofun mae ni dekakemasu.
   Mlle Yamada part le matin à 9 heures moins le quart.
3. Kanojotachi wa hachiji ni terebi o mimasu.
   Elles regardent la télé à 8 heures.
4. Watashi wa maishû jitensha o karimasu.
   J'emprunte chaque semaine une bicyclette.
5. Anatatachi wa yoru nanji ni nemasu ka.
   À quelle heure vous couchez-vous le soir ?
6. Watashitachi wa yoru jûji ni nemasu.
   Nous nous couchons le soir à 10 heures.
7. Tanaka-san wa mainichi kêki o tabemasu.
   M. Tanaka mange tous les jours un gâteau.
8. Watashi no tomodachi wa maishû eiga o mimasu.
   Mes amis voient un film chaque semaine.

26 EXERCICES

C 1 EXERCICES ●● (CD)

A. Indiquez la forme d'origine de l'infinitif des verbes suivants. Traduisez-les ensuite en français.

1. おくります 2. とまります 3. たべます 4. とります
5. まもります 6. かります 7. でかけます 8. うります
9. みます 10. すわります

B. Traduisez en français.

1. 田中さん は 車 を うります。
2. わたし は 朝 10時15分 に でかけます。
3. かれ は やくそく を まもります。
4. かのじょ は 何 を たべます か。

C. Traduisez en japonais. (Utilisez la forme polie.)

1. *Le soir, il se couche à 11 heures.*
2. *Mlle Tanaka emprunte une voiture noire.*
3. *Elle offre des fleurs rouges.*
4. *Mme Yamada prend de belles photos.*

C 2 CORRIGÉ

A.

1. おくる *offrir ; envoyer*
2. とまる *s'arrêter*
3. たべる *manger*
4. とる *prendre*
5. まもる *tenir* (sa promesse)
6. かりる *emprunter*
7. でかける *partir ; sortir*
8. うる *vendre*
9. みる *regarder ; voir*
10. すわる *s'asseoir*

B.

1. *M. Tanaka vend une (des) voiture(s).*
2. *Je pars le matin à 10 heures et quart.*
3. *Il tient sa (la) promesse.*
4. *Qu'est-ce qu'elle mange ?*

C.

1. かれ は 夜 11時 に ねます。
2. 田中さん は くろい 車 を かります。
3. かのじょ は あかい 花 を おくります。
4. 山田さん は きれい な しゃしん を とります。

C 3 KANJI

▼ **kanji** ▼ **ordre des traits**

花

はな
[hana]

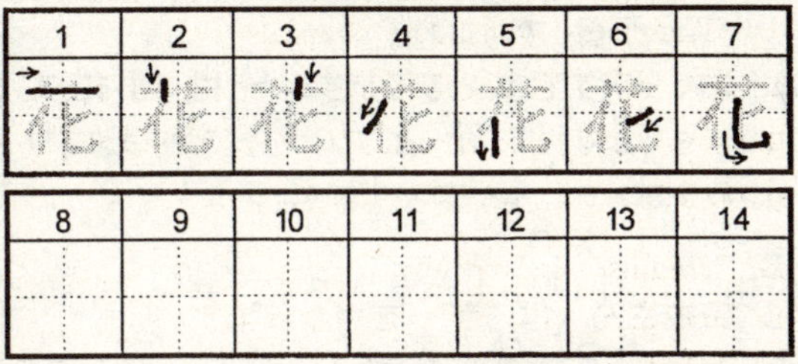

朝

あさ
[asa]

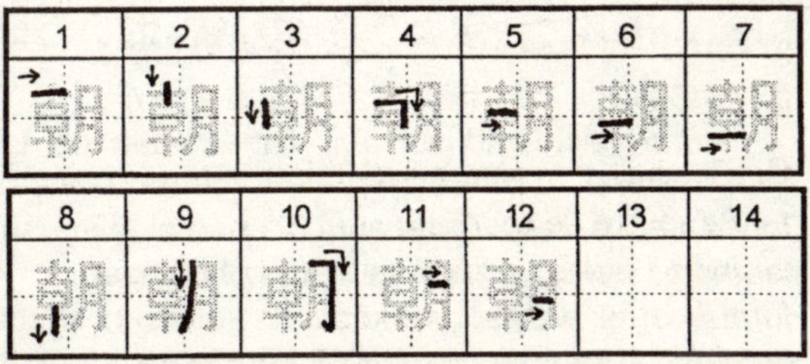

夜

よる
[yorou]

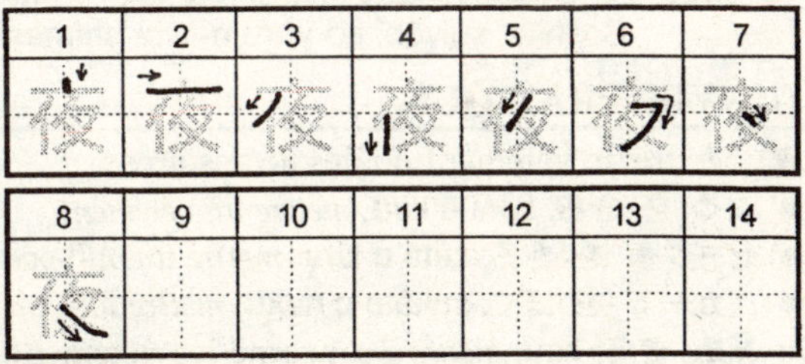

C 4 EXERCEZ-VOUS

花	花	花			花	花	花		
朝	朝	朝			朝	朝	朝		
夜	夜	夜			夜	夜	夜		

D 1 DIALOGUE (CD)

山田 : らい週 の 水よう日、田中さん の たんじょう日 です ね。
本田 : そうです。プレゼント は 何 に します か。
山田 : ぼく は 花 と ケーキ を おくります。
本田 : じゃ、わたし は こうすい か スカーフ に します。
山田 : いい かんがえ です。きっと かのじょ は よろこびます。
本田 : そして、水よう日 の 夜 おいわいしましょう。

Yamada : Raishû no suiyôbi, Tanaka-san no tanjôbi desu ne.
Honda : Sô desu. Purezento wa nan ni shimasu ka.
Yamada : Boku wa hana to kêki o okurimasu.
Honda : Ja, watashi wa kôsui ka sukâfu ni shimasu.
Yamada : Ii kangae desu. Kitto kanojo wa yorokobimasu.
Honda : Soshite, suiyôbi no yoru o-iwai-shimashô.

D 2 VIE PRATIQUE

■ Mettre un vêtement ou des accessoires :

- ふく を きる, fuku o kiru, *mettre un vêtement*
- セーター を きる, sêtâ o kiru, *mettre un pull-over*
- スカート を はく, sukâto o haku, *mettre une jupe*

  N.B. きる, kiru, *mettre* , concerne les vêtements au-dessus de la ceinture, tandis que はく, haku, *mettre* , les vêtements en dessous de la ceinture.
- くつ を はく, kutsu o haku, *mettre des chaussures*
- ぼうし を かぶる, bôshi o kaburu, *mettre un chapeau*
- めがね を かける, megane o kakeru, *mettre des lunettes*
- こうすい を つける, kôsui o tsukeru, *mettre un parfum*
- スカーフ を する, sukâfu o suru, *mettre un foulard*
- ネックレス を する, nekkuresu o suru, *mettre un collier*
- とけい を する, tokei o suru, *mettre une montre*
- てぶくろ を する, tebukuro o suru, *mettre des gants*

D 3 DIALOGUE

Yamada : Mercredi prochain (de la semaine prochaine), c'est l'anniversaire de Mlle Tanaka, n'est-ce pas ?
Honda : Oui, c'est ça. Qu'est-ce qu'on fait pour le cadeau ?
Yamada : Moi, je vais offrir des fleurs et un cake.
Honda : Alors, moi, je vais offrir [*lit.* choisir] un parfum ou un foulard.
Yamada : C'est une bonne idée ! Elle sera certainement contente.
Honda : Et on fêtera (son anniversaire) mercredi soir !

❖ **Vocabulaire :**
たんじょう日, tanjôbi, *anniversaire*
に します, ni shimasu, *choisir ; prendre*
ぼく, boku, *moi* [ce terme est plutôt réservé aux hommes]
かんがえ, kangae, *idée*
よろこびます, yorokobimasu, *être content ; se réjouir*
そして, soshite, *et ; puis*
おいわいします, o-iwai-shimasu, *fêter ; féliciter* [voir p.221]
ましょう, mashô, [c'est un dérivé de ます, masu, pour indiquer la proposition-suggestion.]

D 4 CIVILISATION

■ 国 会, kokkai, *la Diète* ou *le Parlement* :

La *Diète* (国会, Kokkai) est composée de deux chambres : la *Chambre des représentants* (衆議院, Shûgiin) et la *Chambre des conseillers* (参議院, Sangiin). Elle prend l'initiative des lois et discute et vote le budget préparé par le *Cabinet* (内閣, Naikaku).

Les 466 députés de la *Chambre des représentants* (衆議院, Shûgiin) ainsi que les 250 de la *Chambre des conseillers* (参議院, Sangiin) sont élus directement par le peuple. La durée du mandat est 4 ans pour les premiers et 6 ans pour les seconds, renouvlables par moitié tous les trois ans.

Le rapport des forces entre les deux chambres est assez équilibré : à l'exception du budjet et de la ratification des traités, un texte rejeté par la *Chambre des conseillers* (参議院, Sangiin) ne devient loi que s'il repasse à l'autre chambre avec une majorité des deux tiers.

27 かれら は わたし の 家 に きます。
Karera wa watashi no ie ni kimasu.

A 1 PRÉSENTATION

■ **Kanji**, *idéogramme d'origine chinoise*

kanji	lecture en hiragana	prononc.	signification
家	いえ	[ié]	*maison(s)*

■ **Vocabulaire**

テニス	tenisu	[téniss]	*tennis*
スキー	sukî	[ski:]	*ski*
スケート	sukêto	[ské:to]	*patinage (sur glace)*
ダンス	dansu	[dannss]	*danse* (cf. 20B3/4)
すいえい	suiei	[souïé:]	*natation*
する	suru	[sourou]	*faire*
します	shimasu	[shimass]	*faire* (forme polie)
くる	kuru	[kourou]	*venir*
きます	kimasu	[kimass]	*venir* (forme polie)
に	ni	*à ; dans* (particule de destination)	

■ かれら は わたし の 家 に きます。
Karera wa watashi no ie ni kimasu.
eux / - / moi / de / maison / à / venir
Ils viennent chez moi (à ma maison).

A 2 APPLICATION ●● CD

1. かのじょたち は テニス を します。
2. かれら は スキー を します。
3. わたしたち は スケート を する。
4. あなたたち も スケート を します。
5. ピエール は すいえい を する。
6. あの人 は ダンス を します。
7. エレーヌ は あなた の 家 に くる。

A 3 REMARQUES

Grammaire

● En japonais, il y a deux verbes irréguliers : する, suru, *faire*, et くる, kuru, *venir*.Voici la transformation de ces deux verbes devant le mot de politesse ます, masu :

infinitif ▼

faire :	する suru	+	ます masu	➡	し shi	ます masu
venir :	くる kuru	+	ます masu	➡	き ki	ます masu

Remarque : la transformation ne porte pas seulement sur la terminaison る, ru, mais sur tout le verbe.

● Dans la leçon 26B, le rôle de la particule に, ni, était d'introduire l'heure dans une phrase. Cette même particule s'emploie dans cette leçon comme **particule de destination** qui désigne le lieu où on se rend :

エレーヌさん は あなた の 家 *に きます。
Erênu-san wa anata no ie *ni kimasu.
Hélène / - / toi / de / maison / à / venir
Hélène vient chez toi (à ta maison).

N.B.* La particule に, ni, se place toujours après le mot auquel elle se rapporte : あなた の 家 に, anata no ie **ni, *à ta maison*.

A 4 TRANSCRIPTION ET TRADUCTION

1. Kanojotachi wa tenisu o shimasu. (forme polie)
   Elles font du tennis.
2. Karera wa sukî o shimasu. (forme polie) *Ils font du ski.*
3. Watashitachi wa sukêto o suru. (forme neutre)
   Nous faisons du patin.
4. Anatatachi mo sukêto o shimasu. (forme polie)
   Vous faites aussi du patin.
5. Piêru wa suiei o suru. (forme neutre)
   Pierre fait de la natation.
6. Ano hito wa dansu o shimasu. (forme polie)
   Cette personne là-bas danse.
7. Erênu wa anata no ie ni kuru. (forme neutre)
   Hélène vient chez toi.

27 わたし は かのじょ に 電話します。
Watashi wa kanojo ni denwashimasu.

B 1 PRÉSENTATION

■ **Kanji**, *idéogramme d'origine chinoise*

kanji	lecture en hiragana	prononciation	signification
電	でん	[dénn]	*électricité*
話	わ	[wa]	*parole*

■ **Vocabulaire**

電話	denwa	[dénnwa]	*téléphone*
電話する	denwasuru		*téléphoner*
しつもん	shitsumon		*question(s)*
しつもんする	shitsumonsuru		*questionner*
せつめい	setsumei	[sétsouméï]	*explication*
せつめいする	setsumeisuru		*expliquer*
しょうかい	shôkai	[sho:kaï]	*présentation*
しょうかいする	shôkaisuru		*présenter*
やくそくする	yakusokusuru		*promettre* (cf. 26A1)

■ わたし は かのじょ に 電話します。
Watashi wa kanojo ni denwashimasu.
moi / - / elle / à / téléphoner
Je lui téléphone.

B 2 APPLICATION

1. かれら は わたし に しつもんします。
2. かれ は 田中さん に 電話します。
3. わたしたち は かのじょたち に やくそくします。
4. かれ は その もんだい を わたし に せつめいします。
5. かのじょ は あなた に この もんだい を せつめいします。

B 3 REMARQUES

Grammaire

- En s'attachant à un nom, le verbe する, suru, *faire*, contribue souvent à la création d'un nouveau verbe :

電話 + する → 電話する
denwa suru denwasuru
téléphone / faire *téléphoner*

- する, suru, dans ce nouveau verbe doit se transformer en し, shi, quand il s'associe à ます, masu.

電話 する + ます → 電話 し ます *téléphoner*
denwa **suru** masu denwa **shi** masu

- La particule に, ni, s'emploie aussi pour indiquer la (les) personne(s) à qui on s'adresse : elle se place immédiatement après le mot auquel elle se rapporte.

ex. *Je te le présente* :

わたし は *かれ を あなた に しょうかいします。
Watashi wa kare o anata ni shôkaishimasu.
moi / - / lui / - / toi / à / présenter

わたし は あなた に *かれ を しょうかいします。
Watashi wa anata ni kare o shôkaishimasu.
moi / - / toi / à / lui / - / présenter

****Remarque*** : Il est possible de placer かれ を, kare o, complément d'objet direct, après あなた に, anata ni.

B 4 TRANSCRIPTION ET TRADUCTION

1. Karera wa watashi ni shitsumonshimasu.
   Ils me questionnent. (ou *Ils me posent des questions.*)
2. Kare wa Tanaka-san ni denwashimasu.
   Il téléphone à Mme Tanaka.
3. Watashitachi wa kanojotachi ni yakusokushimasu.
   Nous leur promettons.
4. Kare wa sono mondai o watashi ni setsumeishimasu.
   Il m'explique ce problème-là.
5. Kanojo wa anata ni kono mondai o setsumeishimasu.
   Elle t'explique ce problème-ci.

27 EXERCICES

C1 EXERCICES

A. Indiquez la forme d'origine de l'infinitif des verbes suivants. Traduisez-les ensuite en français.

1. します 2. きます 3. やくそくします

B. Traduisez en français.

1. ピエールさん は 毎日 すいえい を します。
2. 山田さん は きょう の 夜 エレーヌさん に 電話 します。
3. かれ は 9時15分まえ に きます。
4. わたしたち は かれ に この もんだい を せつめいします。

C. Traduisez en japonais. (Utilisez la forme polie.)

1. *Eux aussi, ils viennent chez toi (à ta maison).*
2. *Je lui (à elle) présente Mlle Tanaka.*
3. *Il nous pose des questions.*
4. *Elle téléphone tous les jours à M. Yamada.*

C2 CORRIGÉ

A. 1. する *faire* 2. くる *venir*
3. やくそくする *promettre*

B. 1. *Pierre fait de la natation tous les jours.*
2. *Mlle Yamada téléphone ce soir (le soir d'aujourd'hui) à Hélène.*
3. *Il vient à 9 heures moins le quart.*
4. *Nous lui expliquons ce problème.*

C. 1. かれら も あなた の 家 に きます。
2. わたし は かのじょ に 田中さん を しょうかいします。
3. かれ は わたしたち に しつもんします。
4. かのじょ は 毎日 山田さん に 電話します。

C 3 KANJI

▼ kanji ▼ ordre des traits

家

いえ
[ié]

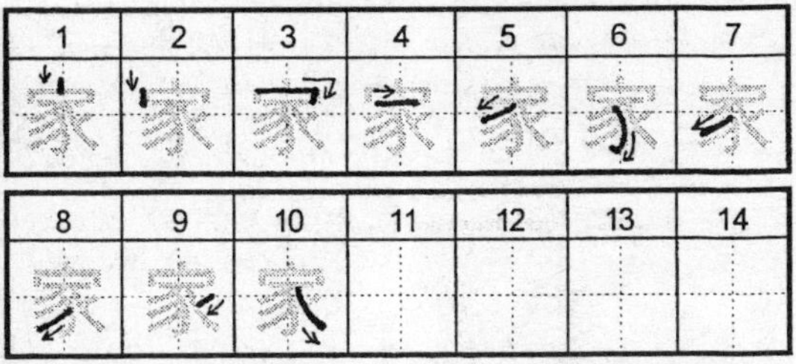

電

でん
[dénn]

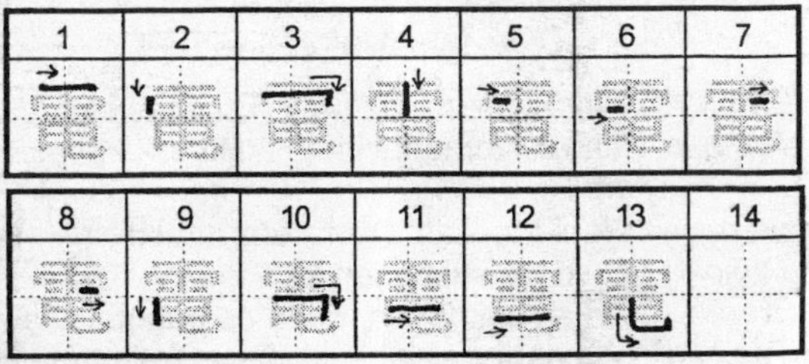

話

わ
[wa]

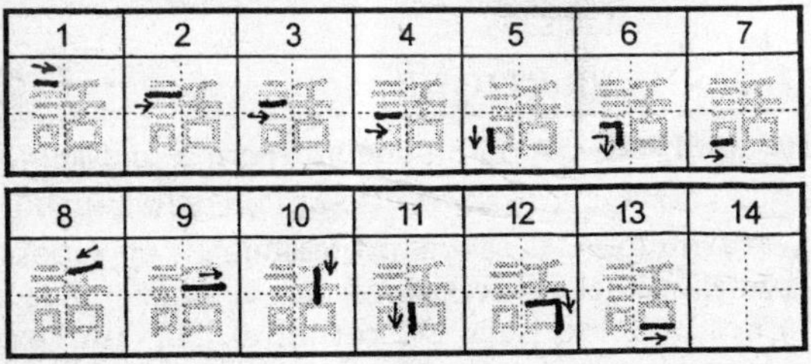

C 4 EXERCEZ-VOUS

家	家	家		
電	電	電		
話	話	話		

家	家	家		
電	電	電		
話	話	話		

D 1 DIALOGUE ●● CD

エレーヌ：ふゆやすみ は 何 を します か。
ともこ　：たぶん 友だち と スキー に いきます。エレーヌさん は？
エレーヌ：何も しません。家 に います。
ともこ　：スキー は しません か。
エレーヌ：あまり　しません。ふゆ　の　スポーツ は にがて です。
ともこ　：わたし　は　だいすき　です。とくに、スケート が とくい です。

Erênu : Fuyu-yasumi wa nani o shimasu ka.
Tomoko : Tabun tomodachi to sukî ni ikimasu. Erênu-san wa ?
Erênu : Nani-mo shimasen. Ie ni imasu.
Tomoko : Sukî wa shimasen ka ?
Erênu : Amari shimasen. Fuyu no supôtsu wa nigate desu.
Tomoko : Watashi wa dai-suki desu. Tokuni, sukêto ga tokui desu.

D 2 VIE PRATIQUE

■ プロスポーツ, puro-supôtsu, *sports professionnels* :

• プロ野球, puro-yakyû, ***base-ball professionnel*** :

Parmi tous les sports professionnels au Japon, le base-ball professionnel est le possesseur de l'histoire la plus longue après le Sumo [voir D4 ci-contre]. Suivant l'exemple de la Major League américaine, il a débuté en 1936, et depuis, ses joueurs font toujours l'admiration des enfants.

• プロゴルフ, puro-gorufu, *golf professionnel* :

Ce sport a été introduit au Japon en 1901 par un Anglais résidant à 神戸, Kôbe, *la ville de Kobe*. En 1924, a vu le jour la fédération japonaise de golf. Le nombre d'amateurs de golf s'élèvent de nos jours à plus de 20 millions de personnes.

• Jリーグ, jê-rîgu, *la J League* :

C'est le nom que porte la division de football professionnel au Japon. En 1993, ce sport, pratiqué jusque-là comme sport d'amateurs, a pris la forme d'un sport professionnel.

D 3 DIALOGUE

Hélène : Que vas-tu faire pendant les vacances d'hiver ?

Tomoko : Je vais peut-être faire du ski avec des amis.
[*lit*. Peut-être, je vais au ski avec des amis.]
Et toi, Hélène ?

Hélène : Je ne ferai rien. Je resterai à la maison.

Tomoko : Ne fais-tu pas de ski ?

Hélène : Je n'en fais pas souvent. Je ne suis pas bonne en sports d'hiver.

Tomoko : Moi, j'adore (les sports d'hiver). Je suis particulièrement bonne en patinage.

❖ **Vocabulaire :**

ふゆ, fuyu, *hiver* に いきます, ni ikimasu, *aller pour*

何も...ません, nani-mo...masen, *(ne)...rien*

います, imasu, *rester ; être* [voir pp.272-273]

あまり...ません, amari...masen, *ne pas beaucoup ; ne pas souvent ; ne pas très*

しません, shimasen, *ne pas faire* [voir pp.230-231]

にがて, nigate, *ne pas être bon (en)* [quasi-adjecti, voir p.69]

とくい, tokui, *être bon (en) ; être fort (en)* [quasi-adjecti]

D 4 CIVILISATION

■ 相撲, Sumô :

Le 相撲, Sumô, est un sport de lutte traditionnelle qui, dans les temps anciens, a été pratiqué comme rites Shinto et agricoles. Il est devenu en 1909 le sport national du Japon, mais il comporte toujours beaucoups d'éléments cérémoniaux d'antan.

Dans un combat du 相撲, Sumô, deux *lutteurs*, 力士, rikishi, ne sont vêtus que d'une espèce de pagne, et se battent jusqu'à ce que l'un fasse sortir par l'autre du ring de 4,45m de diamètre, ou qu'il touche le sol avec n'importe quel partie de son corps.

L'Association japonaise de 相撲, Sumô, organise actuellement, 6 tournois du 相撲, Sumô, par an, qui se déroulent en différents lieux du Japon. Depuis quelques années, on remarque l'augmentation du nombre des lutteurs étrangers et leur bonne prestation.

28 あなた は 来年 アメリカ へ 行きます か。
Anata wa rainen Amerika e ikimasu ka.

A 1 PRÉSENTATION

■ **Kanji**, *idéogramme d'origine chinoise*

kanji	lecture en hiragana	prononc.	signification
来	く／き／らい	[kou]/ [ki] [raï]	*venir*
年	ねん	[nénn]	*an(s)*

■ **Vocabulaire**

来年	rainen	[raïnénn]	*l'an prochain*
来週	raishû	[raïshou:]	*la semaine prochaine*
フランス	Furansu	[fourannsou]	*France*
アメリカ	Amerika	[amérika]	*États-Unis*
ドイツ	Doitsu	[doïtsou]	*Allemagne*
イギリス	Igirisu	[iguirissou]	*Angleterre*
いく	iku	[ikou]	*aller*
へ	e	[é]	*vers ; en* (particule de destination)

■ あなた は 来年 アメリカ へ いきます か。
Anata wa rainen Amerika e ikimasu ka.
toi / - / l'an prochain / États-Unis / à / aller / ?
Iras-tu aux États-Unis l'an prochain ?

A 2 APPLICATION

1. 山田さん は 来年 フランス へ いきます か。
2. エレーヌさん は 来週 イギリス へ でかけます。
3. あなたたち は あした うみ へ いきます か。
4. かのじょ は 来週 ピエールさん の 家 へ 来ます。
5. わたし は 来年 ドイツ へ でかけます。
6. かれら は あした の 朝 わたし の 家 へ 来ます。

A 3 REMARQUES

Prononciation et transcription

- Le kanji 来 se prononce [kou] quand il est employé comme radical (qui porte l'essentiel du sens) de l'infinitif *venir* : 来る, kuru, *venir* (cf. 27A1). Il se dit cependant [ki] quand il est suivi de ます, masu, mot de politesse : 来ます, kimasu, *venir* (cf. 27A1). Quant à sa troisième prononciation [raï], elle apparaît dans 来年, **rai**nen, *l'an prochain* ; 来週, **rai**shû, *la semaine prochaine*.
- La syllabe へ, he, se prononce [é] et s'écrit en rômaji, **e**, quand elle est uitilisée comme particule.

Grammaire

- La particule へ, e, est une particule de destination qui peut remplacer la particule に, ni, si cette dernière indique le lieu où l'on se rend (cf.27A1).

わたし は かれ の 家 へ (に) いきます。 *Je vais chez lui.*
Watashi wa kare no ie e (ni) ikimasu.
moi / - / lui / de / maison / à / aller

- Les verbes associés à ます, masu, peuvent s'employer pour faire une phrase au futur

あなた は 来年 アメリカ へ (に) いきます か。
Anata wa rainen Amerika e (ni) ikimasu ka.
toi / - / l'an prochain / États-Unis / à / aller / ?
Iras-tu aux États-Unis l'an prochain ?

A 4 TRANSCRIPTION ET TRADUCTION

1. Yamada-san wa rainen Furansu e ikimasu ka.
   Mme Yamada ira-t-elle en France l'an prochain ?
2. Erênu-san wa raishû Igirisu e dekakemasu.
   Hélène partira en Angleterre la semaine prochaine.
3. Anatatachi wa ashita umi e ikimasu ka.
   Irez-vous à la mer demain ?
4. Kanojo wa raishû Piêru-san no ie e kimasu.
   Elle viendra chez Pierre la semaine prochaine.
5. Watashi wa rainen Doitsu e dekakemasu.
   Je partirai en Allemagne l'an prochain.
6. Karera wa ashita no asa watashi no ie e kimasu.
   Ils viennent chez moi (à ma maison) demain matin.

28 わたしたち は あまり かのじょ に 会いません。
Watashitachi wa amari kanojo ni aimasen.

B1 PRÉSENTATION

■ **Kanji**, *idéogramme d'origine chinoise*

kanji	lecture en hiragana	prononciation	signification
会	あ	[a]	*voir* *rencontrer*

- 会, a, est le radical du verbe *voir, rencontrer* : 会う, au.

■ **Vocabulaire**

ふね	fune	*bateau(x)*
ちかてつ	chikatetsu	*métro(s)*
あまり	amari	(ne...pas) *souvent* (cf. 18B1)
ぜんぜん	zenzen	(ne...pas) *du tout*
会う	au	*voir ; rencontrer*
のる	noru	*prendre* (le bus/le train)
はたらく	hataraku	*travailler*
そうじする	sôjisuru	*faire le ménage*
ません	masen	(forme négative au présent ou au futur de ます, masu)

■ わたしたち は あまり かのじょ に 会いません。
watashitachi wa amari kanojo ni aimasen.
nous / - / *souvent* / *elle* / - / *ne pas voir*
Nous ne la voyons pas souvent.

B2 APPLICATION ●● CD

1. かれ は ぜんぜん はたらきません。
2. 田中さん は あまり ちかてつ に のりません。
3. わたし は ぜんぜん そうじしません。
4. かれら は 来週 山田さん に 会いません。
5. かのじょたち は あまり ふね に のりません。

B 3 REMARQUES

Grammaire

- Si l'on remplace ます, masu, par ません, masen [masénn], on obtient la phrase négative au présent ou au futur.

わたし　は　はたらきません。　*Je ne travaille pas.*
watashi wa hatarakimasen.
moi / - / ne pas travailler

かれ は あした はたらきません。 *Il ne travaille pas demain.*
Kare wa ashita hatarakimasen.
lui / - / demain / ne pas travailler

Remarques :

1. La terminaison des verbes devant ません, masen, est la même que celle devant ます, masu.
2. Les verbes attachés à ません, masen, ne varient ni en personne, ni en nombre.

- Les verbes transitifs français ne trouvent pas toujours leur correspondant dans les verbes transitifs japonais, ce qui est le cas pour 会う, au, *voir*, et のる, noru, *prendre (le bus...)*. Ces deux verbes ont besoin de に, ni, et non pas を, o, qui indique le complément d'objet direct des verbes transitifs.

わたし は かれ に 会いません。 Watashi wa kare **ni** aimasen.
moi / - / lui / - / ne pas voir

かれ は ふね に のりません。 Kare wa hune ni norimasen.
lui / - / bateau / - / ne pas prendre

B 4 TRANSCRIPTION ET TRADUCTION

1. Kare wa zenzen hatarakimasen.
Il ne travaille pas du tout.
2. Tanaka-san wa amari chikatetsu ni norimasen.
Monsieur Tanaka ne prend pas souvent le métro.
3. Watashi wa zenzen sôjishimasen.
Je ne fais pas du tout le ménage.
4. Karera wa raishû Yamada-san ni aimasen.
Ils ne verront pas M.(Mme / Mlle) Yamada la semaine prochaine.
5. Kanojotachi wa amari fune ni norimasen.
Elles ne prennent pas souvent le bateau.

28 EXERCICES

C 1 EXERCICES ●● CD

A. Indiquez la forme d'origine de l'infinitif des verbes suivants. Traduisez-les ensuite en français.

1. いきます　2. 会います　3. はたらきます
4. そうじします　5. のります　6. 来ます（きます）

B. Traduisez en français.

1. かのじょ　は　来年　イギリス　へ　いきます。
2. わたし　は　毎日　そうじしません。
3. わたしたち　は　あまり　ピエールさん　に　会いません。
4. かれ　は　ぜんぜん　ワイン　を　のみません。

C. Traduisez en japonais. (Utilisez la forme polie.)

1. *Mme Tanaka n'ira pas l'an prochain en Allemagne.*
2. *Je ne mange pas du tout de fromage.*
3. *Ils ne travaillent pas beaucoup.*
4. *Elle prend souvent le bateau.*
5. *Nous partirons aux États-Unis la semaine prochaine.*

C 2 CORRIGÉ

A.
1. いく *aller*　2. 会う *voir*
3. はたらく *travailler*　4. そうじする *faire le ménage*
5. のる *prendre*　6. 来る（くる） *venir*

B.
1. *Elle ira l'an prochain en Angleterre.*
2. *Je ne fais pas le ménage tous les jours.*
3. *Nous ne voyons pas souvent Pierre.*
4. *Il ne boit pas du tout de vin.*

C.
1. 田中さん　は　来年　ドイツ　へ　いきません。
2. わたし　は　ぜんぜん　チーズ　を　たべません。
3. かれら　は　あまり　はたらきません。
4. かのじょ　は　よく　ふね　に　のります。
5. わたしたち　は　来週　アメリカ　へ　でかけます。

C 3 KANJI

▼ kanji ▼ ordre des traits

来

く [kou]
き [ki]
らい [raï]

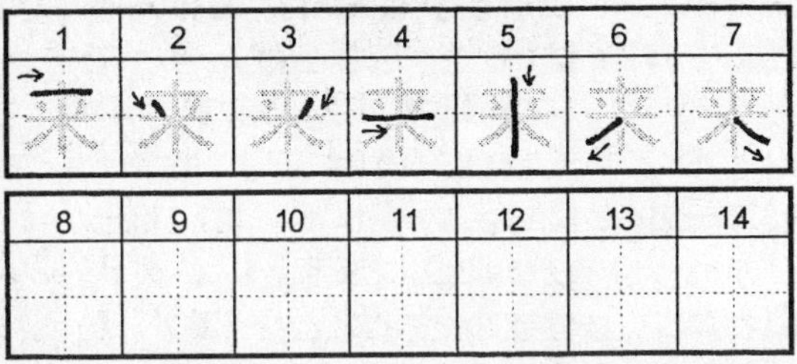

年

ねん
[nénn]

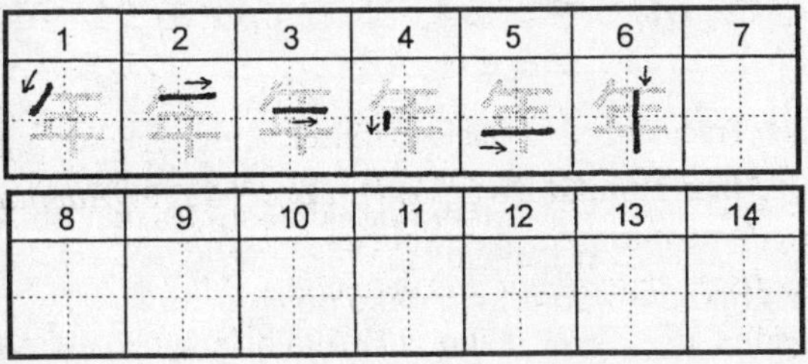

会

あ
[a]

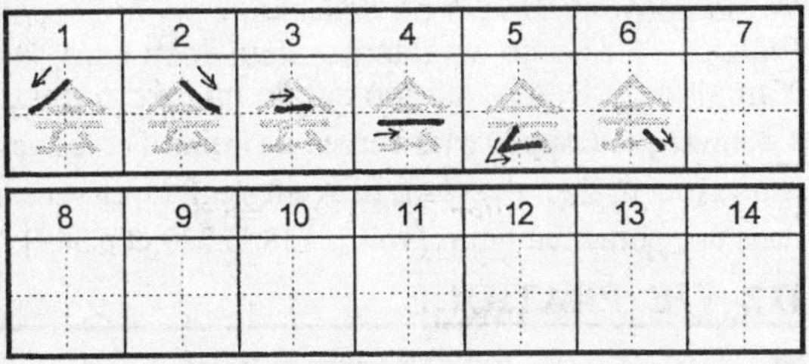

C 4 EXERCEZ-VOUS

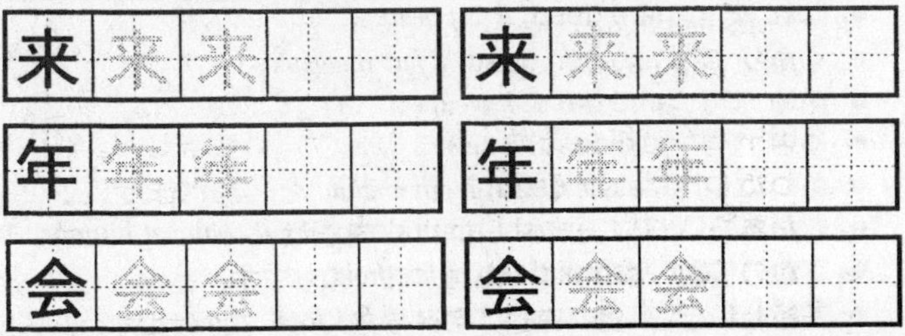

28 DIALOGUE / VIE PRATIQUE / CIVILISATION

D 1 DIALOGUE (CD)

山　本　：ごりょうしん は おげんき です か。
ピエール：はい、とても げんき です。来年 の なつ 日本 に 来ます*。
山　本　：それ は いい です ね。
ピエール：はい。いっしょ に ほっかいどう を りょこうします*。
山　本　：きょうと は どう です か？
ピエール：きょうと は とても あつい です から、いきません*。
山　本　：でも、とても すてき な ところ です。

Yamamoto : Go-ryôshin wa o-genki desu ka.
Piêru : Hai, totemo genki desu. Rainen no natsu Nihon ni kimasu.*
Yamamoto : Sore wa ii desu ne.
Piêru : Hai. Issho ni Hokkaidô o ryokô shimasu.*
Yamamoto : Kyôto wa dô desu ka.
Piêru : Kyôto wa totemo atsui desu kara, ikimasen.*
Yamamoto : Demo, totemo suteki na tokoro desu.

* **Remarque** (rappel) : les verbes à l'infinitif et les verves en ます, masu (ou ません, masen), peuvent s'employer sans modification, dans une phrase au futur. [voir p.138, p.229 et p.349]

D 2 VIE PRATIQUE

■ 天気, てんき, tenki, *le temps qu'il fait* :
- いい てんき です, ii tenki desu, *il fait du beau temps.*
- はれ です, hare desu, *il fait beau.*
- くもり です, kumori desu, *il fait nuageux.*
- あめ です, ame desu, *il pleut.*
- ゆき です, yuki desu, *il neige .*
- あつい です, atsui desu, *il fait chaud.*
- むしあつい です, mushi-atsui desu, *il fait chaud et humide.*
- さむい です, samui desu, *il fait froid.*
- すずしい です, suzushii desu, *il fait frais.*
- あたたかい です, atatakai desu, *il fait doux.*

D 3 DIALOGUE

Yamamoto : Vos parents vont-ils bien ?
Pierre : Oui, ils vont très bien. L'été prochain [*lit.* L'été de l'année prochaine], ils viendront au Japon.
Yamamoto : C'est bien !
Pierre : Oui. Nous voyagerons ensemble à Hokkaido.
Yamamoto : Vous n'irez pas à Kyôto ? [*lit.* Que pensez-vous de Kyôto ?]
Pierre : Comme il fait très chaud à Kyoto, nous n'irons pas.
Yamamoto : Mais c'est une ville admirable. [*lit.* Mais, c'est un lieu admirable].

❖ **Vocabulaire :**

ご（りょうしん）, go (-ryôshin), [préfixe de politesse]
りょうしん, ryôshin, *parents*
お（げんき）, o (-genki), [préfixe de politesse]
なつ, natsu, *été*　　いっしょ に, issho ni, *ensemble*
ほっかいどう, Hokkaidô, *île de Hokkaidô*
りょこうします, ryokô-shimasu, *voyager*
きょうと, Kyôto, *ville de Kyoto*
すてき, suteki, *beau ; admirable ; excellant* [quasi-adjectif]
ところ, tokoro, *endroit ; lieu ; place*

D 4 CIVILISATION

■ 最高裁判所, Saikô-saibansho, *la Cour Suprême* :

Dans le système de *séparation tripartite*, 三権分立, sanken-bunritsu, le *pouvoir judiciaire*, 司法, shihô, est dévolu à une cour suprême semblable à celle des États-Unis.

Le *gouvernement*, 政府, seifu, nomme les membres de la *Cour Suprême*, 最高裁判所, Saikô-saibansho, qui seront en-suite ratifiés par le *peuple*, 国民, kokumin, lors des premières *élections*, 選挙, senkyo, qui suivent leur nomination. Cette procédure se révèlera cependant purement symbolique.

La *Cour Suprême*, 最高裁判所, Saikô-saibansho, juge en dernière instance au civil ainsi qu'au criminel, et statue sur la constitutionnalité des lois ou d' autres actes des pouvoirs publics.

29 かれ は おととい 林さん と しょくじしました。
Kare wa ototoi Hayashi-san to shokujishimashita.

A 1 PRÉSENTATION

■ **Kanji**, *idéogramme d'origine chinoise*

kanji	lecture en hiragana	prononc.	signification
林	はやし	[hayashi]	*bois*
森	もり	[mori]	*forêt*

■ **Vocabulaire**

林	Hayashi	*Hayashi* (nom de famille)
森田	Morita	*Morita* (nom de famille)
パーティー	pâtî [pa:ti:]	*fête ; soirée*
しょくじ	shokuji	*repas*
しょくじする	shokujisuru	*manger*
けっこん	kekkon [kék'konn]	*mariage*
けっこんする	kekkonsuru	*se marier*
りょこうする	ryokôsuru	*voyager*
あそぶ	asobu [assobou]	*s'amuser*
と	to	*avec* (particule)
ました	mashita [mash'ta]	(forme affirmative au passé de ます, masu)

■ かれ は おととい 林さん と しょくじしました。
Kare wa ototoi Hayashi-san to shokujishimashita.
lui / - / avant-hier / Mme Hayashi / avec / avoir mangé
Avant-hier il a mangé avec Mme Hayashi.

A 2 APPLICATION ●● CD

1. 林さん は 友だち と りょこうしました。
2. わたしたち は かれら と あそびました。
3. 森田さん は あなたたち と りょこうしました か。
4. かのじょ は 林さん と ダンス を しました。
5. 田中さん は 山田さん と けっこんしました。
6. 森田さん は かれら と パーティー を しました。

A 3 REMARQUES

■ Prononciation

- Dans la pratique ました, mashita, se prononce [mash'ta].

■ Grammaire

- En remplaçant ます, masu, par ました, mashita, on obtient la forme affirmative au passé des verbes : la terminaison des verbes devant ました, mashita, est la même que celle davant ます, masu.

あそびます *s'amuser* ➡ あそびました *s'être amusé*
asobimasu asobimashita

- Les verbes associés à ました, mashita, ne varie ni en personne, ni en nombre.
- On a vu dans la leçon 5A la particule と, to, *et*, comme particule de la liaison entre les noms. Dans cette leçon, elle est employée pour indiquer le partenaire : elle se traduit par *avec*.

わたし は かれ と ダンス を しました。
Watashi wa kare **to** dansu o shimashita.
moi / - / lui / ***avec*** */ danse / - / avoir fait*
J'ai dansé avec lui.

Remarque : de façon générale, le mot suivi de と, to, se place juste après la particule は, wa.

- L'expression しょくじする, shokujisuru, correspond au verbe intransitif *manger*.

A 4 TRANSCRIPTION ET TRADUCTION

1. Hayashi-san wa tomodachi to ryokôshimashita.
   Mlle Hayashi a voyagé avec des amis.
2. Watashitachi wa karera to asobimashita.
   Nous nous sommes amusés avec eux.
3. Morita-san wa anatatachi to ryokôshimashita ka.
   Mme Morira a-t-elle voyagé avec vous ?
4. Kanojo wa Hayashi-san to dansu o shimashita.
   Elle a dansé avec M.Hayashi.
5. Tanaka-san wa Yamada-san to kekkonshimashita.
   Mlle Tanaka s'est mariée avec M.Yamada.
6. Morita-san wa karera to pâtî o shimashita.
   M.Morita a fait une fête avec eux.

29 森田さん　は　きのう　休みませんでした
Morita-san wa kinô yasumimasendeshita.

B 1 PRÉSENTATION

■ **Kanji**, *idéogramme d'origine chinoise*

kanji	lecture en hiragana	prononciation	signification
休	やす	[yassou]	*se reposer*

- 休, yasu, est le radical du verbe *se reposer* : 休む, yasumu.

■ **Vocabulaire**

ニュース	nyûsu [nyou:ss]	*nouvelle ; informations*
コンピューター	konpyûtâ	*ordinateur(s)*
しゅっぱつ	shuppatsu	*départ*
しゅっぱつする	shuppatsusuru	*partir*
つかう	tsukau	*utiliser*
かえる	kaeru	*rentrer* (chez soi)
わすれる	wasureru	*oublier*
休む	yasumu	*se reposer ; s'absenter*
ませんでした	masendeshita [massénn'désh'ta] (forme négative au passé de ます, masu)	

■ 森田さん　は　きのう　休みませんでした。
Morita-san wa kinô yasumimasendeshita.
Morita / Mlle / - / hier / ne pas s'être reposé
Mlle Morita ne s'est pas reposée hier.

B 2 APPLICATION ●● CD

1. わたし　は　4時　に　しゅっぱつしませんでした。
2. 林さん　は　コンピューター　を　つかいませんでした。
3. 田中さん　は　おととい　休みませんでした。
4. わたしたち　は　じてんしゃ　を　つかいませんでした。
5. かんじょ　は　夜　の　9時　に　かえりませんでした。
6. 森田さん　は　この　ニュース　を　わすれませんでした。

B 3 REMARQUES

Grammaire

● Quand il s'agit de la forme négative au passé des verbes, ませんでした, masendeshita, remplace ます, masu, en gardant la terminaison des verbes devant ます, masu.

つかいます	tsukaimasu	*utiliser*
つかいませんでした	tsukaimasendeshita	*ne pas avoir utilisé*

● Comme avec ます, masu, ません, masen, ou ました, mashita, les verbes avec ませんでした, masendeshita, ne varient ni en personne, ni en nombre.

● かえる, kaeru, *rentrer*, voit sa terminaison る, ru, se transformer en り, ri, c'est donc un verbe d'exception dans la mesure où il ne suit pas le principe selon lequel la terminaison る, ru, de l'infinitif disparaît devant ます, masu, si la syllabe qui la précède est une syllabe soit en **e**, soit en **i** (voir 26 B3).

かえる	→	かえります	→	かえりませんでした
kaeru		kaerimasu		kaerimasendeshita
rentrer		*rentrer*		*ne pas être rentré*

● Par contr, わすれる, wasureru, *oublier*, suit la règle générale (le signe □ indique la disparition de る, ru) :

わすれる	→	わす<u>れ</u>□ます	→	わす<u>れ</u>□ませんでした
wasureru		wasure □ masu		wasure □ masendeshita
oublier		*oublier*		*ne pas avoir oublié*

B 4 TRANSCRIPTION ET TRADUCTION

1. Watashi wa yoji ni shuppatsushimasendeshita.
   Je ne suis pas parti(e) à quatre heures.
2. Hayashi-san wa konpyûtâ o tsukaimasendeshita.
   M.Hayashi n'a pas utilisé d'ordinateur.
3. Tanaka-san wa ototoi yasumimasendeshita.
   Mlle Tanaka ne s'est pas reposée avant-hier.
4. Watashitachi wa jitensha o tsukaimasendeshita.
   Nous n'avons pas utilisé de bicyclette.
5. Kanojo wa yoru no kuji ni kaerimasendeshita.
   Elle n'est pas rentrée à neuf heures du soir.
6. Morita-san wa kono nyûsu o wasuremasendeshita.
   Mme Morita n'a pas oublié ces nouvelles-ci.

29 EXERCICES

C 1 EXERCICES ●● (CD)

A. Traduisez en français.

1. 森田さん　は　わたし　と　しょくじしました。
2. かれ　は　きのう　パーティー　に　いきませんでした。
3. 林さん　は　かのじょ　と　りょこうしました。
4. ピエールさん　は　おととい　友だち　と　あそびませんでした。
5. かのじょたち　は　フランス　へ　しゅっぱつしました。

B. Traduisez en japonais. (Utilisez la forme polie.)

1. *Je n'ai pas utilisé l'ordinateur de M.Yamada.*
2. *Hélène a oublié son (le) rendez-vous.*
3. *Je me suis reposé(e) hier.*
4. *M. Hayashi s'est marié avec Mlle Morita.*

C 2 CORRIGÉ

A.
1. *Mme Morita a mangé avec moi.*
2. *Hier, il n'est pas allé à la soirée.*
3. *Mlle Hayashi a voyagé avec elle.*
4. *Pierre ne s'est pas amusé avant-hier avec des amis.*
5. *Elles sont parties pour la France.*

B.
1. わたし　は　山田さん　の　コンピューター　を　つかいませんでした。
2. エレーヌさん　は　やくそく　を　わすれました。
3. わたし　は　きのう　休みました。
4. 林さん　は　森田さん　と　けっこんしました。

C 3 KANJI

▼ kanji ▼ ordre des traits

休

やす
[yassou]

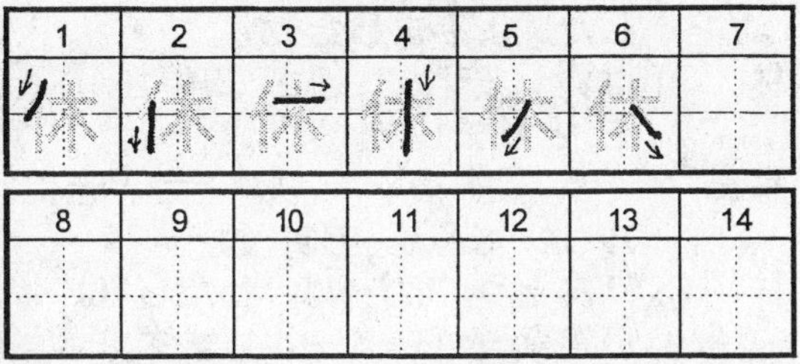

林

はやし
[hayashi]

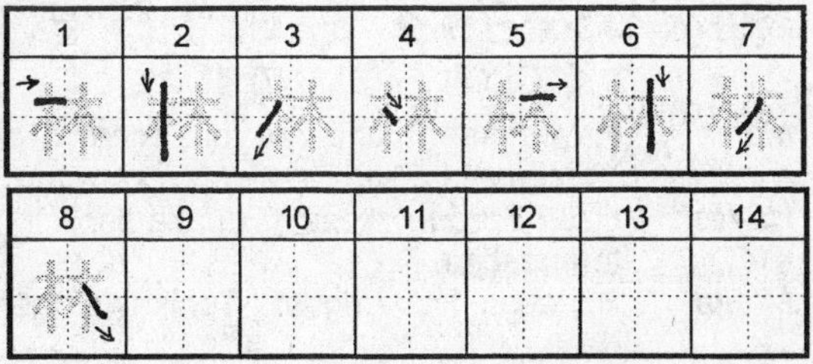

森

もり
[mori]

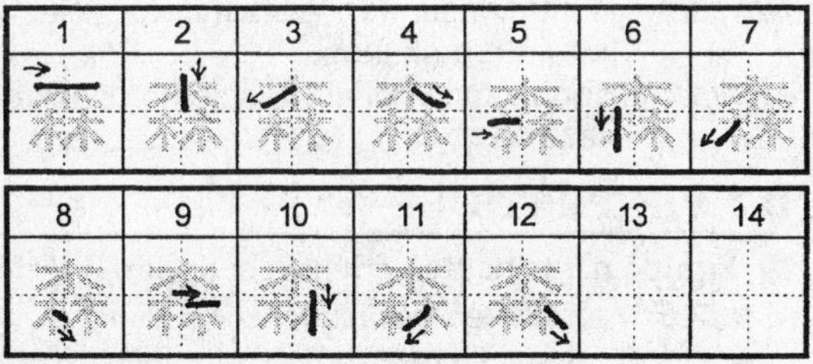

C 4 EXERCEZ-VOUS

休	休	休			休	休	休		
林	林	林			林	林	林		
森	森	森			森	森	森		

D 1 DIALOGUE

森田 : 林さん、きのう の 夜 メール を おくりました。よみました か。

林 : はい 。それで けさ 田中さん と れんらく を とりました。

森田 : そう です か。ありがとう。とにかく、メール は べんり です ね。

林 : ほんとう です ね。わたし は よく けいたい電話 から メールします。

森田 : コンピュータ と けいたい は しごと に なくてはならない です ね。

Morita : Hayashi-san, kinô no yoru mêru o okurimashita. Yomimashita ka.

Hayashi : Hai. Sorede kesa Tanaka-san to renraku o torimashita.

Morita : Sô desu ka. Arigatô. Tonikaku, mêru wa benri desu ne.

Hayashi : Hontô desu ne. Watashi wa yoku keitai-denwa kara mêru-shimasu.

Morita : Konpyûta to keitai wa shigoto ni nakutewa naranai desu ne.

D 2 VIE PRATIQUE

■ Équipements hautes-fidélités et appareils informatiques :

- ステレオ, sutereo, *chaîne stéréo*
- ＤＶＤ, dî-bui-dî, *DVD*
- ＣＤプレーヤー, shîdî-purêyâ, *lecteur de CD*
- ＣＤ（コンパクトディスク）, shîdî (konpakuto-disuku), *CD (disque compact)*
- ＣＤＲｏｍ, shîdî-romu, *CDRom*
- ＭＤ（ミニディスク）, emudî (mini-disuku), *MD*
- ソフト(ウェア), sofuto(uea), *logiciel*
- ゲームソフト, gêmu-sofuto, *logiciel de jeu*
- インターネット, intânetto, *internet*
- インターネット に せつぞくする, intânetto ni setsuzoku-suru, *se connecter sur internet*

D 3 DIALOGUE

Morita : Monsieur Hayashi, je vous ai envoyé hier soir un courrier électronique. Vous l'avez lu ?

Hayashi : Oui. Alors, j'ai contacté ce matin Monsieur Tanaka.

Morita : Ah oui ? Merci. En tout cas, le courrier électronique est pratique, n'est-ce pas ?

Hayashi : C'est vrai ! Moi, j'en envoie souvent à partir de mon téléphone portable.

Morita : L'ordinateur et le téléphone portable sont indispensables pour le travail, n'est-ce pas ?

❖ **Vocabulaire :**

メール, mêru, *courrier électronique*

メールする, mêrusuru, *envoyer le courrier électronique*

おくりました, okurimashita, *avoir envoyé*

よみました, yomimashita, *avoir lu*

それで, sorede, *alors ; c'est pourquoi*

けさ, kesa, *ce mation*

れんらく, renraku, *contact*

とりました, torimashita, *avoir pris*

とにかく, tonikaku, *en tout cas*

なくてはならない, nakutewanaranai, *indispensable*

D 4 CIVILISATION

■ そろばん, soroban, *le boulier* :

そろばん, soroban, est une machine à calculer (environ 40 cm de longueur sur 8 cm de largeur) avec plusieurs dizaines de rangées de 5 ou 7 boules. Il a été introduit de Chine.

Dans les années 1960, le boulier était à la mode et beaucoup d'enfants fréquentaient les cours privés de boulier. Mais l'apparition de la calculatrice de poche éloigna petit à petit les gens du boulier. Et il finit par perdre complètement sa popularité.

Cependant, depuis la publication de l'étude scientifique qui parle de l'efficacité du boulier pour le développement du cerveau droit, cet appareil traditionnel est en train de regagner du terrain. Aujourd'hui, il y a même des écoles à l'étranger qui adoptent l'enseignement du boulier.

30 わたし は 海 が たいへん すき です。
Watashi wa umi ga taihen suki desu.

A 1 PRÉSENTATION

■ **Kanji**, *idéogramme d'origine chinoise*

kanji	lecture en hiragana	prononc.	signification
川	かわ	[kawa]	*rivière(s)* (cf.5B1)
海	うみ	[oumi]	*mer(s)* (cf.5B1)

■ **Vocabulaire**

ぶどう	budô [boudo:]	*raisin(s)*
メロン	meron [méronn]	*melon(s)*
バナナ	banana	*banane(s)*
ピアノ	piano	*piano(s)*
ギター	gitâ [guita:]	*guitare(s)*
フルート	furûto [fourou:to]	*flute(s)*
たいへん	taihen [taïhénn]	*très ; beaucoup*
すき です	suki desu [souki déss]	*aimer*
が	ga	(particule)

■ わたし は 海 が たいへん すき です。
Watashi wa umi ga taihen suki desu.
moi / - / mer / - / beaucoup / aimer (préféré / être)
J'aime beaucoup la mer.

A 2 APPLICATION ●● CD

1. 森田さん は 山 や 川 が すき です。
2. かのじょ は ぶどう と メロン が すき です。
3. 林さん は ギター が たいへん すき です。
4. かれ は ピアノ が たいへん すき です。
5. わたし は いちご や バナナ が たいへん すき です。
6. 田中さん は フルート と ピアノ が たいへん すき です。

A 3 REMARQUES

Grammaire

● Le verbe à l'infinitif peut marquer la politesse, quand il s'associe avec ます, masu (cf.25A1) ; ce dernier n'est pourtant pas nécessaire pour です, desu, *être*, qui contient déjà en fait cette notion.

● Pour expliquer ce qu'on aime, ou la personne qu'on aime, on a ici la construction suivante :

objet (personne) qu'on aime	+	が ga	+	すき です suki desu

バナナ が すき です — *aimer la banane*
banana ga suki desu
banane / - / aimer (préféré / être)

Remarque :

1. すき, suki, *préféré*, est un quasi-adjectif (cf. 14A1) qui se traduit en français comme un verbe, quand il s'attache à です, desu, *être* : すき です, suki desu, *aimer*.
2. が, ga, est une particule indispensable pour introduire l'objet (la personne) qu'on aime, mais il n'est pas traduit en français.

● De façon générale, l'adverbe たいへん, taihen, *beaucoup*, se place juste avant すき, suki : たいへん すき です, **taihen** suki desu, *aimer* ***beaucoup***.

A 4 TRANSCRIPTION ET TRADUCTION

1. Morita-san wa yama ya kawa ga suki desu.
   M. Morita aime la montatgne et la rivière (entre autres).
2. Kanojo wa budô to meron ga suki desu.
   Elle aime le raisin et le melon.
3. Hayashi-san wa gitâ ga taihen suki desu.
   Mme Hayashi aime beaucoup la guitare.
4. Kare wa piano ga taihen suki desu.
   Il aime beaucoup le piano.
5. Watashi wa ichigo ya banana ga taihen suki desu.
   J'aime beaucoup la fraise et la banane (entre autres).
6. Tanaka-san wa furûto to piano ga taihen suki desu.
   M. Tanaka aime beaucoup la flûte et le piano.

30 ミッシェルさん は えいが を 見る の が すき です。
Missheru-san wa eiga o miru no ga suki desu.

B 1 PRÉSENTATION

■ **Kanji**, *idéogramme d'origine chinoise*

kanji	lecture en hiragana	prononciation	signification
見	み	[mi]	*regarder; voir* (cf.24B1)
車	くるま しゃ	[kourouma] [sha]	*voiture(s) ; roue(s)* *véhicule(s)*(cf.24B1)

- 見, mi, est le radical du verbe *regarder* : 見る, miru. (cf.24B1)

■ **Vocabulaire**

ミッシェル	Missheru [mis'shérou]	*Michel*
トランペット	toranpetto [torampét'to]	*trompette(s)*
バイオリン	baiorin [baïorinn]	*violon(s)*
電車	densha [dénnsha]	*train*
およぐ	oyogu [oyogou]	*nager*
うたう	utau [outaou]	*chanter*
うんてん	unten [ounnténn]	*conduite* (d'une voiture)
うんてんする	untensuru	*conduire* (un véhicule)
ひく	hiku [hikou]	*jouer (d'un instrument à cordes)*
ふく	fuku [foukou]	*jouer* (d'un instrument à vent)

■ ミッシェルさん は えいが を 見る の が すきです。
Missheru-san wa eiga o miru no ga suki desu.
Michel / Mme / - / film / - / voir / - / - / aimer
Mme Michel aime voir un film.

B 2 APPLICATION ●● (CD)

1. わたし は 電車 に のる の が すきです。
2. 森田さん は うたう の が すきです。
3. かれ は トランペット を ふく の が すきです。
4. 林さん は 車 を うんてんする の が すきです。
5. かんじょ は バイオリン を ひく の が すきです。
6. 山田さん は およぐ の が すきです。

B 3 REMARQUES

Prononciation

● Le kanji 車 se prononce [sha], quand il est employé dans le mot 電車, den**sha**, *train.*

Grammaire

● Rappel : suivi de すきです, suki desu, *aimer*, la particule が, ga, indiquait l'objet (la particule) qu'on aime.

cette même particule peut indiquer ce qu'on aime faire selon le schéma suivant :

ce qu'on aime faire	+	の no	+	が ga	+	すきです suki desu

えいが を 見る の が すきです *aimer voir un film*
eiga o miru no ga suki desu
film / - / voir / - / - / aimer

Remarques :

1. "Ce qu'on aime faire" est composé d'un infinitif présent et de son complément.
2. Contrairement au français, l'infinitif japonais ne peut pas s'employer comme nom. La particule が, ga, ne s'associant qu'avec un nom, il faut introduire la particule の, no, dont le rôle est ici de transformer l'infinitif en nom ; la particule の, no, n'est pas traduite en français.

● Le verbe *jouer* doit se traduire ひく, hiku, quand il s'agit d'un instrument à cordes, et ふく, fuku, quand il s'agit d'un instrument à vent.

B 4 TRANSCRIPTION ET TRADUCTION

1. Watashi wa densha ni noru no ga suki desu.
   J'aime prendre le train.
2. Morita-san wa utau no ga suki desu. *M.Morita aime chanter.*
3. Kare wa toranpetto o fuku no ga suki desu.
   Il aime jouer de la trompetto.
4. Hayashi-san wa kuruma o untensuru no ga suki desu.
   Mlle Hayashi aime conduire une voiture.
5. Kanojo wa baiorin o hiku no ga suki desu.
   Elle aime jouer du violon.
6. Yamada-san wa oyogu no ga suki desu.
   M.Yamada aime nager.

C1 EXERCICES ●● CD

A. Traduisez en français.

1. あなたたち も 海 が すきです か。
2. 森田さん は あまい もの が とても すきです。
3. かれ は おもしろい はなし が すきです。
4. かのじょ は いぬ や ねこ が たいへん すきです。
5. 林さん は レストラン へ いく の が すきです。
6. あなた は ひこうき に のる の が すきですか。

B. Traduisez en japonais.

1. *Il aime le train.*
2. *Mme Tanaka aime jouer de la flûte.*
3. *Nous aimons conduire une voiture.*
4. *Est-ce que tu aimes Paris ?*
5. *Oui, j'aime beaucoup Paris.*

C2 CORRIGÉ

A.
1. *Aimez-vous aussi la mer ?*
2. *Mme Morita aime beaucoup les sucreries (choses sucrées).*
3. *Il aime les histoires intéressantes (drôles).*
4. *Elle aime beaucoup les chiens et les chats (entre autres).*
5. *Mlle Hayashi aime aller au restaurant.*
6. *Aimes-tu prendre l'avion ?*

B.
1. かれ は 電車 が すきです。
2. 田中さん は フルート を ふく の が すきです。
3. わたしたち は 車 を うんてんする の が すきです。
4. あなた は パリ が すき です か。
5. はい、わたし は パリ が すきです。

C 3 KANJI

▼ **kanji** ▼ **ordre des traits**

川
かわ
[kawa]

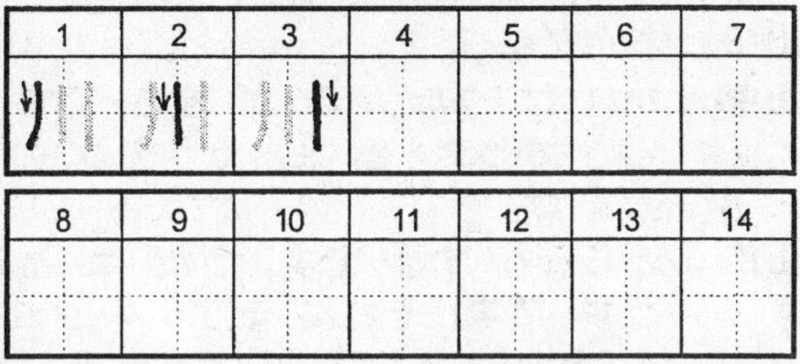

海
うみ
[oumi]

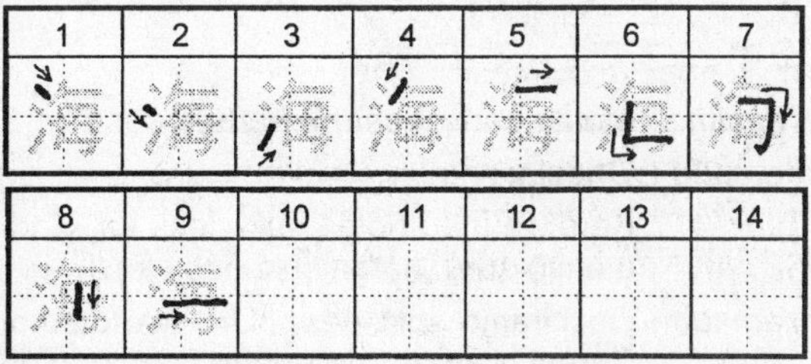

見
み
[mi]

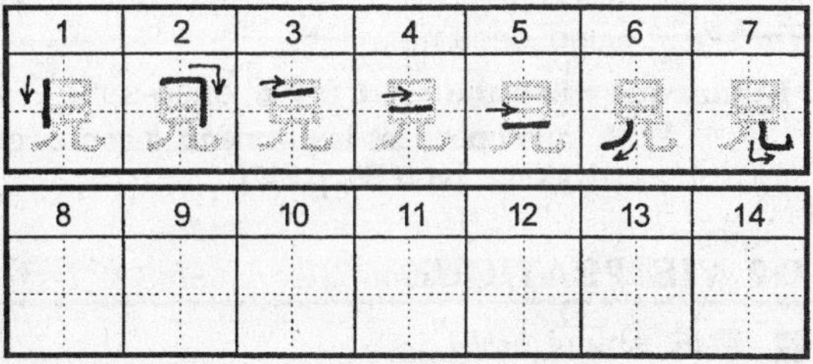

C 4 EXERCEZ-VOUS

川	川	川			川	川	川		
海	海	海			海	海	海		
見	見	見			見	見	見		

D 1 DIALOGUE ●● CD

田中 ：森田さん の しゅみ は 何 です か。

山田 ：おんがく です。

田中 ：かれ は うたう の が すき です か。それ とも がっき を えんそうする* の が すき です か。

山田 ：どちらも すき です。うた は とても じょうず です。それに ピアノ と トランペット と バイオリン が できます。

田中 ：すごい です ね。

Tanaka : Morita-san no shumi wa nan desu ka.

Yamada : Ongaku desu.

Tanaka : Kare wa utau no ga suki desu ka. Soretomo gakki o ensô-suru*no ga suki desu ka.

Yamada : Dochiramo suki desu. Uta wa totemo jôzu desu. Soreni piano to toranpetto to baiorin ga dekimasu.

Tanaka : Sugoi desu ne.

***Remarque :** Le verbe えんそうする, ensô-suru, *jouer*, s'emploie aussi pour les instruments à cordes que pour ceux à vent. [voir B3, p.247]

D 2 VIE PRATIQUE

■ 趣味, shumi, *hobby* :

- かぶき を 見る, Kabuki o miru, *voir le Kabuki*. [voir D4, p.285]
- はいく を つくる, haiku o tsukuru, *composer un haiku* [voir D4, p.285]
- じゅうどう を ならう, jûdô o narau, *apprendre le judo*. [voir D2, p.260]
- 花びん に 花 を いける, kabin ni hana o ikeru, *arranger des fleurs dans un vase*. [voir D4, p.301]
- え を かく, e o kaku, *faire de la peinture ; peindre ; dessiner*
- しゃしん を とる, shashin o toru, *prendre des photos*
- つり を する, tsuri o suru, *pêcher à la ligne*

D 3 DIALOGUE

Tanaka : Quel est le hobby de Monsieur Morita ?

Yamada : C'est la musique.

Tanaka : Aime-t-il chanter ou jouer d'un instrument de musique ?

Yamada : Les deux. Il chante très bien. De plus, il sait jouer du piano, de la trompette et du violon.

Tanaka : C'est extraordinaire !

❖ **Vocabulaire :**
しゅみ, shumi, *hobby*
それとも, soretomo, *ou bien*
がっき, gakki, *instrument de musique*
えんそうする, ensô-suru, *jouer*(d'un instrument de musique)
どちらも, dochira mo, *les deux ; l'un et l'autre*
うた, uta, *chanson*
じょうず, jôzu, *bon ; habile ; adroit*
できる, dekiru, *être capable ; savoir faire* [voir pp.326-327]
すごい, sugoi, *extraordinaire ; terrible*

D 4 CIVILISATION

■ 邦楽, hôgaku, *musique japonaise* :

邦楽, hôgaku, peut désigner l'ensemble de musique japonaise. Mais, lorsqu'on dit 邦楽, hôgaku, cela indique plutôt la musique japonaise traditionnelle constituée avant l'époque de **Meiji**. Celle-ci se divise en plusieurs catégories en fonction des milieux sociaux où elle s'est développée. Par exemple, 雅楽, gagaku, *musique de la court*, s'est élaboré chez les *aristocrates*, 貴族, kizoku, et la musique 能, Nô, dans la classe des *guerriers*, 武士, bushi. Ces musiques se sont dans la plupart établies en association avec le théâtre ou la danse traditionnels.

■ 三味線, shamisen :

Le 三味線, shamisen, est un instrument de musique importé de Chine dans la deuxième moitié du 16e siècle. C'est un instrument à trois cordes qui a la forme d'une guitare. Carré et légèrement bombé, son corps est recouvert d'une peau de chat et prolongé d'un manche de près d'un mètre.

❖ *Prononcez les phrases japonaises, en complétant avec a, b, c ou d. (Il y a une seule bonne réponse par question.)*

21. Il est quatre heures.

（　）時 です。

a) よん　　c) よ

b) し　　d) ご

22. Elle écoute la radio.

かのじょ は ラジオ（　）きく。

a) が　　c) へ

b) を　　d) に

23. Il voit un ami.

かれ は 友だち（　）会います。

a) は　　c) に

b) へ　　d) を

24. Je vous ai téléphoné hier.

わたし は きのう あなた（　）電話しました。

a) に　　c) が

b) を　　d) の

25. M.Hayashi ira en France l'an prochain.

林さん は 来年 フランス（　）いきます。

a) が　　c) へ

b) を　　d) と

26. Mme Tanaka prend tous les jours le train.
田中さん は 毎日 電車（　）のる。
a) に　c) が
b) を　d) へ

27. M.Morita n'est pas rentré à la maison.
森田さん は 家 に かえ（　）ませんでした。
a) る　c) ら
b) り　d) っ

28. À quelle heure est-ce que Pierre se lève ?
ピエールさん は 何時（　）おきます か。
a) を　c) が
b) で　d) に

29. Hélène a mangé avec lui.
エレーヌさん は かれ（　）しょくじしました。
a) が　c) を
b) に　d) と

30. Mme Yamada aime nager.
山田さん は およぐ（　）が すき です。
a) の　c) と
b) を　d) に

➡ **Voir corrigé pp.336-337.**

31 かれ は 魚 が そんなに すき じゃありません。
Kare wa sakana ga sonnani suki ja arimasen.

A 1 PRÉSENTATION

■ **Kanji**, *idéogramme d'origine chinoise*

kanji	lecture en hiragana	prononc.	signification
魚	さかな	[sakana]	*poisson(s)* (cf.5A1)
肉	にく	[nikou]	*viande(s)* (cf.5A1)

■ **Vocabulaire**

べんきょう benkyô *études*
スポーツ supôtsu *sport(s)*
コンサート konsâto *concert(s)*
オペラ opera *opéra*
クラシック kurashikku [kourashik'kou] *musique classique*
そんなに sonnani [sonn'nani] *autant ; tant ; tellement*
あまり amari *très ; tellement* (cf.18B1/3)
じゃありません ja arimasen (forme négative au présent de です, desu,)

■ かれは 魚 が そんなに すき じゃありません。
Kare wa sakana ga sonnani suki ja arimasen.
lui / - / poisson / - / tellement / ne pas aimer
(préféré / ne pas être)
Il n'aime pas tellement le poisson

A 2 APPLICATION ●● CD

1. わたし は スポーツ が あまり すき じゃありません。
2. エレーヌさん は そんなに 肉 が すき じゃありません。
3. 森田さん は あまり オペラ を 見る の が すき じゃ ありません。
4. ピエールさん は そんなに クラシック の コンサート が すきじゃありません。
5. 林さん は べんきょう が あまり すき じゃありません。

31 Il n'aime pas tellement le poisson.

A 3 REMARQUES

■ Grammaire

● Nous avons ici une autre forme négative au présent de です, desu, *être* : じゃありません, ja arimasen, *ne pas être*. Tout en restant poli, じゃありません, ja arimasen, est moins formel et donc plus courant dans la pratique que ではありません, dewa arimasen.

ex. ***Il n'aime pas le poisson.***

Style formel : かれは 魚 が すき ではありません。
Kare wa sakana ga suki **dewa** arimasen.
lui / - / poisson / - / ne pas aimer

Style courant : かれは 魚 が すき じゃありません。
Kare wa sakana ga suki **ja** arimasen.
lui / - / poisson / - / ne pas aimer

● Les adverbes そんなに, sonnani [sonn'nani], ou あまり, amari, se placent soit juste avant すき, suki, soit juste après は, wa, particule de thème (sujet), sans changer le sens de la phrase.

ex. ***Hélène n'aime pas tellement la viande.***
エレーヌさん は 肉 が そんなに すき じゃありません。
Erênu-san wa niku ga sonnani suki ja arimasen.
Hélène / - / viande / - / tellement / ne pas aimer

ou エレーヌさん は そんなに 肉 が すき じゃありません。
Erênu-san wa sonnani niku ga suki ja arimasen.
Hélène / - / tellement / viande / - / ne pas aimer

A 4 TRANSCRIPTION ET TRADUCTION

1. Watashi wa supôtsu ga amari suki ja arimasen.
Je n'aime pas tellement le sport.
2. Erênu-san wa sonnani niku ga suki ja arimasen.
Hélène n'aime pas tellement la viande.
3. Morita-san wa amari opera o miru no ga suki ja arimasen.
Madame Morita n'aime pas tellement voir un opéra.
4. Piêru-san wa sonnani kurashikku no konsâto ga suki ja arimasen. *Pierre n'aime pas tellement les concerts classiques.*
5. Hayashi-san wa benkyô ga amari suki ja arimasen.
Mlle Hayashi n'aime pas tellemnt les études.

31 山本さん は 待つ の が きらい です。
Yamamoto-san wa matsu no ga kirai desu.

B 1 PRÉSENTATION

■ **Kanji**, *idéogramme d'origine chinoise*

kanji	lecture en hiragana	prononciation	signification
待	ま	[ma]	*attente ; attendre*
本	ほん もと	[honn] [moto]	*livre(s)* (cf.3A1) *origine*

● 待, ma, est le radical du verbe *attendre* : 待つ, matsu. (cf.24A1)

● Dans le sens de *livre(s)*, 本, se prononce [honn] : il peut cependant être prononcé soit [honn], soit [moto] selon les cas, dans le sens de *origine*.

■ **Vocabulaire**

山本	Yamamoto	*Yamamoto* (nom de famille)
本田	Honda	*Honda* (nom de famille)
りょうり	ryôri	*cuisine*
せんたく	sentaku	*lessive* (action de laver)
うそ	uso [ousso]	*mensonge(s)*
うそ を つく	uso o tsuku	*mentir*
べんきょうする	benkyô suru	*étudier*
きらい（な）	kirai (na) [kiraï (na)]	*détesté*

■ 山本さん は 待つ の が きらい です。
Yamamoto-san wa matsu no ga kirai desu.
Yamamoto / M. / - / attendre / - / - / ne pas aimer (détester)
Monsieur Yamamoto n'aime pas attendre.

B 2 APPLICATION ●● CD

1. 本田さん は りょうり を する の が きらい です。
2. 田中さん は せんたく が きらい です。
3. わたし は うそ を つく の が きらい です。
4. 山本さん や 山田さん は べんきょうする の が きらいです。

B 3 REMARQUES

Grammaire

- Bien que きらい, kirai, *détesté*, se termine par い, i, c'est un quasi-adjectif (cf.8A3). Associé à です, desu, *être*, きらい, kirai, se traduit en français comme un verbe : きらい です, kirai desu, *détester*.
- きらい です, kirai desu, est en fait plus proche du sens de *ne pas aimer* que du sens de *détester* ; malgré sa forme affirmative, il est donc synonyme de すき じゃありません, suki ja arimasen, *ne pas aimer*.
- Comme pour すき です, suki desu, *aimer*, la particule が, ga, s'associe à きらい です, kirai desu, *ne pas aimer (détester)* (cf.30A3/B3).

objet (personne) qu'on n'aime pas	+	が ga	+	きらい です kirai desu

うそ が きらい です — *ne pas aimer le mensonge*
uso ga kirai desu — *mensonge / - / ne pas aimer (détester)*

ce qu'on n'aime faire	+	の no	+	が ga	+	きらい です kirai desu

待つ の が きらい です — *ne pas aimer attendre*
matsu no ga kirai desu — *attendre / - / ne pas aimer (détester)*

Remarques : (Rappel) が, ga, ne pouvant s'associer qu'à un nom, il faut introduire の, no, qui transforme l'infinitif (= *ce qu'on n'aime pas faire*) en nom (cf. 30B1).

B 4 TRANSCRIPTION ET TRADUCTION

1. Honda-san wa ryôri o suru no ga kirai desu.
   M. Honda n'aime pas faire la cuisine.
2. Tanaka-san wa sentaku ga kirai desu.
   Mlle Tanaka n'aime pas la lessive.
3. Watashi wa uso o tsuku no ga kirai desu.
   Je n'aime pas mentir.
4. Yamamoto-san ya Yamada-san wa benkyô suru no ga kirai desu.
   M.Yamamoto et M.Yamada (entre autres) n'aiment pas étudier.

31 EXERCICES

C 1 EXERCICES

A. Traduisez en français.

1. ミッシェルさん は そんなに 魚 や 肉 が すき じゃありません。
2. 本田さん は ドイツ の 車 が すき じゃありません。
3. 山本さん は バナナ と メロン が きらい です。
4. かれ は オペラ を 見る の が そんなに すき じゃありません。
5. かれら は 待つ の が きらい です。
6. 林さん は 本 を よむ の が きらい です。

B. Traduisez en japonais.

1. *Je n'aime pas mentir.*
2. *M.Honda n'aime pas faire de sport.*
3. *Nous n'aimons pas beaucoup les études.*
4. *Elle n'aime pas la cuisine et la lessive.*

C 2 CORRIGÉ

A.
1. *Mlle Michel n'aime pas tellement le poisson et la viande (entre autres).*
2. *M.Honda n'aime pas les voitures allemandes.*
3. *Mme Yamamoto n'aime pas (déteste) les bananes et le melon.*
4. *Il n'aime pas tellement voir un opéra.*
5. *Ils n'aiment pas (détestent) attendre.*
6. *M.Hayashi n'aime pas lire (des livres).*

B.
1. わたし は うそ をつく の が きらい です。
2. 本田さん は スポーツ を する の が きらい です。
3. わたしたち は あまり べんきょう が すき じゃありません。
4. かのじょ は りょうり と せんたく が きらい です。

C 3 KANJI

▼ kanji ▼ ordre des traits

肉

にく
[nikou]

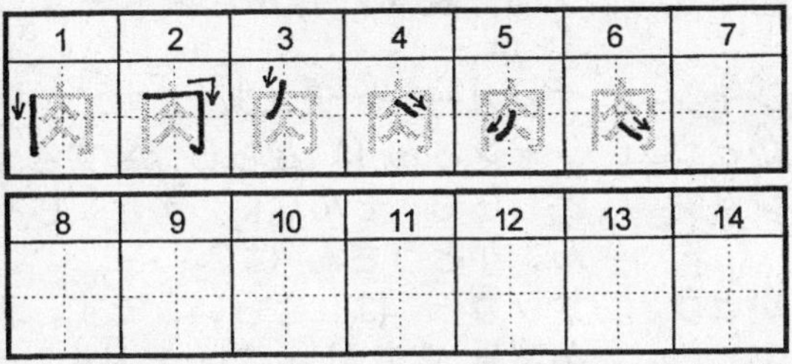

魚

さかな
[sakana]

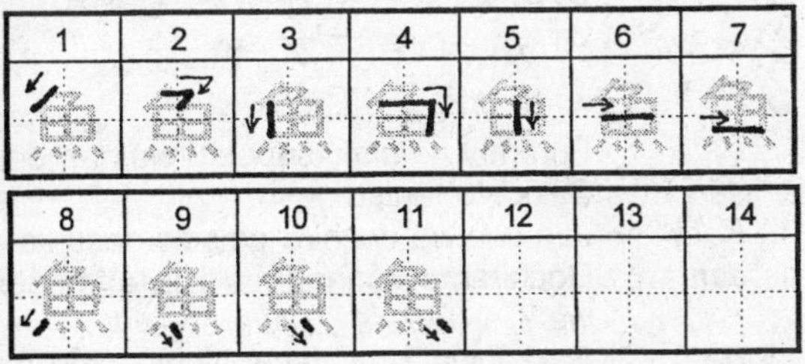

待

ま
[ma]

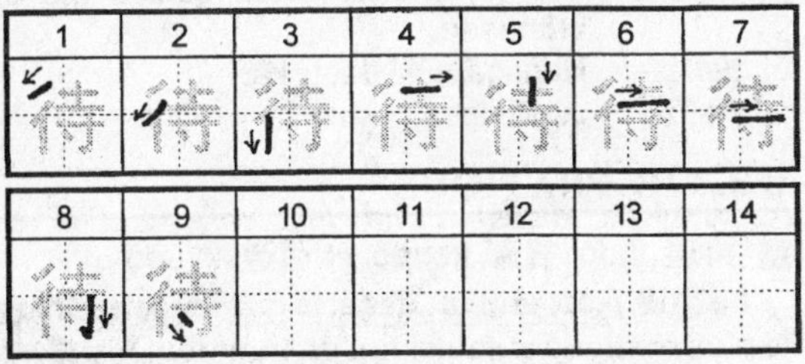

C 4 EXERCEZ-VOUS

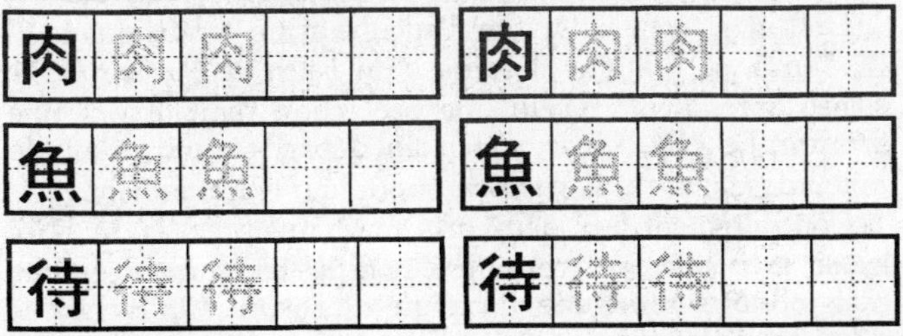

D 1 DIALOGUE

かとう : フランス の にんきスポーツ は 何 ですか。
ジャン : サッカー と テニス です。
かとう : ジャンさん は どちら が すき です か。
ジャン : どちらも そんなに すき じゃありません。かとうさん は?
かとう : サッカー は きらい です。テニス も あまり すき じゃありません。
ジャン : 何 が すき です か。
かとう : じゅうどう です。

Katô : Furansu no ninki-supôtsu wa nan desu ka.
Jan : Sakkâ to tenisu desu.
Katô : Jan-san wa dochira ga suki desu ka.
Jan : Dochiramo sonnani suki ja arimasen. Katô-san wa ?
Katô : Sakkâ wa kirai desu. Tenisu mo amari suki ja arimasen.
Jan : Nani ga suki desu ka.
Katô : Jûdô desu.

D 2 VIE PRATIQUE

■ 柔道, jûdô, 剣道, kendô, et 弓道, kyûdô :

Le 柔道, jûdô, est l'un des arts martiaux japonais, sans doute le plus pratiqué aujourd'hui du monde. C'est 嘉納治五郎, Kanô Jigorô, qui l'a perfectionné au début de *l'époque de Meiji* (明治時代, Meiji-jidai, 1868-1912) pour fortifier l'âme et le corps.

Le 柔道, jûdô, ne fait usage d'aucune arme, tandis que le 剣道, kendô, se pratique à l'aide d'un *baton de bambou* (竹刀, shinai) après avoir revêtu une protection semblable à une armure. Le 剣道, kendô, s'était au départ répendu dans le mileu des 侍, samurai, *guerriers*, pour leur entraînement.

Contrairement aux deux arts martiaux précités, le 弓道, kyûdô, *le tir à l'arc*, est considéré, non pas comme un combat, mais plutôt comme une discipline de l'esprit à la recherche d'un état d'ataraxie.

D 3 DIALOGUE

Kato : Quels sont les sports populaires en France ?

Jean : Ce sont le football et le tennis.

Kato : Lequel préférez-vous, Jean ?

Jean : Ni l'un ni l'autre ne me plaît autant. Et vous, Monsieur Kato ?

Kato : Le football, je le déteste. Et le tennis, je ne l'aime pas beaucoup non plus.

Jean : Qu'est-ce que vous aimez ?

Kato : Le judo.

❖ **Vocabulaire :**

にんき, ninki, *populaire ; popularité*

サッカー, sakkâ, *football*

どちらも(...じゃありません), dochiramo (...ja arimasen), *ni l'un ni l'autre* [dans une phrase négative, cf.p.251]

も(...じゃありません), mo (...ja arimasen), *non plus* [dans une phrase négative]

D 4 CIVILISATION

■ 合気道, aikidô et 空手, karate :

L'**aikidô**, 合気道, est un art martial d'auto-défense qui s'est développé au Japon en unissant le concept du "ki (*mouvements respiratoires*)" originaire de Chine et le Shintoïsme. Il s'agit des techniques qui consistent à faire tomber ou à neutraliser son adversaire à main nue. On saisit les bras ou les jambes de son opposant en pleine attaque, ou utilise des clés au niveau de ses articulations afin de le battre avec une force minime. L'**aikidô**, 合気道, semble efficace pour la culture de l'esprit et du corps .

Le **karate**, 空手, est né à l'île d'Okinawa au 15ᵉ siècle. C'est un art martial d'auto-défense qui trouve son origine dans le kung-fu chinois et les arts martiaux d'Okinawa. C'est seulement à partir des années 1920 qu'il a vu son développement rapide dans l'ensemble de l'archipel du Japon. Comme l'**aikidô**, 合気道, on se bat sans aucune arme, mais avec ses poings, ses coudes ou ses pieds. Et, comme tous les arts martiaux nippons, le **karate**, 空手, accorde une grande importance à l'aspect spirituel.

32 本田さん は いつも バス で 駅 へ 行きます。
Honda-san wa itsumo basu de eki e ikimasu.

A 1 PRÉSENTATION

Kanji, *idéogramme d'origine chinoise*

kanji	lecture en hiragana	prononc.	signification
駅	えき	[éki]	*gare(s)* (cf.15B1)
行	い	[i]	*aller*

- 行, i, est le radical du verbe *aller* : 行く, iku. (cf.28A1)

Vocabulaire

いつも	itsumo		*toujours*
よく	yoku		*souvent*
ときどき	tokidoki		*de temps en temps*
で	de		*en* (particule)
あるいて	aruite		*à pied*
がっこう	gakkô		*école(s)*
かいしゃ	kaisha	[kaïsha]	*bureau(x) ; firme(s)*
びょういん	byôin	[byo:inn]	*hôpital (-taux)*
スーパー	sûpâ	[sou:pa:]	*supermarché(s)*
デパート	depâto		*grad(s) magasin(s)*

本田さん は いつも バス で 駅 へ 行きます。
Honda-san wa itsumo basu de eki e ikimasu.
Honda / Mme / - / toujours / bus / en / gare / à / aller
Madame Honda va toujours à la gare en bus.

A 2 APPLICATION (CD)

1. 山本さん は ときどき あるいて かいしゃ に でかけます。
2. かのじょたち は よく ちかてつ で がっこう へ 行きます。
3. 森田さん は いつも 電車 で 家 に かえります。
4. 林さん は ときどき スーパー に あるいて 行きます。
5. 田中さん は いつも デパート へ 車 で 行きました。

A 3 REMARQUES

Grammaire

- Dans les leçons 8B et 9B, で, de, était la conjonction *et*. Cette même syllabe sert ici comme **particule** pour marquer le moyen de transport : correspondant au français ***en***, elle se place juste derrière le mot qui indique le moyen de transport.

  バス で 行きます *aller en bus*
  basu de ikimasu *bus / en / aller*

- あるいて, aruite, *à pied*, est une expression toute faite : elle n'a donc pas besoin de la particule で, de, *en*.
- Le mot suivi de で, de (moyen de transport), se trouve avant ou après le complément de lieu introduit par へ, e, ou に, ni :

ex. ***Il va à la gare en voiture.***

かれ は 車 で 駅 へ 行きます。
Kare wa **kuruma de** eki e ikimasu.
lui / - / voiture / en / gare / à / aller

かれ は 駅 へ 車 で 行きます。
Kare wa eki e **kuruma de** ikimasu.
lui / - / gare / à / voiture / en / aller

- Les adverbes de temps comme いつも, itsumo, *toujours*, (ou よく, yoku, *souvent*, ou ときどき, tokidoki, *de temps en temps*) se placent juste après la particule de thème は, wa.
- Phrases 5 de A2 : le japonais n'a qu'une seule forme passée qui se traduit en français soit par le passé composé, soit par l'imparfait, selon le contexte.

A 4 TRANSCRIPTION ET TRADUCTION

1. Yamamoto-san wa tokidoki aruite kaisha ni dekakemasu.
   M.Yamamoto va de temps en temps au bureau à pied.
2. Kanojotachi wa yoku chikatetsu de gakkô e ikimasu.
   Elles vont souvent à l'école en métro.
3. Morita-san wa itsumo densha de ie ni kaerimasu.
   Mlle Morita rentre toujours à la maison en train.
4. Hayashi-san wa tokidoki sûpâ ni aruite ikimasu.
   Mme Hayashi va de temps en temps au supermarché à pied.
5. Tanaka-san wa itsumo depâto e kuruma de ikimashita.
   M.Tanaka allait toujours au grand magasin en voiture.

32 デュポンさん は 山田さん と 日本語 で はなしました。
Dyupon-san wa Yamada-san to nihongo de hanashimashita.

B 1 PRÉSENTATION

■ **Kanji**, *idéogramme d'origine chinoise*

kanji	lecture en hiragana	prononciation	signification
語	ご	[go]	*langue ; langage*
日	にち び／に	[nitchi] [bi] / [ni]	*jour(s) ; soleil* (cf.23A1)

■ **Vocabulaire**

イタリア	Itaria	*Italie*
イタリア語	itariagio	*langue italienne*
フランス語	furansugo	*langue française*
日本語	nihongo	*langue japonaise*
えい語	eigo	*langue anglaise* (cf. B3 ci-contre)
はなす	hanasu	*parler*
はなしあう	hanashiau	[hanashiaou] *discuter*
デュポン	Dyupon	*Dupont*

■ デュポンさん は 山田さん と 日本語 で はなしました。
Dyupon-san wa Yamada-san to nihongo de hanashimashita.
Dupont / M. / - /Yamada / Mme / avec / japonais / en / avoir parlé
M.Dupont a parlé en japonais avec Mme Yamada.

B 2 APPLICATION ●● CD

1. わたし は かれら と イタリア語 で はなします。
2. 山本さん は えい語 で デュポンさん と はなしました。
3. ミッシェルさん と 林さん は 日本語 で はなしあいました。
4. 田中さん は 電話 で かのじょ と はなしました。
5. ピエールさん は 日本語 で てがみ を かきます。
6. 本田さん は フランス語 で デュポンさん と はなしあい ます。

B 3 REMARQUES

Transcription et prononciation

● Le *Du* dans *Dupont* se transcrit en katakana par デ, de, suivi de ュ, yu, de taille réduite : デュ, dyu.

● にほん, Nihon, *Japon*, s'écrit en kanji 日本 ; 日 ne se dit pas [nitchi] ou [bi], mais [ni].

Grammaire

● Le nom d'un pays accompagné du suffixe 語, go, *langue*, désigne la langue pratiquée dans ce pays :

日本	+ 語	→	日本語
Nihon	go		nihongo
Japon / langue			*langue japonaise*

Exception : la langue anglaise se dit えい語, eigo, et non pas イギリス語, igirisugo, bien que イギリス, igirisu, signifie *Angleterre*.

● La particule で, de [dé], s'emploie aussi pour indiquer le moyen de communication (langue, télé, radio, téléphone...) :

フランス語	で	はなす	*parler en français*
furansugo	de	hanasu	*français / en / parler*

● Les places des mots suivis de particules ayant différentes fonctions sont en général interchangeables sans changer le sens de la phrase.

B 4 TRANSCRIPTION ET TRADUCTION

1. Watashi wa karera to itariago de hanashimasu.
   Je parle en italien avec eux.
2. Yamamoto-san wa eigo de Dyupon-san to hanashimashita.
   Mlle Yamamoto a parlé en anglais avec Mme Dupont.
3. Missheru-san to Hayashi-san wa nihongo de hanashiaimashita.
   M.Michel et M.Hayashi ont discuté en japonais.
4. Tanaka-san wa denwa de kanojo to hanashimashita.
   Mme Tanaka a parlé avec elle au téléphone.
5. Piêru-san wa nihongo de tegami o kakimasu.
   Pierre écrit des lettres en japonais.
6. Honda-san wa furansugo de Dyupon-san to hanashiaimasu.
   M.Honda discute en français avec Mlle Dupont.

C 1 EXERCICES

A. Traduisez en français.

1. デュポンさん スーパー へ 車 で 行きませんでした。
2. かれ は いつも ちかてつ で かいしゃ に でかけます。
3. わたし は この ニュース を ラジオ で ききました。
4. 田中さん は よく あるいて 家 に かえります。
5. 本田さん は 電車 で がっこう に 来ました。

B. Traduisez en japonais.

1. *Il est parti pour l'hôpital en taxi.*
2. *M.Morita va de temps en temps à la gare en bus.*
3. *Je n'ai pas écrit de lettre en anglais.*
4. *L'ami d'Hélène a téléphoné à Pierre en italien.*
5. *Nous discutons toujours en français.*

C 2 CORRIGÉ

A.
1. *Mlle Dupont n'est pas allée en voiture au supermarché.*
2. *Il part toujours au bureau (à l'entreprise) en métro.*
3. *J'ai entendu cette nouvelle-ci à la radio.*
4. *Mme Tanaka rentre souvent à la maison à pied.*
5. *Mme Honda est venue à l'école en train.*

B.
1. かれ は タクシー で びょういん に でかけました。
2. 森田さん は ときどき バス で 駅 へ 行きます。
3. わたし は えい語 で てがみ を かきませんでした。
4. エレーヌさん の 友だち は ピエールさん に イタリア語 で 電話しました。
5. わたしたち は いつも フランス語 で はなしあいます。

C 3 KANJI

▼ kanji ▼ ordre des traits

行 い [i]	1	2	3	4	5	6	7	8	9	10	11	12	13	14
	行	行	行	行	行	行								

駅 えき [éki]	1	2	3	4	5	6	7	8	9	10	11	12	13	14
	駅	駅	駅	駅	駅	駅	駅	駅	駅	駅	駅	駅	駅	駅

語 ご [go]	1	2	3	4	5	6	7	8	9	10	11	12	13	14
	語	語	語	語	語	語	語	語	語	語	語	語	語	語

C 4 EXERCEZ-VOUS

行	行	行			行	行	行		
駅	駅	駅			駅	駅	駅		
語	語	語			語	語	語		

D 1 DIALOGUE ●● CD

中田 ： 本田さん、おはよう ございます。
本田 ： おはよう　ございます。かいしゃ　まで　いつも 電車 です か。
中田 ： いいえ、きょう は とくべつ です。ふつう は 車 で 行きます。
本田 ： わたし は 駅 まで じてん車 で 来ます。あとは 電車 です。
中田 ： ラッシュアワー の 電車 は たいへん です ね。
本田 ： ほんと。そのてん、車 は いい です ね。
中田 ： でも、じゅうたい で とても 時かん が かかります。

Nakata : Honda-san, ohayô gozaimasu.
Honda : Ohayô gozaimasu. Kaisha made itsumo densha desu ka.
Nakata : Iie, kyô wa tokubetsu desu. Futsû wa kuruma de ikimasu.
Honda : Watashi wa eki made jitensha de kimasu. Atowa densha desu.
Nakata : Rasshu-awâ no densha wa taihen desu ne.
Honda : Honto. Sono ten kuruma wa ii desu ne.
Nakata : Demo, jûtai de totemo jikan ga kakarimasu.

D 2 VIE PRATIQUE

■ Quelques expressins pour la *circulation*, 交通, kôtsû :

- 左側通行, hidarigawa-tsûkô, *rouler à gauche*. [Comme en Angleterre, les voitures roulent à gauche au Japon.]
- 運転免許証, unten-menkyoshô, *permis de conduire*.
- 交通事故, kôtsû-jiko, *accident de la circulation*.
- 一方通行, ippô-tsûkô, *circulation à sens unique*.
- 制限速度, seigen-sokudo, *vitesse limite*.
- スピード違反, supîdo-ihan, *contravention pour excès de vitesse*.
- 駐車禁止, chûsha-kinshi, *stationnement interdit*.
- 駐車違反, chûsha-ihan, *infraction à l'interdiction de stationner*.
- 駐車場, chûsha-jô, ou パーキング, pâkingu, *parking*.

D 3 DIALOGUE

Nakata : Madame Honda, bonjour.
Honda : Bonjour. Vous allez toujours au bureau en train ? [*lit.* C'est toujours en train jusqu'au bureau ?]
Nakata : Non, c'est exceptionnel aujourd'hui. D'habitude, j'y vais en voiture.
Honda : Moi, je viens à vélo jusqu'à la gare. Et pour le reste, c'est en train.
Nakata : Prendre le train aux heures de pointe, c'est pénible, non ? [*lit.* Le train aux heures de pointe, c'est dur, n'est-ce pas ?]
Honda : C'est vrai. Pour ça, c'est mieux en voiture ! [*lit.* Sur ce point, la voiture est bien !]
Nakata : Mais je mets beaucoup de temps en voiture à cause des embouteillages.

❖ **Vocabulaire :**

とくべつ, tokubetsu, *exceptionnel*
ふつう, futsû, *d'habitude*
あとは, atowa, *pour le reste*
ラッシュアワー, rasshu-awâ, *heure de pointe*
たいへん, taihen, *pénible ; dur*
その てん, sono ten, *sur ce point*
じゅうたい, jûtai, *embouteillage*
(じゅうたい)で, (jûtai)de, *à cause de*
時かん, jikan, *temps ; heure*
かかる, kakaru, *il faut ; mettre*

D 4 CIVILISATION

■ 新幹線, しんかんせん, Shinkansen :

Le 新幹線, Shinkansen, est le train à grande vitesse qui relie de nos jours la plupart des villes principales du Japon. Il a été inauguré au moment des **Jeux Olympiques de Tokyo**, 東京オリンピック, Tôkyô-Orinpikku, en 1964. A l'époque, il était le train le plus rapide du monde, pouvant parcourir de *Tokyo*, 東京, Tôkyô, à *Osaka*, 大阪, Oosaka, en trois heures environ avec une vitesse maximale de 200 km/heure. Il est devenu un véritable symbole du pays avec le **mont Fuji**, 富士山, Fujisan, la montagne la plus haute du Japon (3776 m d'altitude), qu'on peut admirer par la fenêtre du 新幹線, Shinkansen.

33 あなた は どこ で 買いもの を しますか。
Anata wa doko de kaimono o shimasu ka.

A 1 PRÉSENTATION

■ **Kanji**, *idéogramme d'origine chinoise*

kanji	lecture en hiragana	prononc.	signification
買	か	[ka]	*achat(s)* *acheter*
店	みせ	[missé]	*magasin(s)*

■ **Vocabulaire**

買いもの	kaimono	[kaïmono]	*courses* (dans un magasin)
店	mise	[missé]	*magasin(s)*
いちば	ichiba	[itchiba]	*marché(s)*
きっさてん	kissaten	[kis'saténn]	*salon(s) de thé*
日本りょうり	nihon ryôri		*cuisine japonaise*
フランスりょうり	furansu ryôri		*cuisine française*
ズボン	zubon	[zoubonn]	*pantalon(x)*
シャツ	shatsu	[shatsou]	*chemise(s)*
で	de	[dé]	*supermarché(s)*

■ あなた は どこ で 買いもの を します か。
Anata wa doko de kaimono o shimasu ka.
toi / - / quel endroit / à / courses / - / faire / ?
Où est-ce que tu fais les courses ?

A 2 APPLICATION ●● CD

1. 森田さん は あの店 で 買いもの を しました。
2. わたしたち は レストラン で フランスりょうり を たべます。
3. ミッシェルさん は その店 で ズボン と シャツ を 買いました。
4. 田中さん と 林さん は きっさてん で コーヒー を のみました。
5. デュポンさん は わたし の 家 で 日本りょうり を たべました。

A 3 REMARQUES

Grammaire

- Voici une nouvelle fonction de で, de [dé] : indiquer le lieu où l'on mène une action (lieu d'action) (cf. 32A/B).

いちば　で　買いもの　を　する　*faire les courses* ***au*** *marché*
ichiba　de　kaimono　o　suru　*marché / à / courses / faire*

Remarque : いちば, ichiba, *marché*, est introduit par で, de, puisque c'est le lieu où se déroule l'action *faire les courses* (買いものをする, kaimono o suru, *faire les courses*).

- Le nom d'un pays attaché au mot りょうり, ryôri, *cuisine*, désigne la cuisine de ce pays :

フランス + りょうり → フランスりょうり
Furansu　ryôri　furansu ryôri
France　cuisine　cuisine française

- En japonais la place des mots suivis de particules ayant différentes fonctions est interchangeable dans une phrase. Mais il est plus naturel de placer avant le complément d'objet direct le mot qui, suivi de で, de, indique le lieu d'action.

あなた　は　どこ　で　買いもの　を　します　か。
Anata　wa　doko　de　kaimono　o　shimasu　ka.
toi / - / quel endroit / à / courses / - / faire / ?
Où fais-tu les courses ?

- どこ, doko, pronom interrogatif, se traduit littéralement par *quel endroit* (cf. 15B1) : il devient adverbe interrogatif *où*, quand il s'associe à une particule (で, de, pour cette leçon).

A 4 TRANSCRIPTION ET TRADUCTION

1. Morita-san wa ano mise de kaimono o shimashita.
Mme Morita a fait les courses dans ce magasin là-bas.
2. Watashitachi wa resutoran de furansu ryôri o tabemasu.
Nous mangeons de la cuisine française dans un restaurant.
3. Missheru-san wa sono mise de zubon to shatsu o kaimashita.
M.Michel a acheté un pantalon et une chemise dans ce magasin-là.
4. Tanaka-san to Hayashi-san wa kissaten de kôhî o nomimashita.
Mme Tanaka et Mme Hayashi ont bu du café au salon de thé.
5. Dyupon-san wa watashi no ie de nihon ryôri o tabemashita.
M.Dupont a mangé de la cuisine japonaise chez moi.

33 山田さん は どこ に います か。
Yamada-san wa doko ni imasu ka.

B 1 PRÉSENTATION

■ **Kanji**, *idéogramme d'origine chinoise*

kanji	lecture en hiragana	prononciation	signification
屋	や	[ya]	*boutique* (suffixe)

■ **Vocabulaire**

パン屋	pan-ya	[pann'ya]	*boulangerie(s)*
肉屋	niku-ya		*boucherie(s)*
魚屋	sakana-ya		*poissonnerie(s)*
本屋	hon-ya	[honn'ya]	*librairie(s)*
花屋	hana-ya		*magasin(s) de fleurs*
くつ屋	kutsu-ya		*magasin(s) de chaussures*
いる	iru		*être ; exister* (pour les êtres vivants)
ある	aru		*être ; exister* (pour les objets)
に	ni		*à ; dans* (particule de lieu)

いる, iru, et ある, aru, signifient *être* dans le sens de *exister* ou *se trouver* ; il faut exclure le sens de *être* reliant l'attribut au sujet, ce qui est le rôle de です, desu (cf. 11A1).

■ 山田さん は どこ に います か。
Yamada-san wa doko ni imasu ka.
Yamada / M. / - /quel endroit / à / être / ?
Où est Monsieur Yamada ?

B 2 APPLICATION ●● CD

1. デュポンさん は 花屋 に いました。
2. 山田さん は 本屋 に います。
3. パン屋 は そこ に あります。
4. 本田さん と 山本さん は 肉屋 に いました。
5. くつ屋 は あそこ に あります。
6. 魚屋 は どこ に あります か。

B 3 REMARQUES

Grammaire

● いる, iru, *être*, ne s'emploie que quand le sujet est un être vivant ; ある, aru, *être*, est utilisé uniquement quand le sujet est un objet.

● る, ru, dans いる, iru, disparaît devant ます, masu, parce qu'il est précédé d'une syllabe en **i** : います, imasu (cf. 26B3). En ce qui concerne ある, aru, sa terminaison る, ru, devient り, ri, devant ます, masu, car elle est précédée d'une syllabe en **a** : あります, arimasu (cf. 26A1).

● La particule に, ni, marque ici le lieu où se trouve un être vivant ou un objet : elle ne doit pas être remplacée par で, de (particule de lieu d'action).

● On peut substituer です, desu, à あります, arimasu, ou います, imasu, ce qui nous ramène à l'expression étudiée dans la leçon 15A/B.

かれ	は	ここ	に	います。	*Il est ici.*
Kare	wa	koko	ni	imasu.	*lui / - / cet endroit-ci / à / être*

かれ	は	ここ	です。	*Il est ici.*
Kare	wa	koko	desu.	*lui / - / cet endroit-ci / être*

Important : il faut supprimer la particule , quand on remplace います, imasu (ou あります, arimasu) par です, desu.

B 4 TRANSCRIPTION ET TRADUCTION

1. Dyupon-san wa hana-ya ni imashita.
   Mlle Dupont était dans un magasin de fleurs.
2. Yamada-san wa hon-ya ni imasu.
   M.Yamaeda est dans une librairie.
3. Pan-ya wa soko ni arimasu.
   La boulangerie est là.
4. Honda-san to Yamamoto-san wa niku-ya ni imashita.
   Mme Honda et Mme Yamamoto étaient dans une boucherie.
5. Kutsu-ya wa asoko ni arimasu.
   Le magasin de chaussures est là-bas.
6. Sakana-ya wa doko ni arimasu ka.
   Où est la poissonnerie ?

33 EXERCICES

C 1 EXERCICES

A. Traduisez en français.

1. あなた は どこ で この シャツ を 買いました か。
2. 田中さん の 店 は あそこ に あります。
3. ミッシェルさん は あの 花屋 に います。
4. わたしたち は きのう その レストラン で フランス りょうり を たべました。

B. Traduisez en japonais.

1. *J'ai acheté cette machine à coudre-ci dans le magasin là-bas.*
2. *Le magasin de chaussures et le supermarché sont là.*
3. *Elles mangent souvent dans ce restaurant là-bas.*
4. *Ils font toujours les courses dans ce marché-ci.*

C 2 CORRIGÉ

A.
1. *Où as-tu acheté cette chemise-ci ?*
2. *Le magasin de Monsieur Tanaka est là-bas.*
3. *M.Michel est dans le magasin de fleurs là-bas.*
4. *Hier nous avons mangé de la cuisine française dans ce restaurant-là.*

B.
1. わたし は あの 店 で この ミシン を 買いました。
2. くつ屋 と スーパー は そこ です。
3. かのじょたち は よく あの レストラン で しょくじをします。
4. かれら は いつも この いちば で 買いもの を します。

C 3 KANJI

▼ kanji ▼ ordre des traits

kanji	1	2	3	4	5	6	7
買 か [ka]							
	8	9	10	11	12	13	14

kanji	1	2	3	4	5	6	7
店 みせ [missé]							
	8	9	10	11	12	13	14

kanji	1	2	3	4	5	6	7
屋 や [ya]							
	8	9	10	11	12	13	14

C 4 EXERCEZ-VOUS

買	買	買			買	買	買		
店	店	店			店	店	店		
屋	屋	屋			屋	屋	屋		

D 1 DIALOGUE ●● CD

ともこ ：すみません。かぶき の 本 は どこ に ありますか。

店いん ：３かい の えんげきコーナー に あります。

ともこ ：りょうり の ざっし は 何かい に あります か。

店いん ：ちか１かい に あります。

ともこ ：エレベーター は どこ です か。

店いん ：あの レジ の みぎ です。

Tomoko : Sumimasen. Kabuki no hon wa doko ni arimasu ka.

Ten'in : San-kai no engeki-kônâ ni arimasu.

Tomoko : Ryôri no zasshi wa nan-kai ni arimasu ka.

Ten'in : Chika ikkai ni arimasu.

Tomoko : Erebêtâ wa doko desu ka.

Ten'in : Ano reji no migi desu.

D 2 VIE PRATIQUE

■ Quelques expressions utiles pour faire les courses :

- *Ceci coûte combien ?* : これは いくら です か, kore wa ikura desu ka.
- *C'est la monnaie à rendre.* : おつり です, otsuri desu.
- *Pouvez-vous baisser le prix ?* : まけてください, makete kudasai. [voir pp.310-311]
- *les soldes* : (バーゲン)セール, (bâgen-)sêru.
- *le rayon de l'alimentation* : しょくひんうりば, shokuhin-uriba. [うりば, uriba, *le rayon (de...)*]
- *le rez-de-chaussée* : １かい, ikkai. [いっかい, ikkai, signifie littéralement *le premier étage* ; le japonais n'a pas de terme équivalent au français *rez-de-chaussée* .]
- *le premier étage* : ２かい, ni-kai [littéralement *le deuxième étage*]
- *le deuxième étage* : ３かい, san-kai [littéralement *le troisième étage*]

D 3 DIALOGUE

Tomoko : Excusez-moi. Où est-ce qu'il y a des livres pour le théâtre Kabuki ?

Employé : Il y en a au rayon des arts théâtraux au deuxième étage.

Tomoko : À quel étage y a-t-il des revues pour la cuisine ?

Employé : Il y en a au premier sous-sol.

Tomoko : Où est l'ascenseur ?

Employé : C'est à droite de cette caisse là-bas.

❖ **Vocabulaire :**

店いん, ten'in, *employé(e) du magasin ; vendeur(se)*
すみません, sumimasen, *excusez-moi ; s'il vous plaît*
かぶき, Kabuki, *théâtre Kabuki* [voir D4 ci-après]
3 かい, san-kai, *deuxième étage* [voir D2 ci-contre]
えんげき, engeki, *arts théâtraux*
コーナー, kônâ, *rayon (de...)* 何かい, nan-kai, *quel étage ?*
ちか, chika, *sous-sol* エレベーター, erebêtâ, *ascenseur*
ちかいっかい, chika-ikkai, *premier sous-sol*
いっかい, ikkai, *rez-de-chaussée* [voir D2 ci-contre]
レジ, reji, *caisse* みぎ, migi, *droite*

D 4 CIVILISATION

■ 歌舞伎, Kabuki :

C'est l'un des arts théâtraux traditionnels du Japon, qui tire son origine dans les danses folkloriques présentées à Kyoto, vers 1603, par 阿国, Okuni, une prêtresse du Temple d'Izumo. Elles sont vite devenues populaires, mais elles ont été aussitôt interdites aux femmes, car l'autorité de l'époque a cru qu'elles allaiet corrompre les mœurs si elles pratiquent le 歌舞伎, Kabuki. Cette « tradition » s'est maintenue jusqu'à présent et le 歌舞伎, Kabuki. est toujours joué uniquement par des hommes.

Le 歌舞伎, Kabuki, met principalement en scène des événements historiques ou sociaux, ou des histoires légendaires. Ses acteurs, qui sont vêtus de costumes ouvragés et maquillés de façon très prononcée, charment les spectateurs par une déclamation emphatique et originale.

34 かれ の ライター は テーブル の 上 に あります。
Kare no raitâ wa têburu no ue ni arimasu.

A 1 PRÉSENTATION

■ **Kanji**, *idéogramme d'origine chinoise*

kanji	lecture en hiragana	prononc.	signification
上	うえ	[oué]	*dessus* (nom)
下	した	[shita]	*dessous* (nom)

■ **Vocabulaire**

ライター	raitâ	[raïta:]	*briquet(s)*
マッチ	macchi	[mat'tchi]	*allumettes*
スーツケース	sûtsukêsu	[sou:tsouké:ssou]	*valise(s)*
はいざら	haizara	[haïzara]	*cendriers(s)*
いす	isu	[issou]	*chaise(s)*
れいぞうこ	reizôiko	[réïzo:ko]	*réfrigérateur(s)*
の上に	no ue ni	[no oué ni]	*au-dessus de ; sur*
の下に	no shita ni		*au-dessous de ; sous*
の中に	no naka ni		*à l'intérieur de ; dans*

■ かれ の ライター は テーブル の 上 に あります。
Kare no raitâ wa têburu no uè ni arimasu.
lui / de / briquet / - / table / de / dessus / à / être
Son briquet est sur la table.

A 2 APPLICATION ●● CD

1. 肉 や 魚 は れいぞうこ の 中 に あります。
2. あなた の マッチ は その テーブル の 上 に あります。
3. かれら は 車 の 中 に います。
4. 林さん の ライター は いす の 下 に ありました。
5. かのじょ の ふく は この スーツケース の 中 に は ありません。

A 3 REMARQUES

Grammaire

- Pour indiquer où se trouve une chose ou une personne, on a ici le schéma suivant :

A + は + B + の + C + に + ありますいます)。
wa no ni arimasu (imasu)

Commentaire :

1. **A**, sujet de la phrase, indique une chose ou une personne à localiser.
2. **B** représente une autre chose ou une autre personne par rapport à laquelle on situe **A**.
3. **C** représente des mots comme 上, ue, *dessus*, 下, shita, *dessous*, ou 中, naka, *intérieur*.

   かれら(A) は 車(B) の 中(C) に います。
   Karera wa kuruma no naka ni imasu.
   eux / - / voiture / de / intérieur / à / être
   Ils sont dans (à l'intérieur d') une voiture.

Remarque sur la phrase 5 de A2 :

- Placé juste après la particule に, ni, la deuxième particule は, wa, sert à souligner ce qui est nié (en l'occurence le lieu désigné par la phrase) ; cet emploi de は, wa, est très fréquent dans la négation (cf. 12B1).

  はいざら は つくえ の 上 に は ありません。
  Haizara wa tsukue no ue ni wa arimasen.
  cendrier / - / bureau / de / dessus / à / - / ne pas / être
  Le cedrier n'est pas sur le bureau.

A 4 TRANSCRIPTION ET TRADUCTION

1. Niku ya sakana wa reizôko no naka ni arimasu.
   La viande et le poisson (entre autres) sont dans le réfrigérateur.
2. Anata no macchi wa sono têburu no ue ni arimasu.
   Tes allumettes sont sur cette table-là.
3. Karera wa kuruma no naka ni imasu. *Ils sont dans la voiture.*
4. Hayashi-san no raitâ wa isu no shita ni arimashita.
   Le briquet de M.Hayashi était au-dessous d'une chaise.
5. Kanojo no fuku wa kono sûtsukêsu no naka ni wa arimasen.
   Ses vêtements ne sont pas dans cette valise-ci.

34 あの 木 の 下 に 何 が います か。
Ano ki no shita ni nani ga imasu ka.

B 1 PRÉSENTATION

■ **Kanji**, *idéogramme d'origine chinoise*

kanji	lecture en hiragana	prononciation	signification
鳥	とり	[tori]	*oiseau(x)* (cf. 6B1)
木	もく き	[mokou] [ki]	*arbre(s)*

● 木, se prononce [ki] quand il est employé seul (cf.23B1).

■ **Vocabulaire**

まん中	mannaka	[mann'naka]	*centre ; milieu*
まえ	mae		*devant* (nom)
うしろ	ushiro		*derrière* (nom)
ちかく	chikaku	[tchikakou]	*proximité*
となり*	tonari		*(à) côté (de)*
のはら	nohara		*champ(s)*

*となり, tonari, s'emploie pour décrire la situation de deux choses (personnes) se trouvant l'une à côté de l'autre.

■ あの 木 の 下 に* 何 が います か。
Ano ki no shita ni nani ga imasu ka.
ce...là-bas / arbre / de / dessous / à / quoi / - / être / ?
*Qu'y a-t-il au pied de*cet arbre là-bas ?*

*の下に, no shita ni, peut se traduire par *au pied de*, et の上に, no ue ni, *dans* (voir 1 de B2).

B 2 APPLICATION ●● CD

1. あの 木 の 上 に 鳥 が います。
2. 山田さん の うしろ に だれ が います か。
3. かのじょ の うしろ に 森田さん が います。
4. のはら の まん中 に うま が います。
5. ぎんこう の まえ に わたし の かいしゃ が あります。
6. 駅 の ちかく に ゆうびんきょく が あります。

B 3 REMARQUES

Prononciation

- 何 se prononcre [nani] quand il est suivi de la particule が, ga.

Grammaire

- Le rôle de la particule が, ga, est ici d'introduire le sujet de la phrase sur lequel porte le message que le locuteur ou l'interlocuteur souhaite transmettre : le message concerne donc ce qu'il y a (ou qui il y a) et non pas l'endroit où une chose (ou un être vivant) se trouve.

のはら の まん中 に うま <u>が</u> います。
Nohara no mannaka ni uma **ga** imasu.
champ / de / milieu / à / cheval / - / être
Il y a un (des) cheval (chevaux) au milieu du champ.

Remarques :

1. Le sujet suivi de が, ga, se place en général juste avant le verbe います, imasu, ou あります, arimasu.
2. Si la question porte sur le lieu où se trouve un objet ou une personne, le sujet est attaché à la particule は, wa, et se place cette fois en tête de la phrase (cf. 33B1, 34A1) :

うま は のはら の まん中 に います。
Uma wa nohara no mannaka ni imasu.
cheval / - / champ / de / milieu / à / être
Un (des) cheval (chevaux) est (sont) au milieu du champ.

B 4 TRANSCRIPTION ET TRADUCTION

1. Ano ki no ue ni tori ga imasu.
   Il y a un oiseau dans (sur) cet arbre là-bas.
2. Yamada-san no ushiro ni dare ga imasu ka.
   Qui est derrière Mlle Yamada ?
3. Kanojo no ushiro ni Morita-san ga imasu.
   Il y a Mme Morita derrière elle.
4. Nohara no mannaka ni uma ga imasu.
   Il y a un cheval au milieu du champ.
5. Ginkô no mae ni watashi no kaisha ga arimasu.
   Mon entreprise se trouve devant une banque.
6. Eki no chikaku ni yûbinkyoku ga arimasu.
   Il y a un bureau de poste près de la gare.

34 EXERCICES

C 1 EXERCICES

A. Traduisez en français.

1. あなた の ねこ は 家 の 中 に は いませんでした。
2. わたし の ライター は どこ に あります か。
3. あなた の となり に だれ が います か。
4. あかい 鳥 は あの 木 の 上 に います。
5. かのじょ の マフラー は スーツケース の 下 に は ありませんでした。

B. Traduisez en japonais.

1. *M.Tanaka est dans la voiture de Mme Morita.*
2. *Il y avait du poisson et de la viande dans le réfrigérateur.*
3. *Qu'est-ce qu'il y a au milieu du champ ?*
4. *Il y a des chevaux et des vaches.*
5. *Hélène était devant Mlle Honda.*
6. *Il y a une librairie près de la gare.*

C 2 CORRIGÉ

A. 1. *Ton chat n'était pas dans la maison.*
2. *Où est (y a-t-il) mon briquet ?*
3. *Qui y a-t-il à côté de toi ?*
4. *L'oiseau rouge était dans cet arbre là-bas.*
5. *Son cache-nez n'était pas sous la valise.*

B. 1. 田中さん は 森田さん の 車 の 中 に います。
2. れいぞうこ の 中 に 魚 と 肉 が ありました。
3. のはら の まん中 に 何 が います か。
4. うま や うし が います。
5. エレーヌさん は 本田さん の まえ に います。
6. 駅 の ちかく に 本屋 が あります。

C 3 KANJI

▼ kanji ▼ ordre des traits

上

うえ
[oué]

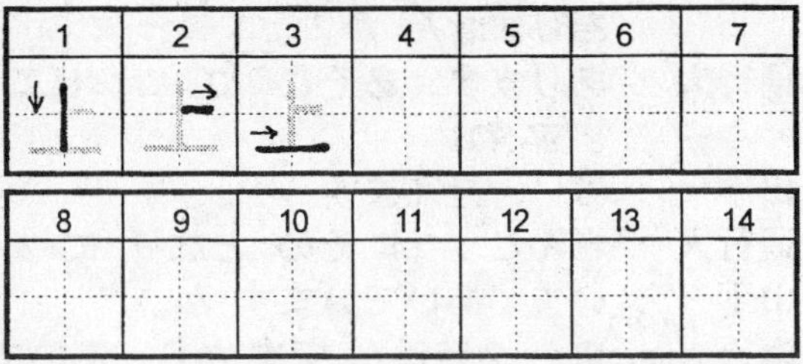

下

した
[shita]

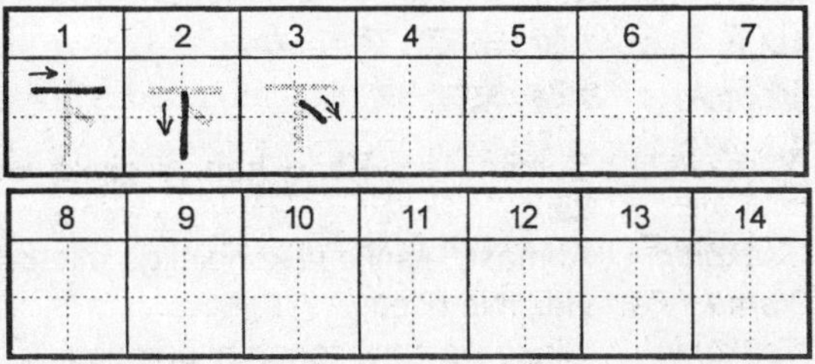

鳥

とり
[tori]

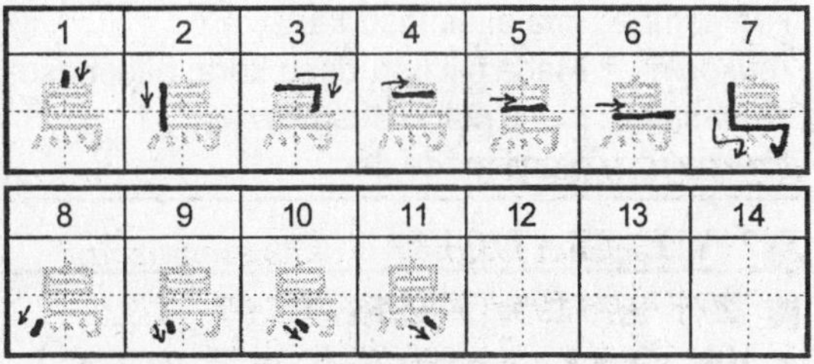

C 4 EXERCEZ-VOUS

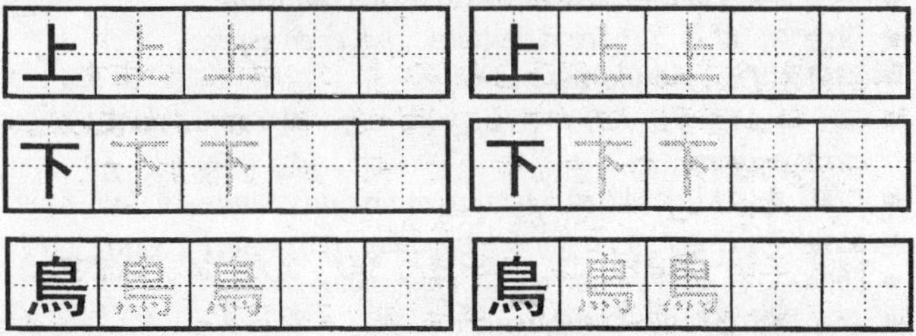

D 1 DIALOGUE

山下　：すみません。この　へん　に　ぎんこう　は　ありません　か。
通行人：あります。あそこ　に　コンビニ　が　見えます　ね。
山下　：はい、見えます。
通行人：ぎんこう　は　その　となり　に　あります。
山下　：いま　あいています　か。
通行人：まだ　2時はん　です　から、あいています。
山下　：何時　まで　です　か。
通行人：3時　まで　です。

Yamashita : Sumimasen. Kono hen ni ginkô wa arimasen ka.
Tsûkônin : Arimasu. Asoko ni konbini ga miemasu ne.
Yamashita : Hai, miemasu.
Tsûkônin : Ginkô wa sono tonari ni arimasu.
Yamashita : Ima aiteimasu ka.
Tsûkônin : Mada niji han desu kara, aiteimasu.
Yamashita : Nanji made desu ka.
Tsûkônin : Sanji made desu.

D 2 VIE PRATIQUE

■ 銀行, ぎんこう, ginkô, *banque* :

- お金, o-kane, *argent (de l')*
- 円, en, *yen(s)*
- ユーロ, yûro, *euro(s)*
- ドル, doru, *dollar(s)*
- キャッシュカード, kyasshu-kâdo, *carte bancaire*
- 現金　で　はらう, genkin de harau, *payer en espèce*
- 両替えする, ryôgae-suru, *changer*
- ユーロ　を　円　に　かえる, yûro o en ni kaeru, *changer des euros en yens*
- 口座　を　ひらく, kôza o hiraku, *ouvrir un compte*
- お金　を　ひきだす, o-kane o hikidasu, *retirer de l'argent*
- 印かん　を　おす, inkan o osu, *apposer un sceau*
- サインする, saïn-suru, *signer*

D 3 DIALOGUE

Yamashita : S'il vous plaît. N'y a-t-il pas de banque près d'ici ?
Passant : Si, il y en a. Vous voyez une supérette là-bas, n'est-ce pas ?
Yamashita : Oui, je la vois.
Passant : À côté de ça, il y a une banque.
Yamashita : Est-ce qu'elle est ouverte en ce moment ?
Passant : Puisqu'il est encore deux heures et demie, elle est ouverte.
Yamashita : Jusqu'à quelle heure (est-elle ouverte) ?
Passant : Jusqu'à trois heures.

❖ **Vocabulaire :**
通行人, つうこうにん, tsûkôni, *passant*
この へん に, kono hen ni, à *ces environs ; près d'ici*
コンビニ, konbini, *supérette* [voir D4, p.187]
見える, mieru, *voir ; apercevoir*
いま, ima, *en ce moment ; actuellement ; maintenant*
あいています, aiteimasu, *être ouvert*
はん, han, *demi(e)*

D 4 CIVILISATION

■ 能, Nô, et 狂言, Kyôgen :

Le 能, Nô, est le plus ancien théâtre musical du Japon, qui a été perfectionné au quinzième siècle par 世阿弥, Zeami, et 観阿弥, Kan'ami. Le 能, Nô, est un art qui combine une chanson, appelée 謡, Utai, et une danse théâtrale à travers laquelle peuvent s'éxprimer les acteurs à *masque* (能面, nômen), le シテ, shite, *acteur principal*, et le ワキ, waki, *acteur secondaire*.

Quant au 狂言, Kyôgen, il a été aussi établit par 世阿弥, Zeami, et 観阿弥, Kan'ami. C'est une sorte de théâtre comique dont les répliques sont inspirées de rire dans la vie quotidienne. À l'origine, il a été joué dans les intervalles des pièces du 能, Nô, mais aujourd'hui il est présenté indépendamment, et il arrive parfois que les acteurs du 狂言, Kyôgen, jouent dans des pièces du 能, Nô.

35 6月　に　雨　が　よく　ふります。
Roku gatsu ni ame ga yoku furimasu.

A 1 PRÉSENTATION

■ **Kanji**, *idéogramme d'origine chinoise*

kanji	lecture en hiragana	prononc.	signification
雨	あめ	[amé]	*pluie*
月	げつ がつ	[guétsou] [gatsou]	*lune* (cf. 23A1) mois

● 月 se prononce [gatsou] quand il est employé pour la formation des douze mois de l'année :

1月	ichi	gatsu	*janvier*	7月	shichi	gatsu	*juillet*
2月	ni	gatsu	*février*	8月	hachi	gatsu	*août*
3月	san	gatsu	*mars*	9月	ku	gatsu	*septembre*
4月	shi	gatsu	*avril*	10月	jû	gatsu	*octobre*
5月	go	gatsu	*mai*	11月	jûichi	gatsu	*novembre*
6月	roku	gatsu	*juin*	12月	jûni	gatsu	*décembre*

■ **Vocabulaire**

雨	ame	[amé]	*pluie*
ゆき	yuki	[youki]	*neige*
たいふう	taifû	[taïfou:]	*typhon(s)*
たくさん	takusan	[takoussann]	*beaucoup* (quantité)
ふる	furu	[fourou]	*tomber* (pour la pluie ou la neige)

■ 6月　に　雨　が　よく　ふります。
Roku gatsu ni ame ga yoku furimasu.
juin / en / pluie / - / souvent / tomber
Il pleut souvent en juin.

A 2 APPLICATION ●● CD

1. 12月　に　よく　ゆき　が　ふります。
2. 9月　に　たいふう　が　よく　来ます。
3. 雨　は　6月　に　たくさん　ふります。
4. ゆき　は　12月　に　よく　ふります。
5. たいふう　は　10月　に　たくさん　来ます。

A 3 REMARQUES

■ Il suffit d'ajouter 月, gatsu, aux chiffres de 1 à 12 pour obtenir les douze mois de l'année :

5, go + 月, gatsu, → 5月, go gatsu, *mai*

• Attention aux chiffres 4, 7 et 9 dont les prononciations sont respectivement [shi], [shitchi] et [kou].

■ **Grammaire**

• Comme pour l'heure (cf. 26B3), il faut la particule に, ni, pour introduire le mois dans la phrase :

6月 に 雨 が よく ふります。 *Il pleut souvent en juin.*
Roku gatsu ni ame ga yoku furimasu.
juin / en / pluie / - / souvent / tomber

• Le verbe ふる, furu, *tomber*, ne s'emploie que pour exprimer le phénomène atmosphérique : la pluie tombe.

■ **Remarques sur les phrases 3, 4 et 5 de A2 : (important)**

• Pour ces trois phrases, le message à transmettre est le temps (avril, mai...) et non pas le sujet (la pluie, la neige...), puisque ce dernier est suivi de la particule は, wa.

ゆき は 12月 に ふります。 *Il neige en décembre.*
Yuki wa jûni gatsu ni furimasu.
neige / - / décembre / en / tomber

• Si le sujet est un message clef de la phrase, il est suivi de la particule が, ga. (cf. A1 et 1 et 2 de A2)

• Il est impossible de faire apparaître sans contexte la différence entre が, ga, et は, wa, à travers la traduction française.

A 4 TRANSCRIPTION ET TRADUCTION

1. Jûni gatsu ni yoku yuki ga furimasu.
   Il neige souvent en décembre.
2. Ku gatsu ni taifû ga yoku kimasu.
   Les typhons arrivent (viennent) souvent en septembre.
3. Ame wa roku gatsu ni takusan furimasu.
   Il pleut beaucoup en juin.
4. Yuki wa jûni gatsu ni yoku furimasu.
   Il neige souvent en décembre.
5. Taifû wa jû gatsu ni takusan kimasu.
   Beaucoup de typhons arrivent (viennent) en octobre.

35 いま 雪 が ふっています。
Il neige en ce moment.

B 1 PRÉSENTATION

■ **Kanji**, *idéogramme d'origine chinoise*

kanji	lecture en hiragana	prononciation	signification
雪	ゆき	[youki]	*neige* (cf. 35A1)
風	かぜ	[kazé]	*vent*

■ **Vocabulaire**

風 kaze *vent*
いま ima *en ce moment*
ふく fuku *souffler ; jouer* (cf. 30B1)
とぶ tobu *voler* (dans l'air)
あるく aruku *marcher*
ています te imasu [té ïmass] *être en train de*

■ **infinitif +** ています, te imasu, donne la forme progressive :

ふる, furu + ています, te imasu → ふっています, futte imasu
tomber *être en train de* *être en train de tomber*

● ています, te imasu, contient la notion de politesse ; il ne varie ni en personne, ni en nombre.

■ いま 雪 が ふっています。
Ima yuki ga futte imasu.
en ce moment / neige. / - / être en train de tomber
Il neige en ce moment.

B 2 APPLICATION ●● (CD)

1. いま つよい 風 が ふいています。
2. つよい 雨 が ふっています。
3. 本田さん が あるいています。
4. 雪 が たくさん ふっています。
5. 鳥 が とんでいます。
6. エレーヌさん が フルート を ふいています。

35 Il neige en ce moment.

B 3 REMARQUES

Grammaire

● La construction **infinitif** + ています, te imasu, donne ce que l'on appelle la forme progressive (ou continue). Elle est utilisée pour décrire des actions qui sont en train de se faire, de se dérouler et qui ont une certaine durée.

L'infinitif employé avec ています, te imasu, voit sa terminaison modifiée : cette modification est différente de celle rencontrée avec ます, masu :

1. La terminaison en く, ku, devient い, i :

ふく, fu**ku** + ています, te imasu → ふいています, fu**ite** imasu
souffler *être en train de* *être en train de souffler*

2. La terminaison en る, ru, devient っ, tsu, de petite taille si elle est précédée d'une syllabe en **a**, en **o** ou en **u**.

ふる, fu**ru** + ています, te imasu → ふっています, fu**tte** imasu
tomber *être en train de* *être en train de tomber*

3. La terminaison en ぶ, bu, devient ん, n ; de plus, て, te, dans ています, te imasu, se transforme en で, de.

とぶ, to**bu** + ています, te imasu → とんでいます, to**nde** imasu
voler *être en train de* *être en train de voler*

B 4 TRANSCRIPTION ET TRADUCTION

1. Ima tsuyoi kaze ga fuite imasu.
   Il y a un fort vent (le vent souffle fort) en ce moment.
2. Tsuyoi ame ga futte imasu.
   Il pleut fort. (Une forte pluie est en train de tomber.)
3. Honda-san ga aruite imasu.
   M.Honda est en train de marcher.
4. Yuki ga takusan futte imasu.
   Il neige beaucoup (en ce moment).
5. Tori ga tonde imasu.
   Un (des) oiseau(x) est (sont) en train de voler.
6. Erênu-san ga furûto o fuite imasu.
   Hélène est en train de jouer de la flûte.

35 EXERCICES

C 1 EXERCICES ●● CD

A. Traduisez en français.

1. いち月　に　雪　が　たくさん　ふります。
2. 雨　は　じゅう月（10月）　に　は　あまり　ふりません。
3. デュポンさん　は　かいしゃ　で　はたらいています。
4. 人　が　たくさん　あるいています。
5. だれ　が　バイオリン　を　ひいています　か。
6. かのじょ　は　ラジオ　で　おんがく　を　きいています。

B. Traduisez en japonais.

1. *Il pleut beaucoup en ce moment.*
2. *Mme Yamada est en train d'écrire une lettre.*
3. *Des typhons arrivent (viennent) souvent en septembre.*
4. *Un oiseau est en train de voler.*
5. *Il y a un vent fort en février.*
6. *Il y a un vent fort en ce moment.*

C 2 CORRIGÉ

A.
1. *Il neige beaucoup en janvier.*
2. *Il ne pleut pas beaucoup en octobre.*
3. *Mlle Dupont travaille (en ce moment) au bureau.*
4. *Beaucoup de gens sont en train de marcher.*
5. *Qui joue (en ce moment) du violon ?*
6. *Elle écoute (en ce moment) de la musique à la radio.*

B.
1. いま　雨　が　たくさん　ふっています。
2. 山田さん　は　てがみ　を　かいています。
3. たいふう　は　く月（9月）　に　よく　来ます。
4. 鳥　が　とんでいます。
5. に月（2月）　に　つよい　風　が　ふきます。
   つよい　風　は　に月（2月）　に　ふきます。
6. いま　つよい　風　が　ふいています。

C 3 KANJI

▼ kanji ▼ ordre des traits

雨

あめ
[amé]

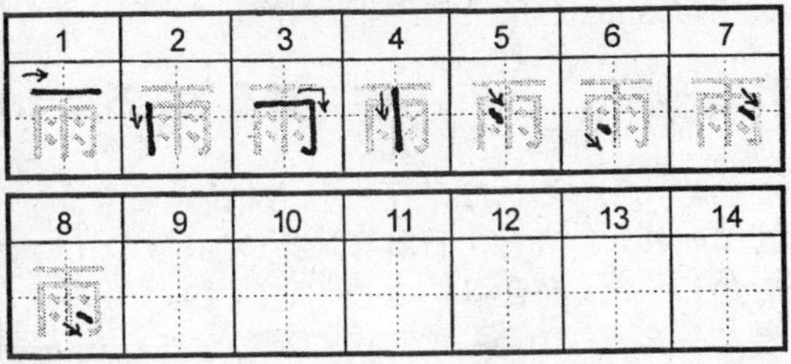

風

かぜ
[kazé]

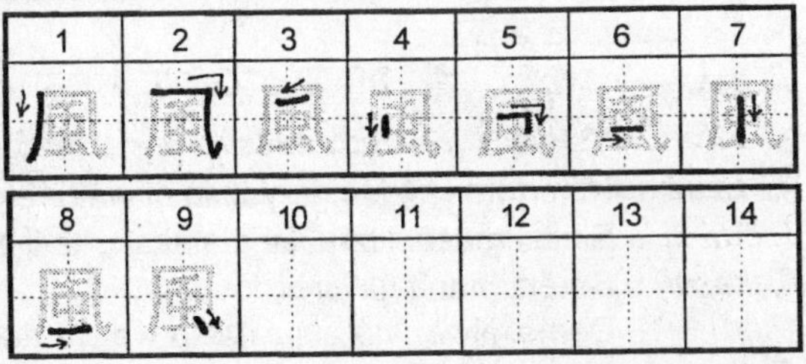

雪

ゆき
[youki]

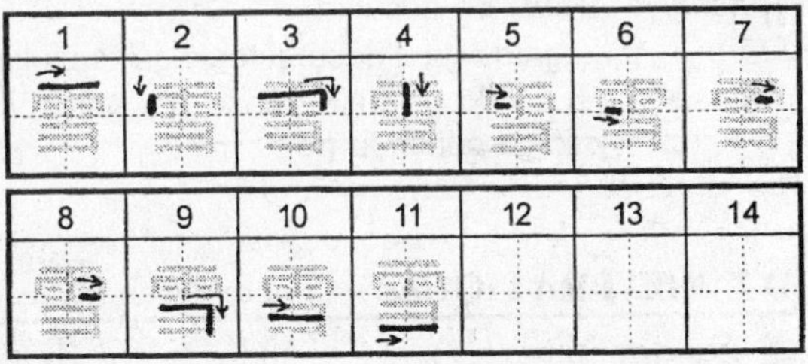

C 4 EXERCEZ-VOUS

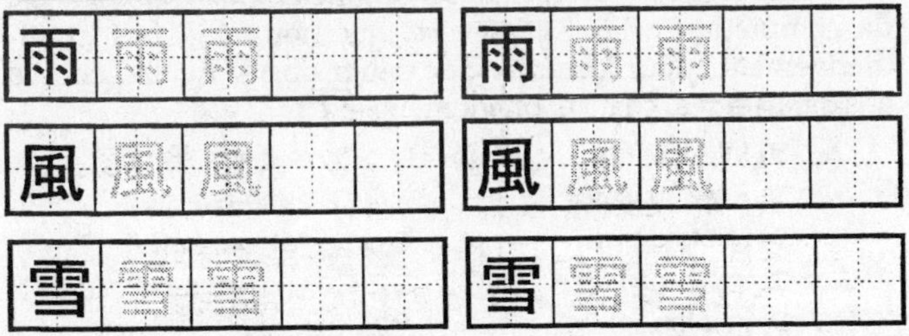

D 1 DIALOGUE ●● CD

たかし　：日本 は きせつ が よっつ に わかれて います。
ピエール：しって います。はる は あたたかく て いい です ね。
たかし　：それに、花 が きれい です。
ピエール：でも、日本 の あつい なつ は いや です。
たかし　：あき は どう です か。
ピエール：10月 が いいです。いい てんき が つづきます。
たかし　：あっ！雪 が ふって います。ことし の ふゆ は 雪 が おおい です ね。

Takashi : Nihon wa kisetsu ga yottsu ni wakarete imasu.
Piêru : Shitte imasu. Haru wa atatakaku te ii desu ne.
Takashi : Soreni, hana ga kirei desu.
Piêru : Demo, Nihon no atsui natsu wa iya desu.
Takashi : Aki wa dô desu ka.
Piêru : Jû gatsu ga ii desu. Ii tenki ga tsuzukimasu.
Takashi : Ah ! Yuki ga futte imasu yo. Kotoshi no fuyu wa yuki ga ooi desu ne.

D 2 VIE PRATIQUE

■ Les **compteurs** (3) :

● Les compteurs que nous avons étudiés précédemment (voir D2, p.202 et p.210), sont en fait d'origine chinoise. Il y a aussi un compteur d'origine japonaise, que nous utilisons quotidiennement, pour compter les petits objets ou les choses abstraites (idée, chance, phénomène, etc.) :

ひとつ, hito-tsu, *un*
ふたつ, futa-tsu, *deux*
みっつ, mit-tsu, *trois*
よっつ, yot-tsu, *quatre*
いつつ, itsu-tsu, *cinq*
むっつ, mut-tsu, *six*
ななつ, nana-tsu, *sept*
やっつ, yat-tsu, *huit*
ここのつ, kokono-tsu, *neuf*
とお, too, *dix*

D 3 DIALOGUE

Takashi : Il y a quatre saisons au Japon. [*lit.* Au Japon, la saison est divisée en quatre.]

Pierre : Je le sais. Au printemps, le temps est doux et agréable.

Takashi : De surcroît, les fleurs sont belles.

Pierre : Mais, l'été chaud du Japon ne me plaît pas.

Takashi : Que penses-tu de l'automne ?

Pierre : J'aime le mois d'octobre. On a toujours le beau temps. [*lit.* Le beau temps dure.]

Takashi : Tiens ! Il est en train de neiger. Il y a beaucoup de neige cet hiver !

❖ **Vocabulaire :**

はる, haru, *printemps* なつ, natsu, *été*

あき, aki, *automne* ふゆ, fuyu, *hiver*

きせつ, kisetsu, *saison* よっつ, yottsu, [voir D2 ci-contre]

に わかれています, ni wakarete imasu, *être divisé en*

しっています, shitte imasu, *savoir ; connaître*

あたたかい, atatakai, *doux* いや, iya, *détestable*

つづきます, tsuzukimasu, *durer ; continuer*

D 4 CIVILISATION

■ 俳句, Haiku, et 短歌, Tanka :

Le 俳句, Haiku, est un poème composé de 17 syllabes qui se divisent en 3 vers ; le premier et le dernier en sont constitués de 5 syllabes et le deuxième de 7. Le poète 松尾芭蕉, Matsuo Bashô, a établit le genre du 俳句, Haiku, à *l'époque d'Edo* (江戸時代, Edo-jidai,). Il est de règle qu'on insère à l'intérieur d'un 俳句, Haiku, ce qu'on appelle 季語, kigo, dénotant l'une des quatre saisons japonaises.

Quant au 短歌, Tanka, il s'agit d'un poème un peu plus long que le 俳句, Haiku ; il est composé de 31 syllabes qui sont divisées en 5 vers, sur un rythme de 5-7-5-7-7 syllabes. On trouve déjà des poèmes élaborés au même rythme dans le 万葉集, Man'yôshû, le plus ancien recueil de poèmes du Japon. La simplicité de forme du 俳句, Haiku, ou du 短歌, Tanka, semble permettre davantage d'éveiller des résonances profondes chez leur lecteur.

36 上田さん　は　いま　何　を　しています　か。
Ueda-san wa ima nani o shite imasu ka.

A 1 PRÉSENTATION

■ **Kanji**, *idéogramme d'origine chinoise*

kanji	lecture en hiragana	prononc.	signification
読	よ	[yo]	*lecture ; lire* (cf. 23A1)

- 読, yo, est le radical du verbe *lire* : 読む, yomu.

■ **Vocabulaire**

上田	Ueda	*Ueda* (nom de famille)
あらう	arau [araou]	*laver ; nettoyer*
あらっています	aratte imasu	*être en train de laver (nettoyer)*
読んでいます	yonde imasu	*être en train de lire*
はなしています	hanashite imasu	*être en train de parler*
待っています	matte imasu	*être en train d'attendre*
しています	shite imasu	*être en train de faire*
べんきょうしています	benkyô shite imasu	*être en train d'étudier*

■ 上田さん　は　いま　何　を　しています　か。
Ueda-sa wa ima nani o shite imasu ka.
Ueda / M. / - / en ce moment / que / - / en train de faire / ?
Que fait M.Ueda en ce moment ?

N.B. 何 se dit [nani] quand il est suivi de la particule を, o.

A 2 APPLICATION ●● CD

1. 森田さん　は　何　を　しています　か。
2. かのじょ　は　山田さん　と　べんきょうしています。
3. かれ　は　田中さん　と　えい語　で　はなしています。
4. 本田さん　は　ふく　を　あらっています。
5. ミッシェルさん　は　駅　で　友だち　を　待っています。
6. かのじょたち　は　本　を　読んでいます。

A 3 REMARQUES

■ **Grammaire** : (suite de la leçon 35B3)

4. La terminaison en む, mu, devient ん, n : de plus, て, te, dans ています, te imasu, se transforme en で, de, comme pour la terminaison ぶ, bu :

読む, yo**mu** + ています, te imasu → 読んでいます, yo**nde** imasu
lire *être en train de* *être en train de lire*

5. Les terminaisons en う, u, et つ, tsu, deviennent っ, tsu, de petite taille, comme pour la terminaison る, ru, précédée de la syllabe en **a**, en **o** ou en **u**.

あらう, ara**u** + ています, te imasu → あらっています, ara**tte** imasu
laver *être en train de* *être en train de laver*

待つ, ma**tsu** + ています, te imasu → 待っています, ma**tte** imasu
attendre *être en train de* *être en train d'attendre*

6. La terminaison en す, su, et le verbe irrégulier する, suru, *faire*, (y compris les verbes constitués par celui-ci) deviennent し, shi :

はなす + ています → はなしています
hana**su** te imasu hana**shite** imasu
parler *être en train de* *être en train de parler*

べんきょうする + ています → べんきょうしています
benkyô**suru** te imasu benkyô**shite** imasu
étudier *être en train de* *être en train d'étudier*

A 4 TRANSCRIPTION ET TRADUCTION

1. Morita-san wa nani o shite imasu ka.
   Que fait Mlle Morita (en ce moment) ?
2. Kanojo wa Yamada-san to benkyôshite imasu.
   Elle est en train d'étudier avec Mlle Yamada.
3. Kare wa Tanaka-san to eigo de hanashite imasu.
   Il est en train de parler en anglais avec M.Tanaka.
4. Honda-san wa fuku wo aratte imasu.
   M.Honda est en train de laver des vêtements.
5. Missheru-san wa eki de tomodachi o matte imasu.
   Mme Michel attend un(e) ami(e) à la gare(en ce moment).
6. Kanojotachi wa hon o yonde imasu.
   Elles lisent des livres(en ce moment).

36 かのじょ は セーター を 着ています。
Kanojo wa sêtâ o kite imasu.

B 1 PRÉSENTATION

■ **Kanji**, *idéogramme d'origine chinoise*

kanji	lecture en hiragana	prononciation	signification
食	た	[ta]	*manger* (cf. 24A1)
着	き	[ki]	*habillage* *mettre (vêtements)*

- 食, ta, est le radical du verbe *manger* : 食べる, <u>ta</u>beru.
- 着, ki, est le radical du verbe *mettre* : 着る, <u>ki</u>ru.

■ **Vocabulaire**

ジーンズ jînzu [dji:nnz] *jeans*
着る kiru *mettre* (pull, veste, chemise...)
着ています kite imasu *être en train de mettre ; porter*
はく haku *mettre* (pantalon, chaussures...)
はいています haite imasu *être en train de mettre ; porter*
およいでいます oyoide imasu *être en train de nager*
食べています tabete imasu *être en train de manger*

- 着る, kiru, et はく, haku, signifient *mettre des vêtements* ; le premier concerne les vêtements au-dessus de la ceinture, le second les vêtements en dessous de la ceinture, y compris les chaussures et les chaussettes.

■ かのじょ は セーター を 着ています。
Kanojo wa sêtâ o kite imasu.
elle / - / pull-over / - / porter (être en train de mettre)
Elle porte (est en train de mettre) un pull-over.

B 2 APPLICATION (CD)

1. 田中さん は ジーンズ を はいています。
2. ピエールさん は 海 で およいでいます。
3. 森田さん は くだもの を 食べています。
4. かれら は シャツ を 着ています。

B 3 REMARQUES

■ **Grammaire** : (suite de la leçon 36A3)

● Voici encore deux terminaisons à modifier devant ています, te imasu, *être en train de* :

7. La terminaison en ぐ, gu, devient い, i, de plus, て, te, dans ています, te imasu, se transforme en で, de :

およぐ	+	ています	→ およいでいます
oyo**gu**		te imasu	oyo**ide** imasu
nager		*être en train de*	*être en train de nager*

8. La terminaison en る, ru, disparaît, si elle est précédé d'une syllabe en **e** ou en **i** (sa disparition est simulée par □) :

食べる	+	ています	→ 食べ□ています
tabe**ru**		te imasu	tabe□te imasu
manger		*être en train de*	*être en train de manger*
着る	+	ています	→ 着□ています
ki**ru**		te imasu	ki□te imasu
metre		*être en train de*	*être en train de mettre* (ou *porter*)

Remarques :

● Associé à ています, te imasu, 着る, kiru, *mettre*, exprime également le résultat de cette action : 着ています, kite imasu, *porter* (des vêtements).

● Il en va de même pour はく, haku, *mettre*, qui exprime non seulement l'action en cours, mais aussi son résultat :

はく	+	ています	→ はいています
haku		te imasu	haite imasu
mettre		*être en train de*	*être en train de mettre* (ou *porter*)

B 4 TRANSCRIPTION ET TRADUCTION

1. Tanaka-san wa jînzu o haite imasu.
   Mme Tanaka porte (est en train de mettre) un jeans.
2. Piêru-san wa umi de oyoide imasu.
   Pierre est en train de nager dans la mer.
3. Morita-san wa kudamono o tabete imasu.
   M.Morita mange un fruit (en ce moment).
4. Karera wa shatsu o kite imasu.
   Ils portent(sont en train de mettre) des chemises.

36 EXERCICES

C 1 EXERCICES ●● CD

A. Traduisez en français.

1. 上田さん は 家 の まえ で 何 を しています か。
2. かのじょ は 友だち を 待っています。
3. ミッシェルさん は きょう あかい セーター を 着ています。
4. かのじょたち は いま あの きっさてん で コーヒー を のんでいます。
5. 本田さん と 山本さん は 車 の ざっし を 読んでいます。
6. かれら は いま はなしあっています。

B. Traduisez en japonais.

1. *Il est entrain de laver ses (les) chemises.*
2. *Que fait Monsieur Ueda chez lui (à sa maison) ?*
3. *Mme Dupont porte des chaussettes blanches.*
4. *Elle étudie le japonais en ce moment.*
5. *M.Tanaka est en train d'acheter des poissons dans cette poissonnerie là-bas.*

C 2 CORRIGÉ

A. 1. *Que fait Mlle Ueda devant la maison (en ce moment) ?*
2. *Elle attend un (des) ami(s) (en ce moment).*
3. *Aujourd'hui Mme Michel porte un pull rouge.*
4. *Elles sont en train de boire du café en ce moment dans ce salon de thé là-bas.*
5. *M.Honda et M.Yamamoto lisent (en ce moment) des revues automobiles (de voitures).*
6. *Ils sont en train de discuter.*

B. 1. かれ は シャツ を あらっています。
2. 上田さん は 家 で 何 を しています か。
3. デュポンさん は しろい くつした を はいています。
4. かのじょ は いま 日本語 を べんきょうしています。
5. 田中さん は あの 魚屋 で 魚 を 買っています。

C 3 KANJI

▼ kanji ▼ ordre des traits

読

よ

[yo]

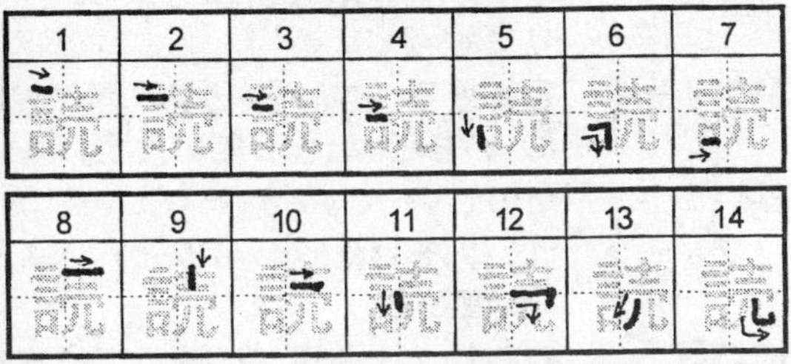

食

た

[ta]

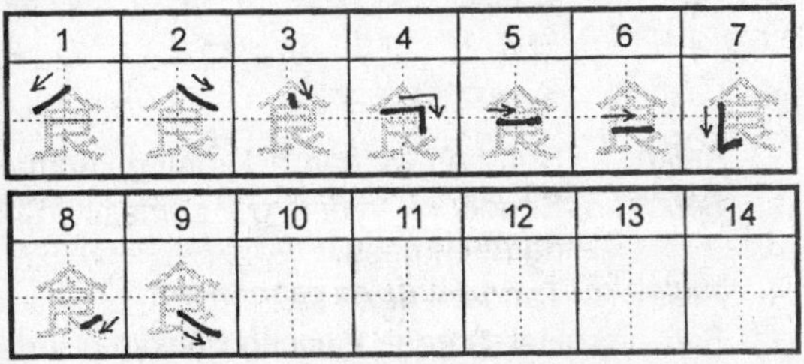

着

き

[ki]

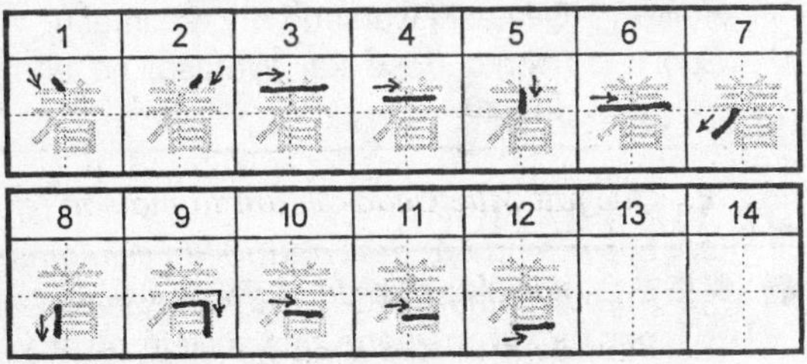

C 4 EXERCEZ-VOUS

読	読	読		
食	食	食		
着	着	着		

読	読	読		
食	食	食		
着	着	着		

D 1 DIALOGUE

けいこ : ソフィーさん は 何 に きょうみ が ありますか。
ソフィー : しょどう に きょうみ が あります。週 に いちど ならっています。
けいこ : たのしい です か。
ソフィー : はい。それに、かんじ の べんきょう に いい です。
けいこ : わたし は 茶道 を やっています。
ソフィー : ほんと です か。わたし の あね も ならっています。

Keiko : Sofî-san wa nan ni kyômi ga arimasu ka.
Sofî : Shodô ni kyômi ga arimasu. Shû ni ichido naratte imasu.
Keiko : Tanoshii desu ka.
Sofî : Hai. Soreni, kanji no benkyô ni ii desu.
Keiko : Watashi wa sadô o yatte imasu.
Sofî : Honto desu ka. Watashi no ane mo naratte imasu.

D 2 VIE PRATIQUE

■ 資格社会, shikaku-shakai, *société de « qualifications »* :

Les Japonais vivont dans une société où il y a beaucoup de qualifications. Le nombre de ces qualifications s'élève sans doute à plus de mille. Parmi ces qualifications, certaines sont reconnues par l'état pour devenir un **fonctionnaire** (公務員, kômu-in), **médecin** (医者, isha), **comptable agréé** (公認会計士, kônin-kaikei-shi), **consultant fiscal** (税理士, zeiri-shi), etc. D'autres, comme l'approbation des langues étrangères ou de secrétariat permettent de juger le niveau personnel dans divers domaines et divers buts. Aujourd'hui, de plus en plus de salariés et d'étudiants s'évertuent à être qualifiés, car cela leur facilitera à coup sûr à obtenir un salaire plus élevé ou à trouver un emploi.

D 3 DIALOGUE

Keiko : Sophie, à quoi t'intéresses-tu ?
Sophie : Je m'intéresse à la calligraphie. Je l'apprend une fois par semaine.
Keiko : Es-tu contente ?
Sophie : Oui. En plus, c'est bien pour apprendre des idéogrammes.
Keiko : Moi, je fais de la cérémonie du thé.
Sophie : C'est vrai ? Ma sœur l'apprend aussi.

❖ **Vocabulaire :**
きょうみ, kyômi, *intêret ; curiosité*
に きょうみ が ある, ni kyômi ga aru, *s'intéresser à*
書道, しょどう, shodô, *calligraphie* [Voir D4 ci-après]
週に, shû ni, *par semaine* いちど, ichi do, *une fois*
ならっています, naratte imasu, *(être en train d') apprendre*
たのしい, tanoshii, *amusant ; content*
べんきょう, benkyô, *étude ; apprentissage*
茶道, さどう, sadô, *cérémonie du thé* [Voir D4 ci-après]
やっています, yatte imasu, *(être en train de) faire*

D 4 CIVILISATION

■ 茶道, sadô, 書道, shodô, 華道, kadô :

On trouve dans ces 3 termes l'idéogramme commun 道, dô, qui signifie *la voie* ou *le chemin*.

茶道, sadô, ou *la voie du thé* est l'art de préparer et de servir le thé à un invité, suivant les règles traditionnelles. Aussi appelé *la cérémonie du thé*, cet art a été perfectionné au seizième siècle par le maître 千利休, Sen no Rikyû.

書道, shodô, ou *la calligraphie*, est l'art d'écrire des caractères chinois ou japonais au *pinceau* (筆, fude) et à *l'encre de Chine* (墨, sumi). Aujourd'hui, il y a des écoles qui introduisent 書道, shodô, dans le programme scolaire.

Sous le nom de 生け花, ikebana, *l'arragement floral*, 華道, kadô, *la voie des fleurs*, est très populaire parmi des femmes japonaises. On trouve son origine dans le fait qu'au sixième siècle, des bonzes offraient des fleurs au Bouddha.

37 かれ は いつ まで 東京 に すんでいましたか。
Kare wa itsu made Tôkyô ni sunde imashita ka.

A 1 PRÉSENTATION

■ **Kanji**, *idéogramme d'origine chinoise*

kanji	lecture en hiragana	prononc.	signification
東	とう	[to:]	*est* (point cardinal)
京	きょう	[kyo:]	*capitale(s)*

■ **Vocabulaire**

東京	Tôkyô	[to:kyo:]	*Tokyo*
せん週	senshû	[sénnshou:]	*la semaine dernière*
きょ年	kyonen		*l'an dernier*
いつ	itsu		*quand* (adverbe interrogatif)
から	kara		*depuis ; à partir de*
まで	made		*jusqu'à*
すむ	sumu		*s'installer ; habiter*
つとめる	tsutomeru		*travailler* (voir A3 ci-contre)

■ ていました, te imashita, est la forme passée de ています, te imasu ; on peut la traduire en français par l'imparfait.

■ かれ　は　いつ　まで　東京　に　すんでいました　か。
Kare wa itsu made Tôkyô ni sunde imashita ka.
lui / -. / quand / jusqu'à / Tokyo / à / habitait / ?
Jusqu'à quand a-t-il habité à Tokyo ?

A 2 APPLICATION ●● (CD)

1. 山田さん　は　きょ年　から　パリ　に　すんでいます。
2. 林さん　は　きょ年　から　あの　かいしゃ　に　つとめています。
3. かのじょ　は　せん週　まで　デパート　で　はたらいていました。
4. 本田さん　は　毎日　がっこう　へ　行っています。

A 3 REMARQUES

■ La construction **infinitif + ています**, te imasu, peut indiquer une action habituelle qui se déroule dans le temps.

● すむ, sumu, fait appel à ています, te imasu, pour introduire la notion de durée. D'autre part, c'est la particule に, ni, qui marque le complément de lieu de すむ, sumu, *habiter*.

パリ　に　すんでいます　*habiter à Paris*
Pari　ni　sunde imasu　*Paris / à / habiter*

● つとめる, tsutomeru, et はたらく, hataraku (cf.28B1), signifient *travailler* ; grâce à ています, te imasu, ils peuvent indiquer une action habituelle et durable.

かいしゃ に*つとめています　*travailler dans une compagnie*
kaisha　ni　tsutomete imasu　*compagnie / dans / travailler*
かいしゃ で*はたらいています　*travailler dans une compagnie*
kaisha　de　hataraite imasu　*compagnie / dans / travailler*

> ***Important** : つとめる, tsutomeru, a besoin de la particule に, ni, pour son complément de lieu, tandis que はたらく, hataraku, s'emploie avec la particule で, de.

● 行く, iku, *aller*, suivi de ています, te imasu, exprime une habitude : bien que sa terminaison soit く, ku, elle devient っ, tsu, de petite taille devant ています, te imasu (c'est une exception).

がっこう　へ　行っています　*fréquenter (aller à) l'école*
gakkô　e　itte imasu　*école / à / fréquenter (aller)*

A 4 TRANSCRIPTION ET TRADUCTION

1. Yamada-san wa kyonen kara Pari ni sunde imasu.
   M.Yamada habite à Paris depuis l'an dernier.
2. Hayashi-san wa kyonen kara ano kaisha ni tsutomete imasu. *Mme Hayashi travaille dans cette compagnie là-bas depuis l'an dernier.*
3. Kanojo wa senshû made depâto de hataraite imashita.
   Elle travaillait dans un grand magasin jusqu'à la semaine dernière.
4. Honda-san wa mainichi gakkô e itte imasu.
   M.Honda va à l'école tous les jours.

37 山口さん は はいしゃ を しています。
Yamaguchi-san wa haisha o shite imasu.

B 1 PRÉSENTATION

■ **Kanji**, *idéogramme d'origine chinoise*

kanji	lecture en hiragana	prononciation	signification
口	くち ぐち	[koutchi] [goutchi]	*bouche(s)*

■ **Vocabulaire**

山口	Yamaguchi	*Yamaguchi* (nom de famille)
はいしゃ	haisha [haïsha]	*dentiste(s)*
かんごふ	kangofu	*infirmière(s)*
べんごし	bengoshi	*avocat(e)(s)*
きょうし	kyôshi	*enseignant(e)(s)*
ジャーナリスト	jânarisuto [dja:narissto]	*journaliste(s)*
おとうさん	otôsan	*père(s)* (mot poli)
ちち	chichi	*père(s)* (voir B3 ci-contre)
おかあさん	okâsan	*mère(s)* (mot poli)
はは	haha	*mère(s)* (voir B3 ci-contre)

■ 山口さん は はいしゃ を しています。
Yamaguchi-san wa haisha o shite imasu.
Yamaguchi / Mme / - / dentiste / - / exercer (le métier de)
Mme Yamaguchi est (exerce le métier de) dentiste.

B 2 APPLICATION ●● CD

1. あなた の おかあさん は 何 を しています か。
2. わたし の はは は きょうし を しています。
3. 山口さん は かんごふ を しています。
4. かれ の おとうさん は べんごし を しています。
5. 森田さん は ジャーナリスト を しています。

B 3 REMARQUES

■ Nom de métier + を しています

● Suivi de ています, te imasu, する, suru, *faire*, s'emploie ici pour désigner un métier ou une fonction qu'on exerce.

かんごふ	を	しています	*exercer le métier d'infirmière*
kangofu	o	shite imasu	*infirmière / - / exercer*

● Cette expression peut être remplacée par です, desu, *être*, mais il faut supprimer alors la particule を, o.

はいしゃ	を	しています	*exercer le métier de dentiste*
haisha	o	shite imasu	*dentiste / - / exercer*
はいしゃ	です		*être dentiste*
haisha	desu		*dentiste / être*

● おとうさん, otôsan, *père*, et おかあさん, okâsan, *mère*, comportant la notion de politesse, ne sont pas utilisés quand on désigne ses propres père et mère ; ce sont ちち, chichi, *père*, et はは, haha, *mère*, qui doivent s'employer (voir D2, p.154).

わたし の ちち watashi no chichi *mon père*	s'opose à	あなた の おとうさん anata no otôsan *ton père*

■ **Remarques su la phrase 1 de B2** : elle a deux traductions possibles et seul le contexte nous dira le choix entre 1 et 2 :

1. *Que fait ta mère (en ce moment) ?*
2. *Que fait ta mère (comme profession) ?*

B 4 TRANSCRIPTION ET TRADUCTION

1. Anata no okâsan wa nani o shite imasu ka.
   Que fait ta mère (comme profession) ?
2. Watashi no haha wa kyôshi o shite imasu.
   Ma mère est (exerce le métier d') enseignante.
3. Yamaguchi-san wa kangofu o shite imasu.
   Mlle Yamaguchi est (exerce le métier d') infirmière.
4. Kare no otôsan wa bengoshi o shite imasu.
   Son père est (exerce le métier d') avocat.
5. Morita-san wa jânarisuto o shite imasu.
   Mlle Morita est (exerce le métier de) journaliste.

37 EXERCICES

C 1 EXERCICES ●● CD

A. Traduisez en français.

1. あなた　の　おとうさん　は　何　を　しています　か。
2. わたし　の　はは　は　かんごふ　を　しています。
3. かれら　は　いつ　から　ローマ　に　すんでいます　か。
4. 森田さん　は　東京で　はいしゃ　を　しています。
5. かのじょ　の　おかあさん　は　きょ年　まで　きょうし　を　していました。

B. Traduisez en japonais.

1. *Est-ce que ta mère est (exerce le métier de) journaliste ?*
2. *Non, ma mère est (exerce le métier d') avocate.*
3. *Jusqu'à quand M.Yamaguchi a-t-il habité en Italie ?*
4. *Je travaille dans un grand magasin depuis la semaine dernière.*
5. *Que fait le père de Pierre (comme profession) ?*

C 2 CORRIGÉ

A.
1. *Que fait ton père (comme profession) ?*
2. *Ma mère est infirmière.*
3. *Depuis quand habitent-ils à Rome ?*
4. *M.Morita exerce le métier de dentiste à Tokyo.*
5. *Sa mère (à elle) était enseignante jusqu'à l'an dernier.*

B.
1. あなた　の　おかあさん　は　ジャーナリスト　を　しています　か。
2. いいえ、わたし　の　はは　は　べんごし　を　しています。
3. 山口さん　は　いつ　まで　イタリア　に　すんでいました　か。
4. わたし　は　せん週　から　デパート　に　つとめています。(ou　わたし　は　せん週　から　デパート　ではたらいています。
5. ピエールさん　の　おとうさん　は　何　を　していますか。

C 3 KANJI

▼ kanji ▼ ordre des traits

口
くち
[koutchi]
ぐち
[goutchi]

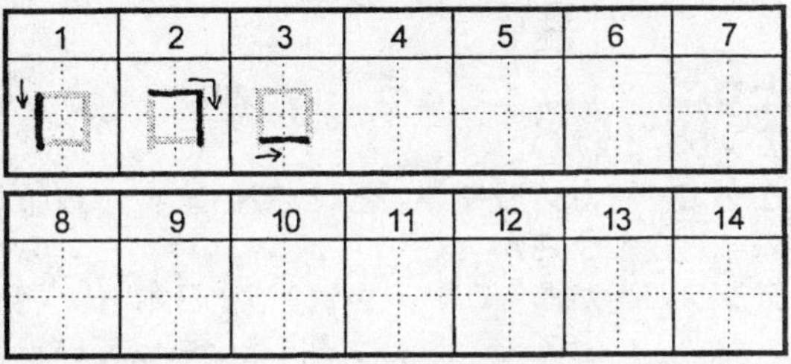

東
とう
[to:]

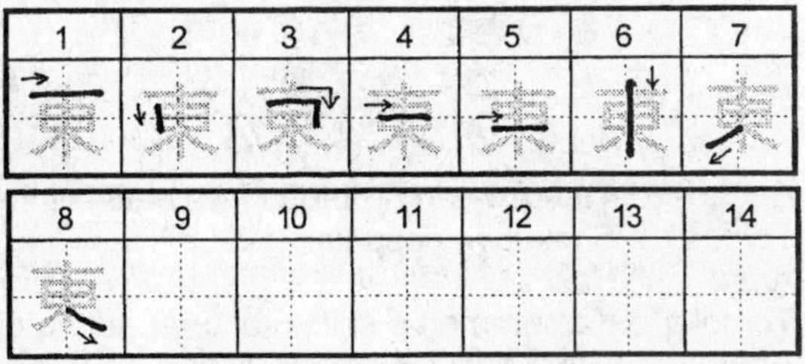

京
きょう
[kyo:]

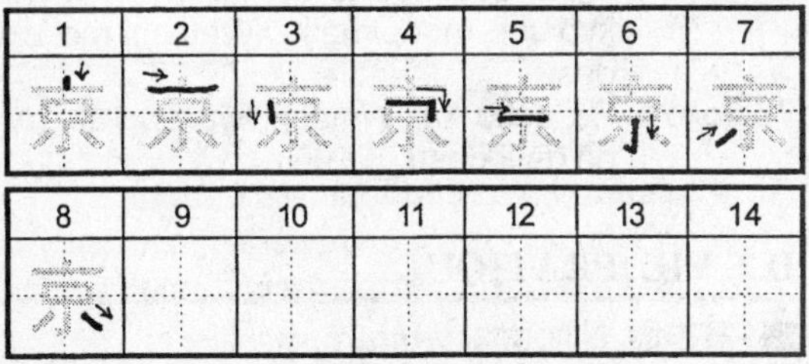

C 4 EXERCEZ-VOUS

東	東	東				東	東	東		
京	京	京				京	京	京		
口	口	口				口	口	口		

D 1 DIALOGUE ●● CD

アンヌ ： ともこさん の おとうさん は 何 を して います か。
ともこ ： しょくぎょう です か。
アンヌ ： はい。
ともこ ： カメラマン を しています。あなた の おとうさん は？
アンヌ ： がか です。かれ は 日本 の うきよえ に とても きょうみ を もっています。わたし も うきよえ が すき です。
ともこ ： そう です か。わたし は あぶらえ や すいさいが の ほう が いい です。

Annu : Tomoko-san no otôsan wa nani o shiteimasu ka.
Tomoko : Shokugyô desu ka.
Annu : Hai.
Tomoko : Kameraman o shiteimasu. Anata no o-tôsan wa ?
Annu : Gaka desu. Kare wa Nihon no ukiyoe ni totemo kyômi o motteimasu. Watashi mo ukiyoe ga suki desu.
Tomoko : Sô desu ka. Watashi wa aburae ya suisaiga no hô ga ii desu.

D 2 VIE PRATIQUE

■ 日本画, Nihonga, *peinture japonaise* :

On appelle 日本画, Nihonga, les tableaux de style traditionnel japonais qui sont peints au **pinceau**, 筆, fude, avec **l'encre de Chine**, 墨, sumi, ou des couleurs minérales sur du **papier japonais**, 和紙, washi, ou **de la soie**, 絹, kinu. Ces tableux ont été effectués notamment entre le dixième et le douzième siècle pour les « fusuma-e », peinture réalisée sur les **portes coulissantes des maisons**, ふすま, fusuma, ou les « emakimono », rouleau à peintures illustrant une histoire. Par opposition à 日本画, Nihonga, *peinture japonaise*, on désigne par 西洋画, seiyôga, les tableaux de style occidental qui commencent à se familiariser avec le milieu japonais à partir de l'ère Meiji.

D 3 DIALOGUE

Anne : Que fait ton père, Tomoko ?
Tomoko : Tu parles de sa profession ? [*lit.* S'agit-il de sa profession ?]
Anne : Oui.
Tomoko : Il est photographe. Et ton père ?
Anne : Il est peintre. Il s'intéresse beaucoup à l'estampe japonaise. Moi aussi, je l'aime bien.
Tomoko : Ah bon ? Moi, je préfère la peinture à l'huile ou à l'aquarelle.

❖ **Vocabulaire :**

しょくぎょう, shokugyô, *profession*
カメラマン, kameraman, *photographe*
がか, gaka, *peintre*
うきよえ, ukiyoe, *estampe japonaise* [voir D4 ci-après]
きょうみ を もっています, kyômi o motte imasu, *s'intéresser à* [voir D3, p.301]
あぶらえ, aburae, *peinture à l'huile*
すいさいが, suisaiga, *peinture à l'aquarelle*
[nom +] の ほう が いい です, no hô ga ii desu, *préférer*

D 4 CIVILISATION

■ 浮世絵, ukiyo-e, *estampe japonaise* :

– Le 浮世絵, ukiyo-e, est l'une des formes de *la peinture* (絵, e), qui dépeignait des scènes de la vie des gens dans la société féodale, éphémère et changeante, que l'on qualifiait de *monde flottant* (浮世, ukiyo) à l'époque d'Edo (1603 - 1867).

L'origine du 浮世絵, ukiyo-e, remonte à la fin du dix-septième siècle où les estampes de 菱川師宣, Hishikawa Moronobu, se sont imposées comme un genre de la peinture au sein du peuple. Au départ, une seule couleur noire y a été appliquée, mais en 1765 鈴木春信, Suzuki Harunobu, développe les estampes en couleurs, appelées 錦絵, nishiki-e.

Le 浮世絵, ukiyo-e, traite de vastes sujets : les belles femmes, les acteurs, les lutteurs, les paysages, les fleurs, etc. Les grands peintres, comme 北斎, Hokusai, ou 広重, Hiroshige, semblent avoir influencé les beaux-arts européens.

38 ちょっと 待ってください。Chotto mattekudasai.

A 1 PRÉSENTATION

■ **Kanji**, *idéogramme d'origine chinoise*

kanji	lecture en hiragana	prononc.	signification
聞	き	[ki]	*écouter ; entendre* (cf. 24B1)

● 聞, ki, est le radical du verbe écouter : 聞く, kiku.

■ **Vocabulaire**

はがき	hagaki	*carte(s) postale(s)* (sans image)	
えはがき	ehagaki	*carte(s) postale(s)* (avec image)	
きって	kitte	*timbre(s)*	
ゆっくり	yukkuri	[youk'kouri]	*lentement*
ちょっと	chotto	[tchot'to]	*un instant ; un peu*
よく	yoku	*bien* (cf. 32A1)	
ください	kudasai	*Donnez-moi...s'il vous plaît*	
てください	tekudasai	(expression transformant l'infinitif en forme impérative)	

■ Forme affirmative de l'impératif pour la deuxième personne :

● **infinitif** + てください, tekudasai

待ってください。 *Attendez, s'il vous plaît.*
Mattekudasai.

● L'impératif avec てください, tekudasai, comporte la notion de politesse.

A 2 APPLICATION ●● (CD)

1. よく　聞いてください。
2. ゆっくり　はなしてください。
3. 4時　に　来てください。
4. あした　山田さん　に　電話してください。
5. えはがき　を　ください。
6. きって　を　ください。

A 3 REMARQUES

■ L'impératif est un mode qui exprime le commandement ou l'invitation à faire quelque chose.

● Pour obtenir la forme affirmative de l'impératif, on ajoute てください, tekudasai, à l'infinitif, en modifiant sa terminaison : les modifications sont les mêmes qu'avec ています, te imasu.

待つ	+ てください	→	待ってください。
matsu	tekudasai		mattekudasai.
attendre			*Attendez, s'il vous plaît.*
聞く	+ てください	→	聞いてください。
kiku	tekudasai		kiitekudasai.
écouter			*Écoutez, s'il vous plaît.*
来る*	+ てください	→	来てください。
kuru	tekudasai		kitekudasai.
venir			*Venez, s'il vous plaît.*

*来 dans 来る, kuṛu, se prononce [kou]. Il est cependant prononcé [ki] quand il est utilisé avec てください, tekudasai.

■ En remplaçant て, te, dans てください, tekudasai, par la particule を, o, on a la construction suivante :

Nom + を ください o kudasai	: *Donnez-moi,* (+ nom), *s'il vous plaît.*

きって を ください。 — *Donnez-moi un (des) timbre(s),*
kitte o kudasai — *s'il vous plaît.*

A 4 TRANSCRIPTION ET TRADUCTION

1. Yoku kiitekudasai. *Écoutez bien, s'il vous plaît.*
2. Yukkuri hanashitekudasai. *Parlez lentement, s'il vous plaît.*
3. Yoji ni kitekudasai. *Venez à quatre heures, je vous prie.*
4. Ashita Yamada-san ni denwa-shitekudasai.
   Téléphonez à M.Yamada demain, s'il vous plaît.
5. Ehagaki o kudasai
   Donnez-moi une carte postale (avec image), s'il vous plaît.
6. Kitte o kudasai. *Donnez-moi des timbres, je vous prie.*

38 おくれないでください。 Okurenaidekudasai.

B 1 PRÉSENTATION

■ **Kanji**, *idéogramme d'origine chinoise*

kanji	lecture en hiragana	prononciation	signification
万	まん	[mann]	*dix mille*
筆	ひつ	[hitsou]	*pinceau(x)*

■ **Vocabulaire**

万年筆 mannenhitsu [mann'nénnhitsou] *stylo(s) à encre*
おくれる okureru *tarder*
わすれる wasureru *oublier*
ないでください naidekudasai (expression pour la négation de l'impératif)

■ Forme négative de l'impératif pour la deuxième personne :

infinitif + ない, nai + でください, dekudasai

- On place le mot de négation ない, nai, *ne pas*, juste derrière l'infinitif dont on modifie en même temps la terminaison (cf. B3).
- て, te, dans てください, tekudasai, devient で, de.

おくれないでください。 *Ne tardez pas, s'il vous plaît.*
okurenaidekudasai.

B 2 APPLICATION ●● CD

1. 万年筆　を　わすれないでください。
2. テレビ　を　見ないでください。
3. ここ　で　すいえい　を　しないでください。
4. ここ　へ　来ないでください。
5. あまり　タバコ　を　すわないでください。
6. ボールペン　で　かかないでください。

38 Ne tardez pas, je vous prie.

B 3 REMARQUES

■ La terminaison de l'infinitif doit se transformer devant ない, nai, *ne pas*, de la façon suivante :

1. La terminaison る, ru, précédée d'une syllabe en **e** ou en **i**, disparaît ; sa disparition est simulée par □ :

おくれる	+	ない	→	おくれ□ない
okureru		nai		okure□nai
tarder		*ne pas*		*ne pas tarder*
見る	+	ない	→	見□ない
miru		nai		mi□nai
regarder		*ne pas*		*ne pas regarder*

2. Le verbe irrégulier する, suru, *faire*, devient し, shi :

する	+	ない	→	しない
suru		nai		shinai
faire		*ne pas*		*ne pas faire*

3. Quant à 来る, kuru, *venir*, il ne garde que son radical 来, qui doit se prononcer [ko] et non pas [ki] (cf. 38A3) :

来る	+	ない	→	来ない
kuru		nai		konai
venir		*ne pas*		*ne pas venir*

4. La terminaison う, u, devient わ, wa :

すう	+	ない	→	すわない
suu		nai		su**wa**nai
fumer		*ne pas*		*ne pas fumer*

5. Toutes les autres terminaisons se transforment en syllabe en **a** :

かく	+	ない	→	かかない
kaku		nai		ka**ka**nai
écrire		*ne pas*		*ne pas écrire*

B 4 TRANSCRIPTION ET TRADUCTION

1. Mannenhitsu o wasurenaidekudasai.
N'oubliez pas le stylo à encre, s'il vous plaît.
2. Terebi o minaidekudasai. *Ne regardez pas la télé, s'il vous plaît.*
3. Koko de suiei o shinaidekudasai.
Ne faite pas de natation ici, s'il vous plaît.
4. Koko e konaidekudasai. *Ne venez pas ici, je vous prie.*
5. Amari tabako o suwanaidekudasai.
Ne fumez pas trop de cigarettes, je vous prie.
6. Bôrupen de kakanaidekudasai.
N'écrivez pas avec un stylo à bille, s'il vous plaît.

EXERCICES

C 1 EXERCICES ●● (CD)

A. Traduisez en français.

1. この　本　を　読んでください。
2. よく　聞いてください。
3. これ　を　ください。
4. 日本語　で　ゆっくり　はなしてください。
5. かさ　を　わすれないでください。
6. たくさん　食べないでください。

B. Traduisez en japonais.

1. *Envoyez(-moi) une carte postale (avec image), s'il vous plaît.*
2. *Donnez-moi des timbres, je vous prie.*
3. *Venez avec M.Yamaguchi, s'il vous plaît.*
4. *N'achetez pas de cravate rouge, je vous prie.*
5. *Regardez bien, s'il vous plaît.*
6. *Ne buvez pas ce vin-ci, je vous prie.*

C 2 CORRIGÉ

A.
1. *Lisez(-moi) ce livre-ci, s'il vous plaît.*
2. *Écoutez bien, s'il vous plaît.*
3. *Donnez-moi ceci, s'il vous plaît.*
4. *Parlez lentement en japonais, je vous prie.*
5. *N'oubliez pas le parapluie, s'il vous plaît.*
6. *Ne mangez pas beaucoup, s'il vous plaît.*

B.
1. えはがき　を　おくってください。
2. きって　を　ください。
3. 山口さん　と　来てください。
4. あかい　ネクタイ　を　買わないでください。
5. よく　見てください。
6. この　ワイン　を　のまないでください。

C 3 KANJI

▼ **kanji** ▼ **ordre des traits**

万

まん
[mann]

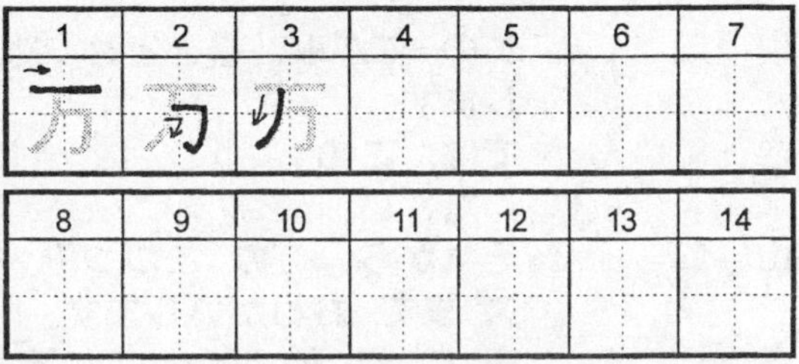

筆

ひつ
[hitsou]

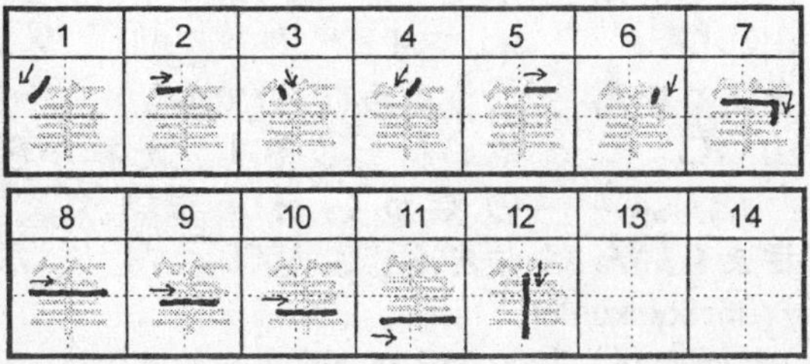

聞

き
[ki]

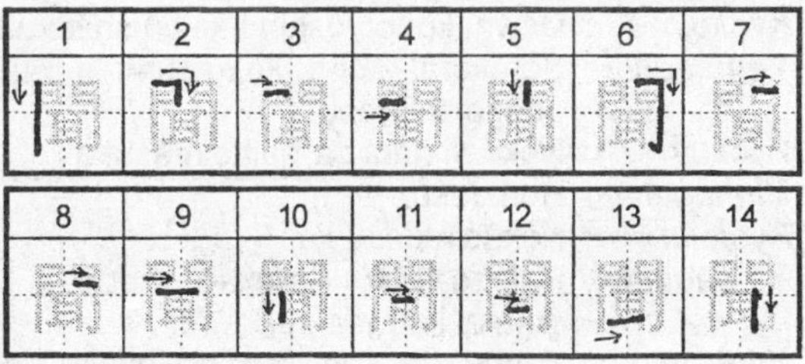

C 4 EXERCEZ-VOUS

万	万	万			万	万	万		
筆	筆	筆			筆	筆	筆		
聞	聞	聞			聞	聞	聞		

D 1 DIALOGUE ●● (CD)

[郵便局で]

山　口　：この　てがみ、書きどめ　で　おねがいします。

きょくいん：では、この　ようし　に　きにゅうしてください。

山　口　：それから、この　こづつみ　を　フランス　まで　おねがいします。

きょくいん：中　に　何　が　はいっています　か。

山　口　：本　です。

きょくいん：こうくうびん　です　か。

山　口　：はい、そうです。それから、80えん　の　きって　を　5まい　ください。

きょくいん：ぜんぶ　で　3560　えん　に　なります。

[Yûbinkyoku de]

Yamaguchi : Kono tegami, kakidome de onegaishimasu.

Kyokuin : Dewa, kono yôshi ni kinyû shitekudasai.

Yamaguchi : Sorekara, kono kozutsumi o Furansu made onegaishimasu.

Kyokuin : Naka ni nani ga haitteimasuka.

Yamaguchi : Hon desu.

Kyokuin : Kôkûbin desu ka.

Yamaguchi : Hai, sô desu. Sorekara, hachi jû en no kitte o go-mai kudasai.

Kyokuin : Zenbu de san zen go hyaku roku jû en ni narimasu.

D 2 VIE PRATIQUE

■ 郵 便, ゆうびん, yûbin, *la poste* :

- ゆうびんぶつ, yûbinbutsu, *courrier*
- ポスト, posuto, *boîte aux lettres*
- ゆうびんばんごう, yûbin-bangô, *code postal*
- そくたつ　で　だす, sokutatsu de dasu, *envoyer par exprès*
- ふなびん　で　おくる, funabin de okuru, *envoyer par bateau*
- ふうとう, fûtô, *enveloppe*
- びんせん, binsen, *papier à lettre*

D 3 DIALOGUE

[Au bureau de poste]

Yamaguchi : (Je voudrais envoyer) cette lettre en recommandé, s'il vous plaît.
Employé : Alors, remplissez ce formulaire, s'il vous plaît.
Yamaguchi : Et puis, ce colis pour la France, s'il vous plaît.
Employé : Qu'est-ce qu'il y a dedans ?
Yamaguchi : Ce sont des livres.
Employé : C'est par avion ?
Yamaguchi : Oui, c'est cela. Et puis, donnez-moi cinq timbres à quatre-vingt yens, s'il vous plaît.
Employé : En tout, cela fait trois mille cinq cent soixante yens.

❖ **Vocabulaire :**

(ゆうびん)きょくいん, (yûbin)kyokuin, *employé (de poste)*
書きどめ で, kakidome de, *en recommandé*
では, dewa, *alors* ようし, yôshi, *formulaire*
きにゅうする, kinyûsuru, *remplir ; inscrire*
こづつみ, kozutsumi, *colis* 中に, naka ni, *dedans*
はいっています, haitteimasu, *se trouver ; être ; être mis*
こうくうびん, kôkûbin, *poste aérienne*
5まい, go mai, *cinq* (timbres) [voir D2, p.210]
ぜんぶ で, zenbu de, *en tout ; au total*
3560えん, san zen go hyaku roku jû en, *3560 yens* [voir p.351]
に なります, ni narimasu, *cela fait... ; devenir*

D 4 CIVILISATION

■ 宅配便, takuhai-bin, *livraison à domicile* :

C'est un service de livraison à domicile des colis de moins de 30 kg par des camions ou motos. Ce service est destiné au grand public et leurs concessionnaires sont donc installés dans des lieux très fréquentés par celui-ci, tels que des **supérettes**, コンビニ, konbini, ou chez des **détaillants**, 小売店, kouri-ten. C'est grâce à sa rapidité et sa simplicité d'envoi partout dans le pays que 宅配便, takuhai-bin, a connu son développement très rapide dans les années 1980. L'arrivée de ce nouveau système de livraison a ainsi bouleversé celui qui dépendait du système habituel de la poste.

39 かの女 は 金よう日 に ハイキング に 行きました。
Kanojo wa kinyôbi ni haikingu ni ikimashita.

A 1 PRÉSENTATION

■ **Kanji**, *idéogramme d'origine chinoise*

kanji	lecture en hiragana	prononc.	signification
女	じょ おんな	[djo] [onn'na]	*femme(s)*
金	きん	[kinn]	*or ; métal ; argent* (monnaie)

● 女 se prononce [djo] dans かの女, kanojo, *elle* ; il se dit [onn'na] quand il est employé tout seul.

■ **Vocabulaire**

女	onna [onn'na]	*femme(s)*
女の人	onna no hito	*femme(s)*
金よう日	kinyôbi [kinn'yo:bi]	*vendredi*
せん月	sengetsu	*le mois dernier*
ハイキング	haikingu	*randonnée ; excursion*
サイクリング	saikuringu	*randonnée à bicyclette*
ドライブ	doraibu	*randonnée en voiture*
つり	tsuri	*pêche à la ligne*

■ かの女 は 金よう日 に ハイキング に 行きました。
Kanojo wa kinyôbi ni haikingu ni ikimashita.
elle / - / vendredi / - / randonée / pour / être allé(e)
Elle est allée faire une randonnée vendredi.

A 2 APPLICATION ●● CD

1. かれら は せん週 の 金よう日 に つり に 行きました。
2. 田中さん と 林さん は あした ドライブ に でかけます。
3. あの女 の 人 は きょ年 日本 へ しごと に 来ました。
4. かの女 は 来週 友だち と サイクリング に 行きます。
5. 山口さん は せん月 りょこう に しゅっぱつしました。

A 3 REMARQUES

■ Si 女, onna, utilisé seul, signifie *femme*, on dit plutôt 女の人, onna no hito, *femme*, qui est moins direct et donc plus poli.

■ **Grammaire**

• Contrairement au français, le japonais a besoin de la particule に, ni, pour introduire le jour de la semaine dans une phrase :

金よう日 に 行きます *aller vendredi*
kinyôbi **ni** ikimasu *vendredi / - / aller*

• En revanche, la particule に, ni, n'est pas nécessaire pour introduire des expressions comme せん週, senshû, *la semaine dernière*, せん月, sengetsu, *le dois dernier*.

• On a ici une nouvelle fonction de に, ni, qui indique le but d'une action :

ハイキング に でかけます。 *partir (pour) faire une randonnée*
haikingu **ni** dekakemasu *randonnée / pour / partir*

Remarques :

1. Étant le but de l'action de *partir*, ハイキング, haikingu, *randonnée*, est introduit par la particule に, ni.
2. La particule に, ni, peut se traduire par ***pour***.

A 4 TRANSCRIPTION ET TRADUCTION

1. Karera wa senshû no kinyôbi ni tsuri ni ikimashita.
   Ils sont allés pêcher (pour la pêche) vendredi de la semaine dernière.
2. Tanaka-san to Hayashi-san wa ashita doraibu ni dekakemasu.
   M.Tanaka et Mlle Hayashi partiront faire une randonnée en voiture demain.
3. Ano onna no hito wa kyonen Nihon e shigoto ni kimashita.
   Cette femme là-bas est venue travailler au Japon l'an dernier.
4. Kanojo wa raishû tomodachi to saikuringu ni ikimasu.
   Elle ira faire une randonnée à bicyclette avec des amis la semaine prochaine.
5. Yamaguchi-san wa sengetsu ryokô ni shuppatsushimashita.
   M.Yamaguchi est parti voyager le mois dernier.

39 エレーヌさん は プール へ およぎ に 行きました。
Erênu-san wa pûru e oyogi ni ikimashita.

B 1 PRÉSENTATION

■ **Kanji**, *idéogramme d'origine chinoise*

kanji	lecture en hiragana	prononciation	signification
男	おとこ	[otoko]	*homme(s)*

■ **Vocabulaire**

男	otoko	*homme(s)* (sens opposé de *femme*)
プール	pûru	*piscine(s)*
ひる	hiru	*midi*
ごはん	gohan	*repas*
ひるごはん	hiru-gohan	*déjeuner* (nom)
来月	raigetsu	*le mois prochain*
ことし	kotoshi	*cette année*
こん週	konshû	*cette semaine*
ひとり で	hitori de	*seul(e)*
ならう	narau [naraou]	*apprendre*

■ エレーヌさん は プール へ およぎ に 行きました。
Erênu-san wa pûru e oyogi ni ikimashita.
Hélène / - / piscine / à / nager / pour / être allé(e)
Hélène est allée nager à la piscine.

B 2 APPLICATION ●● (CD)

1. かの女たち は きのう の 夜 えいが を 見 に 行きました。
2. わたし は ひとり で あの 男の人 に 会い に 来ました。
3. デュポンさん は 来月 日本 へ しごと を し に 行きます。
4. 山口さん は ことし イギリス へ えい語 を ならい に 行きます。
5. 田中さん は 朝 7時１５分まえ に はたらき に でかけます。
6. 山本さん は ひとり で ひるごはん を 食べ に 行きます。

B 3 REMARQUES

■ Comme pour 女, onna, *femme*, 男, otoko, *homme*, s'emploie dans l'expression 男の人, otoko no hito, *homme*, bien qu'il signifie lui-même homme.

■ **Grammaire**

● À la différence de ses autres fonctions, la particule に, ni, qui exprime le but, peut être précédée d'un verbe à l'infinitif. Mais le verbe voit sa terminaison modifiée de la même façon qu'avec le mot de politesse ます, masu.

およ<u>ぐ</u>	+	に行きます	→	およ<u>ぎ</u>に行きます
oyo**gu**		ni ikimasu		oyo**gi** ni ikimasu
nager		*pour / aller*		*aller (pour) nager*
見る	+	に行きました	→	見に行きました
mi **ru**		ni ikimashita		mi ni ikimashita
voir		*pour / être allé*		*être allé (pour) voir*
する	+	に来ます	→	しに来ます
su **ru**		ni kimasu		**shi** ni kimasu
faire		*pour / venir*		*venir (pour) faire*

● Le verbe complément suivi de la particule に, ni, se place en général juste avant le verbe principal de la phrase :

かれ は 日本 へ しごと を し に 行きます。
Kare wa Nihon e shigoto o shi ni ikimasu.
lui / - / Japon / à / travail / - / faire / pour / aller

B 4 TRANSCRIPTION ET TRADUCTION

1. Kanojotachi wa kinô no yoru eiga o mi ni ikimashita.
   Elles sont allées voir un film hier soir.
2. Watashi wa hitori de ano otoko no hito ni ai ni kimashita.
   Je suis venu(e) voir seul(e) cette personne là-bas.
3. Dupon-san wa raigetsu Nihon e shigoto o shi ni ikimasu.
   M.Dupont ira travailler au Japon le mois prochain.
4. Yamaguchi-san wa kotoshi Igirisu e eigo o narai ni ikimasu.
   Cette année, Mlle Yamaguchi ira apprendre l'anglais en Angleterre.
5. Tanaka-san wa asa shichiji jûgofun mae ni hataraki ni dekakemasu.
   Mme Tanaka part travailler le matin à sept heures moins le quart.
6. Yamamoto-san wa hitori de hiru-gohan o tabe ni ikimasu.
   Mlle Yamamoto va prendre seule son (le) déjeuner.

39 EXERCICES

C1 EXERCICES

A. Traduisez en français.

1. 山田さん　と　山口さん　は　きのう　の　夜　えいが　に　行きました。
2. わたしたち　は　プール　へ　およぎ　に　行く　の　が　すき　です。
3. かの女たち　は　せん週　の　土よう日　に　ピクニック　に　でかけました。

B. Traduisez en japonais.

1. *M.Dupont ira danser avec des amis vendredi de cette semaine.*
2. *Ils sont venus voir Mlle Ueda le mois dernier.*
3. *Nous irons pêcher demain.*
4. *Elle aime aller au ski.*

C2 CORRIGÉ

A. 1. *M.Yamada et Mlle Yamaguchi sont allés au cinéma hier soir.*

2. *Nous aimons aller nager à la piscine.*

3. *Elles sont parties pour un pique-nique samedi de la semaine dernière.*

B. 1. デュポンさん　は　こん週　の　金よう日　に　友だち　と　ダンス　に　行きます。

2. かれら　は　せん月　上田さん　に　会い　に　来ました。

3. わたしたち　は　あした　つり　に　行きます。

4. かの女　は　スキー　に　行く　の　が　すき　です。

C 3 KANJI

▼ kanji ▼ ordre des traits

女

おんな
[onn'na]
じょ
[djo]

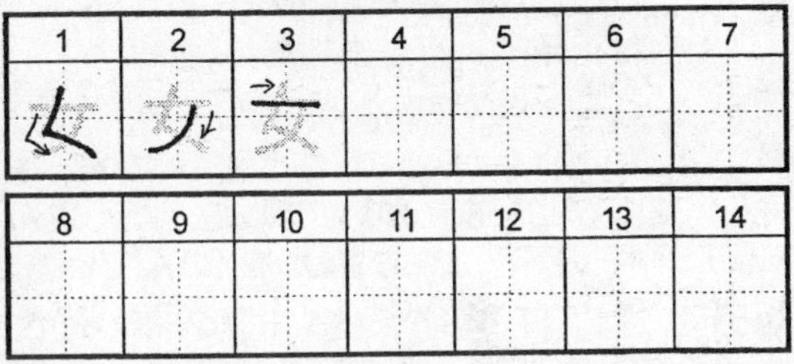

金

きん
[kinn]

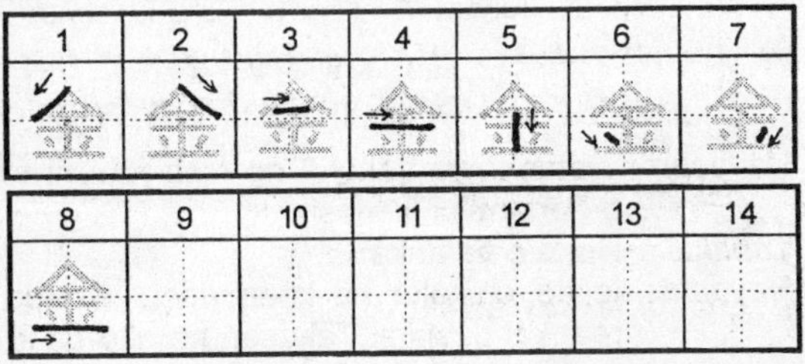

男

おとこ
[otoko]

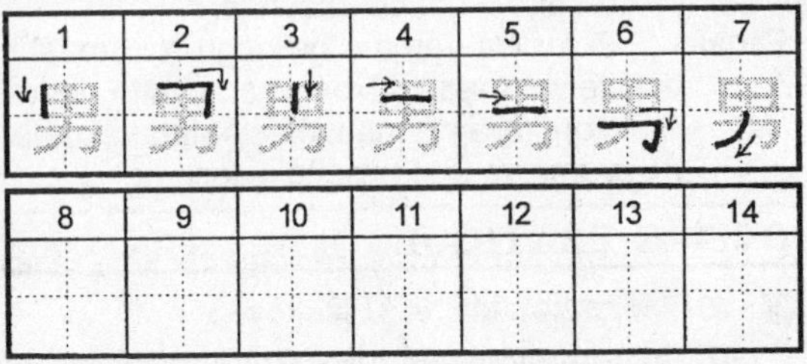

C 4 EXERCEZ-VOUS

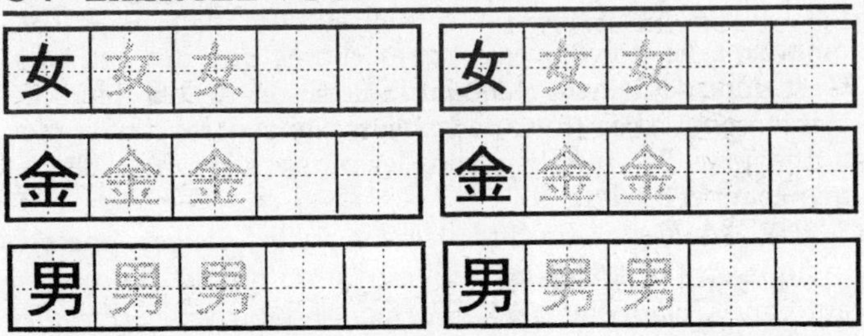

D 1 DIALOGUE ●● CD

林 : わたし は せん週 の 日よう日 に 友だち と お花見 に 行きました。

田中 : どこ へ です か。

林 : 家 の ちかく の こうえん です。ちょうど さくら が まんかい でした。たくさん の 人 が 木 の 下 で おさけ を のんでいました。

田中 : ぼく は 山 へ ハイキング に 行きました。山 の 上 は まだ すこし さむかった です。

林 : これから は ますます あたたかく なります から、山 や 海 に さいてき です ね。

Hayashi : Watashi wa senshû no nichiyôbi ni tomodachi to o-hanami ni ikimashita.

Tanaka : Doko e desu ka.

Hayashi : Ie no chikaku no kôen desu. Chôdo sakura ga mankai deshita. Takusan no hito ga ki no shita de o-sake o nonde imashita.

Tanaka : Boku wa yama e haikingu ni ikimashita. Yama no ue wa mada sukoshi samukatta desu.

Hayashi : Korekara wa masumasu atatakaku narimasu kara, yama ya umi ni saiteki desu ne.

D 2 VIE PRATIQUE

■ お花見, o-hanami, et 紅葉, kôyô :

お花見, o-hanami. veut dire simplement *regarder des fleurs*. Mais les Japonais attachent à ce terme une signification particulière. Les fleurs qu'ils vont admirer dans le お花見, o-hanami. ne doivent être autres choses que des cerisiers. C'est donc seulement pendant la floraison de ces fleurs au printemps que beaucoup de visiteurs viennent les contempler nuit et jour. Ils s'installent sous les cerisiers et font la fête en mangeant et buvant.

紅葉, kôyô, signifie littéralement *feuilles rougies,* mais il indique en fait toutes les feuilles d'arbre qui se colorent en automne. On appelle もみじ狩り, momiji-gari, *chasse aux feuilles rougies,* la recherche des feuilles colorées par les amateurs.

D 3 DIALOGUE

Hayashi : Dimanche dernier, je suis allée voir des cerisiers avec des amis.

Tanaka : Où êtes-vous allés ? [*lit.* C'est où ?]

Hayashi : Dans un parc près de chez moi. Les cerisiers étaient juste en pleine floraison. Beaucoup de gens buvaient de l'alcool sous les arbres.

Tanaka : Moi, je suis allé à la montagne pour faire une randonnée. Il faisait encore un peu froid à la montagne.

Hayashi : Dorénavant, il fera de plus en plus doux, ce sera idéal pour aller à la montagne ou à la mer !

❖ **Vocabulaire :**

お花見, o-hanami, [voir D2 ci-contre]

こうえん, kôen, *parc* ちょうど, chôdo, *justement*

さくら, sakura, *cerisier* まんかい, mankai, *pleine floraison*

たくさん の, takusan no, *beaucoup de*

のんでいました, nonde imashita, *avoir été en train de boire*

ますます, masumasu, *de plus en plus*

[adjectif en く, ku, +] なります, narimasu, *devenir* [voir p.340]

(に) さいてき, (ni) saiteki, *le plus approprié (à)*

D 4 CIVILISATION

■ お盆, obon, et 盆踊り, bon-odori :

L'**Obon** est un rite bouddhiste qui célèvre l'arrivée des âmes des ancêtres, et qui a lieu le 16 juillet ou le 16 août selon les régions. Le 13 est le jour où arrivent les âmes des ancêtres et le 16 est le jour où ils repartent. Autrefois on organisait de nombreux événements pour célébrer l'**Obon**, mais aujourd'hui on fait seulement une visite au cimetière. C'est à l'époque d'Edo (1603-1867) qu'on commença à prendre un congé pendant l'**Obon**, puisque'on croyait que l'enfer chômait également. Aujourd'hui, beaucoup d'entreprises s'offrent quelques jours de congé pendant lesquels leurs employés rentrent à leur pays natal. Durant la période d'**Obon**, s'organisent les fêtes de danse, appelées **Bon-odori, 盆踊り**. Celles-ci étaient destinées à l'origine à distraire les âmes des ancêtres qui reviennent sur la terre, mais de nos jours elles sont considérées comme un des loisirs d'été.

40 わたし は いま 日本語 が すこし 話せます。
Watashi wa ima nihongo ga sukoshi hanasemasu.

A 1 PRÉSENTATION

■ **Kanji**, *idéogramme d'origine chinoise*

kanji	lecture en hiragana	prononc.	signification
話	わ はな	[wa] [hana]	*parole* (cf. 27B1) *parler*
書	か	[ka]	*écrire* (cf. 24A1)

- 話 se prononce [hana] quand il est le radical du verbe *parler* : 話す, hanasu.
- 書, ka, est le radical du verbe *écrire* : 書く, kaku.

■ **Vocabulaire**

すこし sukoshi *un peu*
かんじ kanji *idéogramme(s) d'origine chinoise*
話せる hanaseru *savoir (pouvoir) parler*
書ける kakeru *savoir (pouvoir) écrire*
読める yomeru *savoir (pouvoir) lire*
会える aeru *pouvoir rencontrer*
のれる noreru *savoir (pouvoir) prendre (conduire)* (un véhicule)
できる dekiru *savoir (pouvoir) faire*

■ わたし は いま 日本語 が すこし 話せます。
Watashi wa ima nihongo ga sukoshi hanasemasu.
moi / - / maintenant / japonais / - / un peu / savoir parler
Maintenant je sais un peu parler japonais.

A 2 APPLICATION ●● (CD)

1. ピエールさん は かんじ が 書けます。
2. 上田さん は あした ミッシェルさん に 会えます か。
3. かの女 は オートバイ に のれません。
4. 森田さん は テニス が できます。
5. デュポンさん は かんじ が すこし 読めます。

A 3 REMARQUES

Grammaire

- On obtient de nouveaux verbes comportant la notion de capacité et de possibilité à partir des deux opérations suivantes :

1. Sauf exception pour la terminaison る, ru, précédée d'une syllabe en **e** ou en **i** (cf. B3 de cette leçon), on transforme les 9 teminaisons (cf. 24A1) en syllabe en **e** ;
2. Ensuite, on y ajoute る, ru, qui sera la terminaison des nouveaux verbes.

話す	:	話せ	+	る	→	話せる
hanasu		hanase		ru		hanaseru
parler						*savoir (pouvoir) parler*

- Le verbe する, suru, *faire*, devient できる, dekiru, *savoir (pouvoir) faire*, quand il contient les notions de capacité et de possibilité (voir phrase 4 de A2).

- La terminaison des nouveaux verbes る, ru, disparaît devant ます, masu, puisqu'elle suit une syllabe en **e** ou en **i** : sa disparition est marquée par le signe □ :

書ける, kakeru + ます, masu → 書け□ます, kake□masu
savoir (pouvoir) écrire — *savoir (pouvoir) écrire*

できる, dekiru + ます, masu → でき□ます, deki□masu
savoir (pouvoir) faire — *savoir (pouvoir) faire*

- C'est la particule が, ga, et non pas la particule を, o, qui introduit le complément d'objet direct des nouveaux verbes.

かんじ	を	読む	→	かんじ	が	読める
kanji	o	yomu		kanji	ga	yomeru
lire des idéogrammes				*savoir lire des idéogrammes*		

A 4 TRANSCRIPTION ET TRADUCTION

1. Piêru-san wa kanji ga kakemasu. *Pierre sait écrire des idéogrammes.*
2. Ueda-san wa ashita Missheru-san ni aemasu ka.
   M. Ueda peut-il voir M. Michel demain ?
3. Kanojo wa ôtobai ni noremasen. *Elle ne sait pas conduire une moto.*
4. Morita-san wa tenisu ga dekimasu. *Mlle Morita sait jouer au tennis.*
5. Dupon-san wa kanji ga sukoshi yomemasu.
   Mme Dupont sait lire un peu d'idéogrammes.

40 あなた は 朝 はやく おきられます か。
Anata wa asa hayaku okiraremasu ka.

B 1 PRÉSENTATION

■ **Kanji**, *idéogramme d'origine chinoise*

kanji	lecture en hiragana	prononciation	signification
今	いま こん	[ima] [konn]	*en ce moment* *maintenant* (cf. 35B1)
晩	ばん	[bann]	*soir*

● Employé seul, 今 se prononce [ima] ; il est cependant prononcé [konn] quand il s'associe à un autre kanji pour former un mot nouveau.

■ **Vocabulaire**

今晩	konban	*ce soir*
毎晩	maiban	*chaque soir*
朝ごはん	asa-gohan	*le petit déjeuner*
晩ごはん	ban-gohan	*le dîner*
はやく	hayaku	*tôt ; vite*
食べられる	taberareru	*pouvoir manger*
おきられる	okirareru	*pouvoir se lever*
ねられる	nerareru	*pouvoir se coucher*
かりられる	karirareru	*pouvoir emprunter*
来られる	korareru	*pouvoir venir*

■ あなた は 朝 はやく おきられます か。
Anata wa asa hayaku okiraremasu ka.
toi / - / matin / tôt / pouvoir se lever / ?
Peux-tu te lever tôt le matin ?

B 2 APPLICATION

1. 今 2. 今晩

3. わたし は 朝ごはん が 食べられませんでした。
4. あなた は 毎晩 よく ねられます か。
5. 山田さん は 今晩 ここ に 来られます か。
6. かれら は 9時 に 晩ごはん が 食べられました。

B 3 REMARQUES

■ Grammaire

● Pour les verbes ayant la terminaison る, ru, précédée d'une syllabe en **e** ou en **i**, on remplace la terminaison る, ru, par られる, rareru, afin d'obtenir de nouveaux verbes comportant les notions de capacité et de possibilité :

おきる, oki **ru** → おきられる, oki **rareru**
se lever — *pouvoir se lever*

● Il en va de même pour le verbe 来る, kuru, *venir* :

来る, ku **ru** → 来られる, ko **rareru**
venir — *pouvoir venir*

Attention : 来, suivi de られる, rareru, doit être prononcé [ko] et non pas [ku].

● る, ru, dans られる, rareru, est la terminaison des nouveaux verbes ; il disparaît quand il s'attache au mot de politesse ます, masu (sa disparition est indiquée par □) :

pouvoir manger :

食べられる + ます → 食べられ□ます
taberare **ru** — masu — taberare □ masu

● Rappel : les verbes contenant les notions de capacité et de possibilité ont recours à la particule が, ga, et non pas à la particule を, o, pour marquer le complément d'objet direct :

じてんしゃ を かりる → じてんしゃ が かりられる
jitensha **o** kariru — jitensha **ga** karirareru
emprunter une bicyclette — *pouvoir emprunter une bicyclette*

B 4 TRANSCRIPTION ET TRADUCTION

1. ima *maintenant* 2. konban *ce soir*
3. Watashi wa asa-gohan ga taberaremasendeshita.
Je n'ai pas pu prendre (manger) le petit déjeuner.
4. Anata wa maiban yoku neraremasu ka.
Peux-tu bien dormir chaque soir ?
5. Yamada-san wa konban koko ni koraremasu ka.
M.Yamada peut-il venir ici ce soir ?
6. Karera wa kuji ni ban-gohan ga taberaremashita.
Ils ont pu prendre (manger) le dîner à neuf heures.

40 EXERCICES

C 1 EXERCICES

A. Traduisez en français.

1. わたしたち　は　ここ　で　タバコ　が　すえます　か。
2. かの女　は　かんじ　が　書けます。
3. わたし　は　きのう　山田さん　と　ひるごはん　が　食べられました。
4. 山口さん　は　今晩　はやく　来られます。
5. わたし　は　この　万年筆　が　かりられます　か。
6. あの　男　の　人　は　えい語　が　読めます。

B. Traduisez en japonais.

1. *Peux-tu venir dîner chez moi (à la maison) ?*
2. *J'ai pu dormir tôt hier soir.*
3. *M.Ueda sait jouer un peu du violon.*
4. *Il ne peut pas regarder la télévision chaque soir.*
5. *Sais-tu parler allemand ?*

C 2 CORRIGÉ

A.
1. *Pouvons-nous fumer une cigarette ici ?*
2. *Elle sait écrire les kanji.*
3. *J'ai pu prendre le déjeuner avec Mlle Yamada hier.*
4. *M.Yamaguchi pourra venir tôt ce soir.*
5. *Puis-je emprunter ce stylo à encre-ci ?*
6. *Cet homme là-bas sait lire l'anglais.*

B.
1. あなた　は　わたし　の　家　へ　晩ごはん　を　食べ　に　来られます　か。
2. わたし　は　きのう　の　晩（ou 夜）はやく　ねられました。
3. 上田さん　は　すこし　バイオリン　が　ひけます。
4. かれは　毎晩　テレビ　が　見られません。
5. あなた　は　ドイツ語　が　話せます　か。

C 3 KANJI

▼ kanji ▼ ordre des traits

kanji	1	2	3	4	5	6	7
今 いま [ima] こん [konn]	今	今	今	今			
	8	9	10	11	12	13	14

kanji	1	2	3	4	5	6	7
晩 ばん [bann]	晩	晩	晩	晩	晩	晩	晩
	8	9	10	11	12	13	14
	晩	晩	晩	晩	晩		

kanji	1	2	3	4	5	6	7
書 か [ka]	書	書	書	書	書	書	書
	8	9	10	11	12	13	14
	書	書	書				

C 4 EXERCEZ-VOUS

今	今	今			
晩	晩	晩			
書	書	書			

今	今	今			
晩	晩	晩			
書	書	書			

D 1 DIALOGUE ●● (CD)

たかし　：ピエール、日本語 の べんきょう は たのしい です か。
ピエール：はい。でも、もっと じょうずに 話したい です。
エレーヌ：ピエール は わたし より うまく 話せます。わたし は ぜんぜん だめ です。
ともこ　：それ は うそ です。エレーヌ も とても じょうずに なりました。
エレーヌ：でも、かんじ が 読めません。まだ 30 ぐらい しか しりません。
ピエール：ぼく は カタカナ が にがて です。ひらがな と カタカナ は とても よく にています。

Takashi : Piêru, nihongo no benkyô wa tanoshii desu ka.
Piêru : Hai. Demo, motto jôzu ni hanashitai desu.
Erênu : Piêru wa watashi yori umaku hanasemasu. Watashi wa zenzen dame desu.
Tomoko : Sore wa uso desu. Erênu mo totemo jôzuni narimashita.
Erênu : Demo, kanji ga yomemasen. Mada sanjû gurai shika shirimasen.
Piêru : Boku wa katakana ga nigate desu. Hiragana to katakana wa totemo yoku niteimasu.

D 2 VIE PRATIQUE

■ 留学, ryûgaku, *aller étudier à l'étranger* :

De plus en plus de jeunes japonais partent étudier à *l'étranger* (外国, gaikoku). Ils ont en général pour but de pratiquer ou de mieux parler la *langue étrangère* (外国語, gaikoku-go) qu'ils apprennent soit dans leur **lycée**, 高校, kôkô, ou **université**, 大学, daigaku, soit dans une **école de formation des langues étrangères**, 語学学校, gogaku-gakkô. Les pays de leur premier choix sont presque toujours des pays anglophones tels que les États-Unis, l'Australie et l'Angleterre, ce qui témoigne de l'envie et surtout de la nécessité d'acquérir l'anglais pour en tirer avantage lors de la recherche d'emploi.

D 3 DIALOGUE

Takashi : Pierre, tu te plais à apprendre le japonais ? [*lit.* L'apprentissage du japonais t'amuse bien ?]

Pierre : Oui. Mais, je voudrais parler encore mieux le japonais.

Hélène : Pierre le parle mieux que moi. Je suis vraiment nulle.

Tomoko : Ce n'est pas vrai. [*lit.* C'est un mensonge.] Hélène le parle aussi très bien. [*lit.* Hélène aussi est devenue très bonne.]

Hélène : Je ne sais pourtant pas lire les kanji. Je n'en connais qu'une trentaine.

Pierre : Moi, je ne suis pas bon en katakana. Le hiragana et le katakana se ressemblent beaucoup.

❖ **Vocabulaire :**

もっと, motto, *encre plus* じょうずに, jôzu ni, *habilemen*

話したいです, hanashitai desu, *vouloir parler* [voir p.345]

より, yori, *par rapport à* うまく, umaku, *habilement*

ぜんぜん, zenzen, *complètement ; (ne...pas) du tout*

だめ, dame, *nul ; mauvais* うそ, uso, *mensonge*

[quasi-adj. + に, ni] なります, narimasu, *devenir* [voir p.325 et p. 342]／なりました, narimashita, *être devenu*

しか, shika, *ne...que* ぐらい, gurai, *environ*

よく, yoku, *bien* にています, niteimasu, *ressembler*

D 4 CIVILISATION

■ 年号, nengô, *nom d'une ère* :

Les Japonais utilisent le nom d'une ère à côté du *système chrétien de mesure du temps*, 西暦, seireki. L'an 2002 correspond à la quatorzième année de l'ère **Heisei**, 平成. Ce nom est employé depuis le 8 janvier 1989, date du décès de l'empereur Hirohito qui marque la fin de l'ère **Shôwa**, 昭和. Ce concept de nommer une ère est originaire de Chine. La première ère du Japon s'appelle **Taika**, 大化. Elle commence en 645 et depuis cette date, le nom de l'ère change après l'ascension au trône d'un nouvel empereur ou en cas de crise nationale. C'est à partir de l'ère **Meiji** (1868-1912), que les périodes prennent le nom d'un empereur.

❖ *Prononcez les phrases japonaises, en complétant avec a, b, c ou d. (Il y a une seule bonne réponse par question.)*

31. Qui y a-t-il sous cet arbre là-bas ?

あの 木 の 下 に だれ が（　　　）か。

a) です　　c) います
b) あります

32. M.Ueda est parti en voiture.

上田さん は 車（　）でかけました。

a) が　　c) に
b) で　　d) を

33. Elles travaillent (= étudient) à la maison.

かの女たち は 家（　）べんきょうしています。

a) へ　　c) に
b) を　　d) で

34. N'achetez pas beaucoup, s'il vous plaît.

たくさん 買（　）ないでください。

a) い　　c) う
b) わ　　d) っ

35. Lisez bien, s'il vous plaît.

よく読（　　）ください。

a) みて　　c) んで
b) んて　　d) むで

36. Où est Mlle Yamashita ?

山下さん は どこ（　　）か。

a) です　c) います

b) あります　d) ます

37. Il déteste le poisson.

かれ は 魚（　）きらい です。

a) が　c) の

b) な　d) に

38. Attendez jusqu'à samedi, s'il vous plaît.

土よう日 まで 待（　）ください。

a) つて　c) たで

b) ちて　d) って

39. Ils savent (peuvent) parler anglais.

かれら は えい語（　）話せます。

a) の　c) で

b) が　d) と

40. Je suis allée travailler à Tokyo la semaine dernière.

わたし は せん週 東京 へ しごと（　）いきました。

a) の　c) が

b) を　d) に

➡ **Voir corrigé pp.336-337.**

RÉPONSES AUX TESTS DE CONTRÔLE

RÉPONSES AUX TESTS

Tests de contrôle 1 :

1. **c** : kyô **ka** ashita
2. **c** : muzukashi**i** mondai
3. **d** : aka**ku** te oishii ichigo
4. **b** : ko**no** tegami
5. **d** : kawa **to** umi
6. **d** : yûmei **na** hito
7. **a** : yasai **ya** kudamono
8. **c** : hayaku **te** benri na norimono
9. **a** : watashitachi **no** ie
10. **b** : kirei **de** shizuka na heya

Tests de contrôle 2 :

11. **b** : Sono kamera wa watashi **no** desu.
12. **d** : Anata no kôto wa **dore** desu ka.
13. **c** : Watashi wa ano resutoran **mo** suki desu.
14. **d** : Kinô wa tanoshi**ku** arimasendeshita.
15. **a** : Kanojo wa genki de**wa** arimasen.
16. **d** : Kanojo no sukâfu wa aoi **no** desu.
17. **b** : Yûbinkyoku wa **doko** desu ka.
18. **c** : Karera wa totemo isogashi**i** desu.
19. **d** : Kono hon wa omoshiro**katta** desu.
20. **d** : Kore wa kare no suki **na** sêtâ desu.

Tests de contrôle 3 :

21. **c** : **Yo** ji desu.
22. **b** : Kanojo wa rajio **o** kiku.
23. **c** : Kare wa tomodachi **ni** aimasu.
24. **a** : Watashi wa kinô anata **ni** denwa-shimashita.
25. **c** : Hayashi-san wa rainen Furansu **e** ikimasu.
26. **a** : Tanaka-san wa mainichi densha **ni** noru.
27. **b** : Morita-san wa ie ni kae**ri**masendeshita.
28. **d** : Piêru-san wa nanji **ni** okimasu ka.
29. **d** : Erênu-san wa kare **to** shokuji-shimashita.
30. **a** : Yamada-san wa oyogu **no** ga suki desu.

RÉPONSES AUX TESTS DE CONTRÔLE

● *Tests de contrôle 4 :*

31. **c** : Ano ki no shita ni dare ga **imasu** ka.
32. **b** : Ueda-san wa kuruma **de** dekakemashita.
33. **d** : Kanojotachi wa ie **de** benkyô-shiteimasu.
34. **b** : Takusan ka**wa**naidekudasai.
35. **c** : Yoku yo**nde**kudasai.
36. **a** : Yamashita-san wa doko **desu** ka.
37. **a** : Kare wa sakana **ga** kirai desu.
38. **d** : Doyôbi made ma**tte**kudasai.
39. **b** : Karera wa eigo **ga** hanasemasu.
40. **d** : Watashi wa senshû Tôkyô e shigoto **ni** ikimashita.

■ **CALCULEZ VOTRE SCORE :**

■ **RÉSULTATS ET DIAGNOSTIC :**

➡ 36 à 40 : Très bonnes connaissances (ou acquisitions).

➡ 30 à 35 : Bonnes connaissances (ou acquisitions).

➡ 25 à 29 : Des connaissances, mais encore des points à maîtriser.

➡ 20 à 24 : La moyenne, mais il faut reprendre tous les points non maîtrisés.

➡ 15 à 19 : Encore du chemin à parcourir ; reprenez tous les points non maîtrisés.

➡ 10 à 14 : Beaucoup de lacunes ; reprenez tous les points non maîtrisés.

➡ 0 à 09 : Ne vous découragez pas et reprenez au début.

Sommaire

1. Les noms

■ Les noms japonais ne connaissent pas les genres masculin et féminin.

■ En règle générale, ils ne distinguent pas entre le singulier et le pluriel : 本, hon [honn], peut indiquer ***livre*** ou ***livres***.

Cependant, s'il s'agit d'un nom qui désigne l'être humain, on peut préciser le pluriel en lui attachant le suffixe de pluriel たち, tachi [tatchi] :

人, hito	+	たち, tachi	→	人たち, hito-**tachi**
personne		(suffixe)		*personnes / gens*
山田さん	+	たち, tachi	→	山田さんたち,
Yamada-san		(suffixe)		Yamada-san-**tachi**
M.Yamada				*M.Yamada et d'autres*

2. Les articles

■ Les articles définis et indéfinis n'existent pas en japonais ; **seul le contexte** permet de traduire en français un nom japonais avec précision.

Exemple : 花, hana, peut se traduire selon le contexte ***une** fleur*, ***des** fleurs*, ***la** fleur* ou ***les** fleurs*.

3. Les pronoms personnels

■ Pour les pronoms personnels, les première, deuxième et troisième personnes n'ont qu'une seule forme :

わたし, watashi, *moi*	わたしたち, watashi-tachi, *nous*
あなた, anata, *toi*	あなたたち, anata-tachi, *vous*
かれ, kare, *lui*	かれら, karera, *eux*
かのじょ, kanojo, *elle*	かのじょたち, kanojo-tachi, *elles*

■ Ce sont les particules (pp.350-352) qui permettent de traduire en français les pronoms personnels ci-dessus comme pronoms personnels **sujets** (*je*, *tu*, *il*, *elle*...) ou pronoms personnels **compléments** (*me*, *te*, *le*, *la*...) ou encore **adjectifs possessifs** (*mon*, *ma*, *ta*, *ton*...).

4. Les adjectifs

■ Les adjectifs ont tous la terminaison い, i.

あつい, atsui [atsouï], *chaud(e)*.

■ Les transformations de la terminaison い, i :

1) La terminaison い, i, devient く, ku [kou], devant la particule de liaison て, te [té], ***et***.

ちいさい → ちいさくて
chiisai [tchiisaï] — chiisa**ku** te, [tchiisa**kou** té]
petit(e) — *petit(e) et*

2) La terminaison い, i, devient く, ku [kou], devant les mots de négation ありません, arimasen [arimassénn], ***ce n'est pas***, et ありませんでした, arimasen deshita [arimassénn désh'ta], ***ce n'était pas***.

あおい → あおくありません
aoi [aoï] — ao**ku** arimasen, [ao**kou**arimassénn]
bleu(e) — *ce n'est pas bleu*

3) La terminaison い, i, devient く, ku [kou], devant le verbe なります, narimasu [narimass], ***devenir***, et ses dérivés : なりません, narimasen [narimassénn], ***ne pas devenir*** ; なりました, narimashita [narimash'ta], ***être devenu*** ; なりませんでした, narimasen deshita [narimassénn désh'ta], ***ne pas être devenu***.

さむい → さむくなります
samui [samouï] — samu**ku** narimasu, [samou**kou** narimass]
froid(e) — *devenir froid*

さむい → さむくなりません
samui [samouï] — samu**ku** narimasen, [samou**kou** narimassénn]
froid(e) — *ne pas devenir froid*

さむい → さむくなりました
samui [samouï] — samu**ku** narimashita, [samou**kou** narimash'ta]
froid(e) — *être devenu froid*

■ Les adjectifs possèdent leur propre forme passée ; on peut l'obtenir en remplaçant la terminaison い, i, par かった, katta [kat'ta].

まるい です → まるかった* です
marui desu → maru**katta** desu
c'est rond → *c'était rond*

* Il ne faut jamais utiliser でした, deshita [désh'ta], forme passée de です, desu [déss], pour les adjectifs (cf. les quasi-adjectifs ci-après).

5. Les quasi-adjectifs

■ Dans ce manuel, on appelle* **quasi-adjectifs** un groupe de mots qualificatifs qui trouvent leur équivalent dans les adjectifs français, mais qui ne possèdent pas la terminaison い, i.

* On trouve d'autres appellations dans les différents manuels parus jusqu'à présent.

■ Il y a cependant quelques exceptions : きれい, kirei, *beau*, ou きらい, kirai, *détester*, font partie des quasi-adjectifs, bien qu'ils se terminent par い, i.

■ Caractéristiques des quasi-adjectifs :

1) La terminaison des quasi-adjectifs ne change jamais.

2) Pour la foction épithète, les quasi-adjectifs ont besoin du mot de liaison な, na, qui se situe juste devant le nom qu'ils qualifient.

しずか な まち *une ville calme*
shizuka **na** machi

3) Contrairement aux adjectifs, c'est で, de, *et*, et non pas て, te, *et*, qui suit un quasi-adjectif pour le lier à un autre quasi-adjectif ou à un adjectirf.

しずか で きれい な まち *une belle ville calme*
shizuka **de** kirei na machi

*きれい で やすい 花 *de belles fleurs bon marché*
kirei **de** yasui hana

* Si l'on intervertit le quasi-adjectif et l'adjectif, c'est て, te, ***et***, qui intervient à la place de で, de, ***et*** ; ne pas oublier en l'occurence de transformer la terminaison de l'adjectif い, i, en く, ku, et d'insérer le mot な, na, devant le nom.

やすくて きれい な 花
yasu**ku** **te** kirei **na** hana
bon marché / et / beau / - / fleur

4) Lorsque les quasi-adjectifs sont employés comme attributs de la phrase, la négation est marquée par le mot ではありません, dewa arimasen, ***ce n'est pas***, ou ではありませんでした, dewa arimasen deshita, ***ce n'était pas***.

べんり です	→	べんりではありません
benri **desu**		benri **dewa arimasen**
c'est pratique		*ce **n'est pas** pratique*

5) Les quasi-adjectifs n'ont pas de forme passée ; でした, deshita, forme passée de です, desu, est donc utilisé quand les quasi-adjectifs sont des attributs de la phrase affirmative au passé :

この 川 は きれい でした。 *Cette rivière-ci était propre.*
Kono kawa wa kirei **deshita**.
cette..-ci / rivière / - / propre / c'était

6) Les quasi-adjectifs ont besoin de la particule に, ni, quand ils s'emploient avec le verbe なります, narimasu [narimass], ***devenir***, et ses dérivés : なりません, narimasen [narimassénn], ***ne pas devenir*** ; なりました, narimashita [narimash'ta], ***être devenu*** ; なりませんでした, narimasen deshita [narimassénn désh'ta], ***ne pas être devenu***. (cf. **LES ADJECTIFS 3**), p.340)

しずか	+	に	→	しずかになります
shizuka		ni		shizuka **ni** marimasu
[shizouka]		[ni]		[shizouka **ni** narimass]
calme				*devenir calme*

6. Les verbes

1. です, desu :

- Lorsqu'il introduit un attribut, le verbe ***être*** se rend en japonais par です, desu.
- です, desu, est la forme polie du "verbe" だ, da.

N.B. Bien qu'il puisse être traité comme un verbe, です, desu, (ou だ, da) n'est pas en fait qualifié de verbe dans la grammaire japonaise.

- Transformation de です, desu :

	affirmatif	négatif
présent	*être* : です desu	*ne pas être* : ではありません dewa arimasen じゃありません ja arimasen
passé	*avoir été* : でした deshita	*ne pas avoir été* : ではありませんでした dewa arimasen deshita じゃありませんでした ja arimasen deshita

Remarques importantes :

- Toutes les formes figurées dans le tableau «Tansformation de です, desu » ne varient ni en personne, ni en nombre ; elles se placent toujours **à la fin de la phrase**.
- Tout en restant poli, じゃありません, ja arimasen (ou じゃありませんでした, ja arimasen deshita), est utilisé de manière plus courante que ではありません, dewa arimasen (ou ではありませんでした, dewa arimasen deshita).

2. Verbes autres que です, desu :

【A】 Neuf terminaisons marquent l'infinitif des verbes :

1) く, ku, [kou]	4) む, mu, [mou]	7) う, u, [ou]
2) ぐ, gu, [gou]	5) ぬ, nu, [nou]	8) つ, tsu, [tsou]
3) す, su, [sou]	6) ぶ, bu, [bou]	9) る, ru, [rou]

Remarque : L'infinitif des verbes japonais se termine toujours par une **syllabe en u**.

【B】Classement des verbes en **trois groupes** :

Groupe 1	Verbes ayant les neuf terminaisons, sauf ceux dont la terminaison る, ru, soit précédée d'une syllabe en **e** ou en **i**. De plus, il faut en exclure deux verbes irréguliers する, suru, *faire*, et 来る, kuru, *venir*.
Groupe 2	Verbes ayant la terminaison る, ru, précédée d'une syllabe en **e** ou en **i**.
Groupe 3	Deux verbes irréguliers : する, suru, *faire*, et 来る, kuru, *venir*.

Exception : il y a certains verbes qui entrent dans le groupe 1, bien que leur terminaison る, ru, soit précédée d'une syllabe en **e** ou en **i**, ce qui est le cas dans ce manuel pour かえる, kaeru, ***rentrer***.

【C】Le verbe à l'infinitif peut être employé pour former une phrase affirmative au présent ; il ne varie ni en personne, ni en nombre et il se place toujours en fin de phrase.

ex. わたし は フランス へ 行く。 *Je vais en France.*
Watashi wa Furansu e **iku**.
moi /-/ France / en / aller

ex. わたし は 本 を 読む。 *Je lis un livre.*
Watashi wa hon o **yomu**.
moi /-/ livre / - / lire

【D】Dans la pratique quotidienne, l'infinitif est associé avec le mot de politesse ます, masu, pour que la phrase comporte la notion de politesse.

ex. わたし は フランス へ 行きます。 *Je vais en France.*
Watashi wa Furansu e **ikimasu**.
moi /-/ France / en / aller

ex. わたし は 本 を 読みます。 *Je lis un livre.*
Watashi wa hon o **yomimasu**.
moi /-/ livre / - / lire

【E】 Principe de transformation de l'infinitif devant ます, masu :

Groupe 1	Les neuf terminaisons se transforment en **syllabe** en **i**.
Groupe 2	La terminaison る, ru, précédée d'une syllabe en **e** ou en **i** disparaît.
Groupe 3	する, suru, ***faire***, devient し, shi. 来る, kuru, ***venir***, devient 来, ki.

Attention : le kanji 来 doit se prononcer [ki] devant ます, masu, bien qu'il se dise [kou] devant la terminaison d'origine .

【F】 La transformation de l'infinitif devant たいです, tai desu, *vouloir*, est la même que ます, masu :

ex. かれ は みず を のみ<u>ます</u>。 *Il boit de l'eau.*
Kare wa mizu o **nomi<u>masu</u>**.
lui / - / eau / - / boire
かれ は みず を のみ<u>たいです</u>。 *Il veut boire de l'eau.*
Kare wa mizu o **nomi<u>tai desu</u>**.
lui / - / eau / - / vouloir boire

【G】 Formes dérivées de ます, masu, associées au verbe-exemple のむ, nomu, ***boire*** :

	affirmatif	négatif
présent	*boire* : のみます nomimasu	*ne pas boire* : のみません nomimasen
passé	*avoir bu* : のみました nomimashita	*ne pas avoir bu* : のみませんでした nomimasen deshita

☞ Les quatres formes figurées dans le tableau ne varient ni en personne, ni en nombre.

■ **3.** Tableaux des terminaisons transformées devant てください, te kudasai (cf. 38A) :

【Groupe 1】

T-O : Terminaison d'origine.

T-T : Terminaison transformée devant てください, te kudasai.

T-O → T-T	exemple
く → い ku **i**	*écouter* : 聞く → 聞いてください ki ku → ki **i** te kudasai
exception	*aller* : 行く → 行ってください i ku → i **t** te kudasai
ぐ → い gu **i**	*enlever* : ぬぐ → ぬいでください nugu → ki **i de** kudasai
す → し su **shi**	*parler* : 話す → 話してください hanasu → hana **shi** te kudasai
む → ん mu **n**	*lire* : 読む → 読んでください yomu → yo **n de** kudasai
ぬ → ん nu **n**	*mourir* : 死ぬ → 死んでください shinu → shi **n de** kudasai
ぶ → ん bu **n**	*s'amuser* : あそぶ → あそんでください asobu → aso **n de** kudasai
う → っ u **t**	*acheter* : 買う → 買ってください kau → ka **t** te kudasai
つ → っ tsu **t**	*attendre* : 待つ → 待ってください matsu → ma **t** te kudasai
る → っ ru **t**	*prendre* : とる → とってください toru → to **t** te kudasai
voir Remarque (3) ci-après	*rentrer* : かえる → かえってください kaeru → kae **t** te kudasai

Remarques :

(1) la terminaison く, ku, devient い, i, sauf pour 行く, iku, ***aller***, dont la terminaison devient っ, tsu, de petite taille.

(2) て, te, dans てください, te kudasai, devient で, de, quand il s'associe aux terminaisons d'origine ぐ, gu, む, mu, ぬ, nu, et ぶ, bu.

(3) かえる, kaeru, ***rentrer***, appartient au **Groupe 1**, bien que la syllabe en **e** précède sa terminaison る, ru ; cette dernière devient donc っ, tsu, de petite taille.

【Groupe 2】 : La disparition de る, ru, est marquée par □.

Terminaison る, ru, précédée d'une	exemple
syllabe en e	*ouvrir* : あける → あけ□てください akeru ake □ te kudasai *fermer* : しめる → しめ□てください shimeru shime □ te kudasai
syllabe en i	*regarder* : 見る → 見□てください miru mi □ te kudasai *se lever* : おきる → おき□てください okiru oki □ te kudasai

【Groupe 3】 :

	2 verbes irréguliers
する suru	*faire* : する → してください suru shite kudasai
来る kuru	*venir* : 来る → 来てください **ku**ru **ki** te kudasai

☞ Devant ています, te imasu, les terminaisons de verbes se transforment de la même façon que devant てください, te kudasai, que l'on vient de voir ; il suffit de remplacer ください, kudasai, par います, imasu.

■ **4.** Tableaux des terminaisons transformées devant ない, nai :

● ない, nai, est utilisé pour créer une **phrase négative de forme neutre** qui n'a aucune notion de politesse.

N.B. Par contre, on fait appel à ません, masen, pour la formation d'une phrase négative **polie**.

【Groupe 1】

T-O : Terminaison d'origine.

T-T : Terminaison transformée devant ない, nai.

T-O → T-T	exemple		
く → か ku **ka**	行く → i ku	行かない i **ka** nai	*ne pas aller*
ぐ → が gu **ga**	およぐ → oyogu	およがない oyo **ga** nai	*ne pas nager*
す → さ su **sa**	さがす → sagasu	さがさない saga **sa** nai	*ne pas chercher*
む → ま mu **ma**	読む → yomu	読まない yo **ma** nai	*ne pas lire*
ぬ → な nu **na**	死ぬ → shi nu	死なない shi **na** nai	*ne pas mourir*
ぶ → ば bu **ba**	えらぶ → erabu	えらばない era **ba** nai	*ne pas choisir*
う →*わ u **wa**	会う → au	会わない a **wa** nai	*ne pas rencontrer*
つ → た tsu **ta**	待つ → matsu	待たない ma **ta** nai	*ne pas attendre*
る → ら ru ra	うる → uru	うらない u **ra** nai	*ne pas vendre*
	かえる → kaeru	かえらない kae **ra** nai	*ne pas rentrer*

* La terminaison う, u, devient わ, wa, et non あ, a, devant ない, nai.

【Groupe 2】: La disparition de る, ru, est marquée par □.

Terminaison る, ru, précédée d'une	exemple			
syllabe en e	ねる ne**ru**	→	ね□ない ne □ nai	*ne pas se coucher*
	あける ake**ru**	→	あけ□ない ake □ nai	*ne pas ouvrir*
syllabe en i	見る mi **ru**	→	見□ない mi □ nai	*ne pas regarder*
	いる i **ru**	→	い□ない i □ nai	*ne pas se trouver*

【Groupe 3】:

	2 verbes irréguliers			
する suru *faire*	する su**ru**	→	しない shi nai	*ne pas faire*
来る kuru *venir*	来る ku**ru**	→	*来ない ko nai	*ne pas venir*

* Le kanji 来 doit se prononcer [ko] quand il est attaché à ない, nai, ***ne pas***.

■ **5.** Pour marquer le temps futur, le japonais ne modifie pas ses verbes ; c'est le contexte ou un adverbe qui indique le futur.

ex. わたし は フランス へ 行きます。 *Je vais en France.*
Watashi wa Furansu e **ikimasu**. ou *J'**irai** en France.*
moi / - / France / en / aller

わたし は 来年 フランス へ 行きます。
Watashi wa **rainen** Furansu e **ikimasu**.
*moi / - / **l'an prochain** / France / en / aller*
*J'**irai** en France **l'an prochain**.*

7. Les particules

■ Les particules sont des mots souvent d'une seule syllabe, qui, toujours placés à la suite d'un mot, indiquent son rôle dans la phrase.

Le tableau ci-dessous résume les fonctions de toutes les particules étudiées dans les 40 leçons.

particule	fonction	leçon
か [ka]	a) signaler le choix entre des objets ou des êtres opposés. (*ou*)	2A
	b) créer la phrase interrogative. (*?*)	13A
の [no]	a) créer les adjectifs possessifs : *mon, ma ton, ta, son, sa...*	3B
	b) marquer l'appartenance ou la possession. (*de, à*)	4A 12A
	c) expliquer l'origine, le temps, la nature-état, ou le lieu.	4B
	d) transformer l'infinitif des verbes en nom.	30B 31B
と [to]	a) lier les noms. (énumération complète : *et*)	5A
	b) indiquer le partenaire. (*avec*)	29A
や [ya]	a) lier les noms. (énumération incomplète : *et entre autres*)	5B
て [té]	a) lier un adjectif à un autre adjectif ou à un quasi-adjectif. (*et*)	7B 9B
へ [é]	a) marquer la destination. (*vers*)	28A

particule	fonction	leçon
は [wa]	a) désigner le thème dominant de la phrase (*en ce qui concerne*) ; le thème se confond souvent avec le sujet grammatical de la phrase.	11B
	b) faire ressortir ce qui est nié.	12B 34A
を [o]	a) indiquer le complément d'objet direct.	24A
	b) créer les pronoms personnels compléments. (*me, te, le, la,...*)	27B
に [ni]	a) introduire l'heure, les 7 jours de la semaine et 12 mois dans la phrase.	26B 35A 39A
	b) créer les pronoms personnels compléments. (*me, te, lui, leur,...*)	27B
	c) introduire le complément des verbes 会う, au, *rencontrer*, すむ, sumu, *habiter*, つとめる, tsutomeru, *travailler*, のる, noru, *prendre (un véhicule)*.	28B 37A
	d) indiquer le lieu où les objets ou les êtres vivants se trouvent.	33B 34A/B
	e) indiquer le but. (*pour*)	39A/B
	f) marquer la destination. (*à*)	27A
が [ga]	a) indiquer l'objet (la personne) qu'on aime ou n'aime pas.	30A/B 31A/B
	b) indiquer le sujet sur lequel porte le message que le locuteur ou l'interlocuteur souhaite transmettre.	34B 35A/B

particule	fonction	leçon
で [dé]	a) former un groupe ou un ensemble. (*à, en*)	18D
	b) indiquer le moyen de transport ou le moyen de communication. (*en*)	32A/B
	c) indiquer la cause ou la raison. (*à cause de*)	32D
	d) indiquer le lieu d'action. (*à, dans*)	33A
	e) indiquer le moyen à l'aide duquel on accomplit une action. (*par, en*)	34D 38D
も [mo]	a) ajouter une idée de similitude à un mot ou à un groupe de mots. (*aussi*)	13B
から [kara]	a) indiquer l'expéditeur. (*de la part de*)	6D
	b) introduire une raison ou une cause. (*parce que, comme, puisque*)	13D
	c) marquer le point de départ dans le temps ou dans l'espace. (*à partir de*)	37A
まで [madé]	a) marquer le terme final, le point d'arrivée dans l'espace. (*jusqu'à*)	37A

8. Les numéraux

1	[itchi]	6	[rokou]
2	[ni]	7	[shitchi] / [nana]
3	[sann]	8	[hatchi]
4	[yonn] / [shi]	9	[kyou:] / [kou]
5	[go]	10	[djou:]

8. Les numéraux (suite)

11	[djou: itchi]	16	[djou: rokou]
12	[djou: ni]	17	[djou: shitchi] / [djou: nana]
13	[djou: sann]	18	[djou: hatchi]
14	[djou: yonn] / [djou: shi]	19	[djou: kyou:] / [djou: kou]
15	[djou: go]	20	[ni djou:]
21	[ni djou: itchi]	26	[ni djou: rokou]
22	[ni djou: ni]	27	[ni djou: shitchi] / [ni djou: nana]
23	[ni djou: sann]	28	[ni djou: hatchi]
24	[ni djou: yonn] / [ni djou: shi]	29	[ni djou: kyou:] / [ni djou: kou]
25	[ni djou: go]		
30	[sann djou:]	70	[nana djou:]
40	[yonn djou:]	80	[hatchi djou:]
50	[go djou:]	90	[kyou: djou:]
60	[rokou djou:]		
100	[hyakou]	600	[rop'**pya**kou]
200	[ni hyakou]	700	[nana hyakou]
300	[sann **bya**kou]	800	[hap'**pya**kou]
400	[yonn hyakou]	900	[kyou: hyakou]
500	[go hyakou]		
1000	[sénn]	6000	[rokou sénn]
2000	[ni sénn]	7000	[nana sénn]
3000	[san **zé**nn]	8000	[ha**s'sé**nn]
4000	[yonn sénn]	9000	[kyou: sénn]
5000	[go sénn]		
10000	[itchi mann]	60000	[rokou mann]
20000	[ni mann]	70000	[nana mann]
30000	[sann mann] [sam mann]	80000	[hatchi mann]
40000	[yonn mann] [yom mann]	90000	[kyou: mann]
50000	[go mann]	100000	[djou: mann]

9. Les minutes

1 分	[ip'pounn]	13 分	[djou:sann pounn]
2 分	[ni founn]	14 分	[djou:yonn pounn]
3 分	[sann pounn]	15 分	[djou:go founn]
4 分	[yonn pounn]	16 分	[djou:rop'pounn]
5 分	[go founn]	17 分	[djou:nana founn]
6 分	[rop'pounn]	18 分	[djou:hap'pounn]
7 分	[nana founn]	19 分	[djou:kyou: founn]
8 分	[hap'pounn]	20 分	[nidjoup'pounn]
9 分	[kyou: founn]	30 分	[sanndjoup'pounn]
10 分	[djoup'pounn]	40 分	[yonndjoup'pounn]
11 分	[djou:ip'pounn]	50 分	[godjoup'pounn]
12 分	[djou:ni founn]	60 分	[rokoudjoup'pounn]

10. Les 31 jours du mois

le 1	[tsouïtatchi]	le 17	[djou:shitchi nitchi]
le 2	[foutsouka]	le 18	[djou:hatchi nitchi]
le 3	[mik'ka]	le 19	[djou:kou nitchi]
le 4	[yok'ka]	le 20	[hatsouka]
le 5	[itsouka]	le 21	[nidjou:itchi nitchi]
le 6	[mouïka]	le 22	[nidjou:ni nitchi]
le 7	[nanoka]	le 23	[nidjou:sann nitchi]
le 8	[yo:ka]	le 24	[nidjou:yok'ka]
le 9	[kokonoka]	le 25	[nidjou:go nitchi]
le 10	[tooka]	le 26	[nidjou:rokou nitchi]
le 11	[djou:itchi nitchi]	le 27	[nidjou:shitchi nitchi]
le 12	[djou:ni nitchi]	le 28	[nidjou:hatchi nitchi]
le 13	[djou:sann nitchi]	le 29	[nidjou:kou nitchi]
le 14	[djou:yok'ka]	le 30	[sanndjou: nitchi]
le 15	[djou:go nitchi]	le 31	[sanndjou:itchi nitchi]
le 16	[djou:rokou nitchi]		

11. Les Compteurs

■ Nous avons étudié quelques compteurs courants dans la section D2 des leçons 24 et 25. Nous indiquons ci-après d'autres compteurs fréquemment utilisés dans la vie quotidienne :

• 台, だい, dai : pour compter les produits manufacturés (télévisions, radios, véhicules, etc.), excepté les avions et les trains :

1 台 ichi-dai	5 台 go-dai	9 台 kyû-dai
2 台 ni-dai	6 台 roku-dai	10 台 jû-dai
3 台 san-dai	7 台 nana-dai	
4 台 yon-dai	8 台 hachi-dai	

ex. 3台 の 車, san-dai no kuruma, *trois voitures*

• 個, こ, ko : pour compter les petits objets ronds ou cubiques (œufs, pommes, pièces de monnaie, etc.) :

1 個 **ik'ko**	5 個 go-ko	9 個 kyû-ko
2 個 ni-ko	6 個 **rok'ko**	10 個 **juk'ko**
3 個 san-ko	7 個 nana-ko	
4 個 yon-ko	8 個 **hak'ko**	

ex. 10個 の たまご, jukko no tamago, *dix œufs*

• 匹, ひき, hiki : pour compter les animaux domestiques (chiens, chats, poissons, etc.) :

1 匹 **ip'piki**	5 匹 go-hiki	9 匹 kyû-hiki
2 匹 ni-hiki	6 匹 **rop'piki**	10 匹 **jup'piki**
3 匹 san-**biki**	7 匹 nana-hiki	
4 匹 yon-hiki	8 匹 **hap'piki**	

ex. 1匹 の ねこ, ip'piki no neko, *un chat*

• 足, そく, soku : pour compter les paires de chaussures ou de chaussettes :

1 足 **is'soku**	5 足 go-soku	9 足 kyû-soku
2 足 ni-soku	6 足 roku-soku	10 足 **jus'soku**
3 足 san-**zoku**	7 足 nana-soku	
4 足 yon-soku	8 足 **has'soku**	

ex. 2足 の くつ, ni-soku no kutsu, deux paires de chaussures

■ **Kanji** est l'appellation japonaise des idéogrammes d'origine chinoise.

● L'une des difficultés du japonais réside dans la diversité de la prononciation des kanji. Cette diversité vient du fait que les Japonais utilisent les kanji :

— soit en conservant approximativement leur prononciation chinoise : c'est la lecture chinoise d'origine, appelée **lecture ON** [onn] ;

— soit en leur donnant la prononciation du mot japonais correspondant : c'est la lecture japonaise, appelée **lecture KUN** [kounn].

● Le choix entre les deux lectures, **lecture ON** et **lecture KUN**, varie selon les contextes.

Quand le kanji est employé seul, c'est souvent la **lecture KUN** qu'on utilise.

ex. Employé seul, 車 se lit et se prononce en **lecture KUN**, [kourouma], pour signifier ***voiture***.

Par contre, quand le **kanji** est associé à d'autres **kanji** à l'intérieur d'un mot, c'est souvent la **lecture ON** qui apparaît.

ex. S'associant à 電 [dénn], 車 est lu et prononcé en **lecture ON**, [sha] : 電車 [dénnsha], ***train***.

Mais ce n'est pas une règle absolue et seul l'usage dicte de recourir à l'une ou l'autre lecture.

● Pour distinguer la **lecture ON** et la **lecture KUN**, on transcrit la première en **katakana** et la seconde en **hiragana** notamment dans le dictionnaire des **kanji**.

ex.

kanji	lecture ON	lecture KUN
車	シャ	くるま

☞ Nous n'avons cependant pas fait pour ce manuel cette distinction qui n'apparaît jamais dans la pratique ; c'est le **hiragana** qui est employé pour indiquer éventuellement la prononciation des kanji dans une phrase.

TABLEAU RÉCAPITULATIF DES KANJI ÉTUDIÉS

■ Nous regroupons ci-après tous les **kanji** qui sont traités dans ce manuel.

☞ En ce qui concerne leur prononciation, nous n'avons pas indiqué toutes les prononciations possibles en **lecture ON** ou en **lecture KUN** : nous nous sommes limités aux utilisations rencontrées dans les quarantes leçons.

☞ Les **kanji** sont classés suivant un nombre de traits croissant.

kanji	prononciation	signification	leçon
人	[hito]	*personne(s) ; gens*	24B
山	[yama]	*montagne(s)*	21B
土	[do]	*terre ; sol*	23A
川	[kawa]	*rivière(s)*	30A
上	[oué]	*dessus*	34A
下	[shita]	*dessous*	34A
口	[koutchi] / [goutchi]	*bouche(s)*	37B
万	[mann]	*dix mille*	38B
女	[onn'na] / [djo]	*femme(s)*	39A
中	[naka]	*milieu ; intérieur*	21A
分	[founn] / [pounn]	*minute(s)*	22B

kanji	prononciation	signification	leçon
日	[nichi] / [bi] / [ni]	*soleil ; jour(s)*	23A/32B
月	[guétsou] / [gatsou]	*lune ; mois*	23A/35A
火	[ka]	*feu*	23B
水	[souï]	*eau*	23B
木	[mokou] / [ki]	*arbre(s)*	23B/34B
友	[tomo]	*ami(e/s/es)*	25B
今	[ima]	*en ce moment ; maintenant*	40B
田	[ta] / [da]	*risière(s)*	21A/21B
本	[honn] / [moto]	*livre(s) ; origine*	24A/31B
毎	[maï]	*chaque*	25A
年	[nénn]	*an(s)*	28A
会	[a]	*rencontrer ; voir*	28B
休	[yassou]	*se reposer*	29B
肉	[nikou]	*viande*	31A

kanji	prononciation	signification	leçon
行	[i]	*aller*	32A
何	[nann] / [nani]	*que ; quoi ; quel*	22B/26A
車	[kourouma] / [sha]	*voiture(s) ; roue(s) véhicule(s)*	24B/30B
花	[hana]	*fleur(s)*	26A
来	[kou] / [ki] / [ko] / [rai]	*venir ; à venir*	28A
見	[mi]	*regarder ; voir*	30B
男	[otoko]	*homme(s)*	39B
夜	[yorou]	*soir ; nuit*	26B
林	[hayashi]	*bois*	29A
店	[missé]	*magasin(s)*	33A
雨	[amé]	*pluie*	35A
東	[to:]	*est* (point cardinal)	37A
京	[kyo:]	*capitale(s)*	37A
金	[kinn]	*or ; métal ; argent* (monnaie)	39A

kanji	prononciation	signification	leçon
海	[oumi]	*mer*	30B
待	[ma]	*attente ; attendre*	31B
屋	[ya]	*boutique* (suffixe)	33B
風	[kazé]	*vent*	35B
食	[ta]	*manger*	36B
時	[dji]	*heure(s)*	22A
家	[ié]	*maison(s)*	27A
書	[ka]	*écrire*	40A
週	[shou:]	*semaine(s)*	25A
魚	[sakana]	*poisson(s)*	31A
鳥	[tori]	*oiseau(x)*	34B
雪	[youki]	*neige*	35B
朝	[assa]	*matin*	26B
森	[mori]	*forêt(s)*	29A

kanji	prononciation	signification	leçon
買	[ka]	*acheter ; achat(s)*	33A
着	[ki]	*mettre* (vêtement) *habillage*	36B
筆	[hitsou]	*pinceau(x)*	38B
晩	[bann]	*soir*	40B
電	[dénn]	*électricité*	27B
話	[wa] / [hana]	*parole ; parler*	27B/40A
駅	[éki]	*gare(s)*	32A
語	[go]	*langue ; langage*	32B
読	[yo]	*lire ; lecture*	36A
聞	[ki]	*écouter ; entendre*	38A

Reconnaître les signes

Expression	prononciation	signification
入口	[irigoutchi]	*entrée*
出口	[dégoutchi]	*sortie*

Expression	prononciation	signification
銀行	[guinnko:]	*banque*
郵便局	[you:binnkyokou]	*bureau de poste*
航空便	[ko:kou:binn]	*courrier par avion*
船便	[founabinn]	*courrier par bateau*
両替	[ryo:gaé]	*change*
円	[énn]	*yen* (monnaie japonaise)
窓口	[madogoutchi]	*guichet*
案内所	[ann'naïdjo]	*bureau de renseignements*
待合室	[matchiaïshitsou]	*salle d'attente*
公衆電話	[ko:shou:dénnwa]	*téléphone public*
地下鉄	[tchikatétsou]	*métro*
運賃	[ounn'tchinn]	*tarif des transports*
乗り場	[noriba]	*station ; arrêt*
旅館	[ryokann]	*auberge*

Expression	prononciation	signification
食堂	[shokoudo:]	*restaurant ; cantine*
喫茶店	[kis'saténn]	*salon de thé ; café*
勘定	[kanndjo:]	*caisse ; compte*
会計	[kaïkéï]	*caisse ; compte*
日本料理	[nihonn ryo:ri]	*cuisine japonaise*
御手洗	[otéaraï]	*toilettes*
化粧室	[késho:shitsou]	
使用中	[shiyo:tchou:]	*occupé*
病院	[byo:inn]	*hôpital*
受付	[oukétsouké]	*réception ; accueil*
駐車場	[tchou:shadjo:]	*parking*
禁煙	[kinn'énn]	*défense de fumer*
高速道路	[ko:ssokou do:ro]	*autoroute*
商店街	[sho:ténngaï]	*quartier commerçant*

①: verbe du groupe-1 ②: verbe du groupe-2 ③: verbe du groupe-3
[adj] : adjectif [Q-adj] : quasi-adjectif

– A –

aburae, *peinture à l'huile*
aemasu, *pouvoir rencontrer*
aeru ②, *pouvoir rencontrer*
ah, *tiens ! ; ah !*
aikidô, voir D4, p.261
aimasu, *rencontrer ; voir*
airon, *fer à repasser*
aisatsu, *salutations*
aiteimasu, *être ouvert*
aiteiru ②, *être ouvert*
Ajia, *Asie*
aka, *rouge* (nom)
akai [adj], *rouge*
akarui [adj], *claire ; gai*
akeru ②, *ouvrir*
aki, *automne*
amai [adj], *sucré*
amari, *(ne pas) très; (ne pas) tellement ; (ne pas) souvent*
ame, *pluie*
Amerika, *États-Unis*
anata, *toi ; vous*
anata no, *le mien*
anatatachi, *vous* (pl.)
ane, *sœur aînée ; grande sœur*
ani, *grand frère*
Annu [prénom féminin], *Anne*
ano, *ce (cette)...là-bas*
anzen [Q-adj], *sûr ; en sécurité*
aoi [adj], *bleu*
apâto, *appartement*
aratteimasu, *être en train de laver (nettoyer)*
arau ①, *laver ; nettoyer*
are, *cela là-bas*
arigatô, *merci*
arigatô-gozaimasu, *merci* [mot de déférence]
arimasen, (négation pour l'adjectif)
arimasen, *il n'y a pas ; ne pas se trouver*
arimasen deshita, (négation passée pour l'adjectif)
arimasen deshita, *il n'y avait pas ; ne pas s'être trouvé*
arimashita, *il y avait ; s'être trouvé*
arimasu, *il y a ; se trouver*
aru ①, *il y a ; se trouver*
arubaito, *job*
aruite, *à pied*
aruiteimasu, *être en train de marcher*
aruku ①, *marcher*
asa, *matin*
asagohan, *petit déjeuner*
ashi, *pied ; jambe*
ashita, *demain*
asobimashita, *avoir joué*; *s'être amusé*
asobimasu, *s'amuser ; jouer*
asobu ①, *s'amuser ; jouer*
asoko, *l'endroit là-bas*
atama, *tête*
atarashii [adj], *neuf ; nouveau*

atatakai, *doux*
atatakaku narimasu, *devenir doux*
ato, *le reste*
ato de, *plus tard ; après*
ato wa, *pour le reste*
atsui [adj], *chaud*
au ①, *rencontrer ; voir*

- B -

baai, *cas*
baiorin, *violon*
baito, *job*
bâgen(sêru), *soldes*
baka [Q-adj], *bête ; idiot*
bakansu, *vacances*
bakari, *seulement*
ban, *soir*
banana, *banane*
bangohan, *dîner* (nom)
basu, *bus*
basu-tei, *arrêt de bus*
batâ, *beurre*
beddo, *lit*
bengoshi, *avocat*
benkyô, *études*
benkyôsuru ③, *étudier*
benkyôshiteimasu, *être en train d'étudier*
benri [Q-adj], *pratique*
bentô, *panier-repas*
Betonamu, *Viêt-nam*
Betonamu-jin, *Vietna-mien*
bideo-dekki, *magnétoscope*
bikkuri, *étonnant*
binsen, *papier à lettre*
biru, *bâtiment*
bîru, *bière*
biyôin, *salon de coiffure*
biyôshi, *coiffeur*
biza, *visa*
boku, *moi*
boku no, *le mien ; à moi*
bônasu, *bonus*
bon-odori, [voir D4, p.325]
bôrupen, *stylo à bille*
bôshi, *chapeau*
budô, *raisin*
bunka, *culture*
bushi, *guerrier*
byôin, *hôpital*
byôki, *maladie*

- C -

CD (shîdî), *CD ; disque compact*
CD(shîdî)-purêyâ, *lecteur de CD*
CDromu (shîdî-romu), *CDRom*
chawan, *bol à riz*
chichi, *père*
chiisai [adj], *petit*
chika, *sous-sol*
chika-ikkai, *premier sous-sol*
chikatetsou, *métro*
chikaku, *proximité*
chizu, *plan ; carte ; atlas*
chîzu, *fromage*
chôdo, *juste ; justement*
chômiryô, *condiment ; assaison-nement*
chotto, *un peu ; un instant*
chûgakkô, *école secondaire*
Chûgoku, *Chine*
Chûgoku-jin, *Chinois*

chûsha, *stationnement*
chûsha-ihan, *infraction à l'interdiction de stationner*
chûsha-jô, *parking*
chûsha-kinshi, *stationnement interdit*

- D -

da, *c'est ; être*
daibu, *assez ; pas mal*
daigaku, *université*
daijin, *ministre*
daijôbu [Q-adj], *ça va ; pas de problème*
daisuki [Q-adj], *adoré*
daizu, *soja*
dake, *seulement*
dame [Q-adj], *nul ; mauvais ; ça ne va pas*
danbô-kigu, *radiateur ; chauffage*
dansu, *danse*
dare, *qui ?*
dareka, *quelqu'un*
dasu, *envoyer*
de [mot de liaison], *et*
de [particule], *par ; en ; à ; dans; à cause de ; moyennant*
dekakemashita, *être parti*
dekakemasu, *partir ; sortir*
dekakeru ②, *partir ; sortir*
dekimasu, *savoir (pouvoir) faire ; être capable*
dekiru ②, *savoir (pouvoir) faire; être capable*
demasu, *sortir*
demo, *mais*
denpô, *télégramme*
densha, *train*
denshi-renji, *four à micro-ondes*
denwa, *téléphone*
denwa-bokkusu, *cabine téléphonique*
denwashimasu, *téléphoner*
denwashite kudasai, *téléphonez s'il vous plaît*
denwasuru ③, *téléphoner*
depâto, *grand magasin*
deshita, *avoir été*
desho, *n'est-ce pas*
desu, *être ; c'est*
dewa, *alors ; dans ce cas*
dewa arimasen, *ne pas être ; ce n'est pas*
dewa arimasen deshita, *ne pas avoir été*
dezâto, *dessert*
dî-bui-dî, *DVD*
disuko, *discothèque*
dô, *comment ?*
dochira, *lequel*
dochiramo, *les deux*
dochiramo (..masen), *ni l'un ni l'autre* [dans une phrase négative]
dô desu ka, *que pensez-vous (de...) ; ça va ?*
Doitsu, *Allemagne*
doko, *quel endroit ? ; où ?*
doko de, *où ; à quel endroit*
doko e, *où ; à quel endroit*
doko ni, *où ; à quel endroit*
donata [mot de déférence], *qui?*
donna, *quel genre de*
doraibu, *randonnée en voiture*

dore, *lequel ?*
doru, *dollar*
dôryô, *collègue*
doryoku, *effort*
dô shimasu ka, *qu'est-ce qu'on va faire ? ; que faire ?*
dôshite, *pourquoi ?*
doyôbi, *samedi*
dôzo, *je vous prie ; s'il vous plaît*
Dyupon [nom de famille], *Dupont*

– E –

e, *peinture ; dessin*
e [particule], *à ; en ; vers ; dans*
eakon, *climatiseur*
ehagaki, *carte postale*
eiga, *cinéma ; film*
eki, *gare ; station*
ekiben, *panier-repas pour le voyage*
eki-in, *employé de gare*
emudî, *MD ; mini-disque*
en, *yen*
engeki, *arts théâtraux*
enjinia, *ingénieur*
ensô-suru ③, *jouer (d'un instrument de musique)*
erabu ①, *choisir*
erebêtâ, *ascenseur*
ereganto [Q-adj], *élégant*
Erênu [prénom féminin], *Hélène*

– F –

fakkusu, *télécopieur ; fax*
fakkusu-suru ③, *faxer*
ferîbôto, *ferry-boat*
fianse, *fiancé(e)*
fôku, *fourchette*
fuben [Q-adj], *incommode*
fuiteimasu, *être en train de souffler* (vent) *; être en train de jouer* (flûte, trompette)
Fujisan, *mont Fuji*
fuku, *vêtement*
fuku ①, *jouer* (d'un instrument à vent) *; souffler*
fukuzatsu [Q-adj], *compliqué*
fun, *minute*
funabin, *poste maritime*
funabin de, *par voie maritime ; par bateau*
fune, *bateau*
Furansu, *France*
furansugo, *langue française*
Furansu-jin, *Français*
furansu ryôri, *cuisine française*
furimasu, *tomber* (pluie, neige)
furîtâ, *personne qui fait du petit job sans chercher un travail à temps complet*
furo, *salle de bains*
furu ①, *tomber* (pluie, neige)
furui, *ancien ; démodé ; vieux*
furûto, *flûte*
fusuma, *porte coulissante*
futa-tsu, *deux*
fûtô, *enveloppe*
futsû, *d'habitude*
futteimasu, *être en train de tomber* (pluie, neige)
fuyu, *hiver*

– G –

ga [particule pour indiquer le sujet]

gagaku, *musique de la court*
gaikoku, *pays étranger*
gaikoku-go, *langue étrangère*
gaka, *peintre*
gakki, *instrument de musique*
gakkô, *école*
ganbatte, *du courage ; bon courage*
gasorin-sutando, *station service*
gêmu, *jeu*
gêmu-sofuto, *logiciel de jeu*
gen'in, *cause*
genki [Q-adj], *en forme ; en bonne santé*
genkin, *espèce*
getsuyôbi, *lundi*
gijutsu, *technique ; technologie*
ginkô, *banque*
ginkô-in, *employé de banque*
gitâ, *guitare*
go- [préfixe de politesse], voir 28D, pp.234-235
go, *cinq*
gofun, *cinq minutes*
gogaku-gakkô, *école de formation des langues étrangères*
go gatsu, *mai*
gogo, *après-midi*
gohan, *repas*
go hyaku, *cinq cents*
goji, *cinq heures*
goro [suffixe], *vers ; environ*
gôruden-wîku, *semaine d'or*
gorufu, *golf*
go-ryôshin, *parents* [mot de déférence]
gozaimasu, [mot de politesse]
gurai [suffixe], *environ*
gurûpu, *groupe*

– H –

ha, *dent*
hachi, *huit*
hachi gatsu, *août*
hachi ji, *huit heures*
hachi jû, *quatre-vingt*
hachimitsu (19A), *miel*
hâdo [Q-adj], *dur*
hagaki, *carte postale* (sans image)
haha, *mère*
hai, *oui*
haikingu, *randonnée ; excursion*
haiku, *haiku* (poème japonais, voir D4, p.293)
haisha, *dentiste*
haiteimasu, *porter* (pantalon, jupe, chaussettes) ; *être en train de mettre* (pantalon, jupe, chaussettes)
haitteimasu, *se trouver ; être mis*
haitteiru ②, *se trouver ; être mis*
haizara, *cendrier*
hajimemashite, *enchanté*
hajimete, *pour la première fois*
haku ①, *mettre* (pantalon, jupe, chaussettes)
hajimemashite, *enchanté*
hajimete, *pour la première fois*
han, *demi(e)*
hana, *fleur*
hanabi, *feu d'artifice*

hanasemasu, *savoir (pouvoir) parler*
hanaseru ②, *savoir (pouvoir) parler*
hanashiaimasu, *discuter*
hanshiau ①, *discuter*
hanashimashita, *avoir discuté*
hanashimashita ①, *avoir parlé*
hanashitai, *vouloir parler*
hanashiteimasu, *être en train de parler*
hanashite kudasai, *Parlez, s'il vous plaît*
hanasu ①, *parler*
hana-ya, *magasin de fleurs*
hankô, *sceau*
hantai, *contraire*
harau ①, *payer*
hare, *beau temps*
haru, *printemps*
hashi, *baguettes* (pour manger)
hataraiteimasu, *tarvailler (être en train de)*
hatarakimasen, *ne pas travailler*
hataraku ①, *travailler*
Hawai, *Hawaï*
hayai [adj], *rapide ; matinal*
hayaku, *vite ; tôt*
Hayashi [nom de famille], *Hayashi*
hayashi, *bois*
heibon [Q-adj], *banal*
heiwa [Q-adj], *paisible ; en paix; tranquille*
herikoputâ, *hélicoptère*
heta [Q-adj], *malhabile ; maladroit ; mauvais*
heya, *chambre ; salle*
hidari, *gauche*
hidarigawa-tsûkô, *rouler à gauche*
hikidasu ①, *retirer* (de l'argent)
hikôki, *avion*
hiku ①, *jouer (d'un instrument à corde)*
hima [Q-adj], *disponible ; libre; inoccupé*
himitsu, *secret*
Hiragana, *écriture hiragana*
hiraku ①, *ouvrir*
hiroi [adj], *large*
hiru, *midi*
hirugohan, *déjeuner* (nom)
hisashiburi, *ça fait longtemps que.... ; il y a longtemps*
hisho, *secrétaire*
hito, *personne(s) ; gens*
hitori de, *(tout) seul*
hitotachi, *gens*
hito-tsu, *un*
hitsuyô [Q-adj], *nécessaire*
hô ga ii desu (no), *préférer*
hôgaku, *musique japonaise*
Hokkaidô, *île de Hokkaido*
hon, *livre ; origine*
Honda [nom de famille], *Honda*
Honkon, *Hong-Kong*
honto, *vrai ; véritable ; vérité*
hontô, *vrai ; véritable ; vérité*
hontoni, *vraiment*
hontôni, *vraiment*
hon-ya, *librairie*
hoteru, *hôtel*

- I -

ichi, *un*
ichiba, *marché*
ichi-ban, *le plus ; numéro un*
ichido, *une fois*
ichi gatsu, *janvier*
ichigo, *fraise*
ichiji, *une heure*
ie, *maison*
Igirisu, *Angleterre*
ii [adj], *bon ; bien ; ça va ; beau*
iie, *non*
ikebana, *arrangement floral*
ikeru ②, *arranger* (des fleurs dans un vase)
ikimasen, *ne pas aller*
ikimashita, *être allé*
ikimashô, *allons !*
ikimasu, *aller*
ikkai, *rez-de-chaussée ; un étage*
ikkagetsu, *un mois*
ikkagetsu ni, *par mois*
iku ①, *aller*
ikura, *combien* (pour demander le prix)
ima, *maintenant ; en ce moment*
imasendeshita, *ne pas avoir existé ; ne pas s'être trouvé*
imashita, *il y avait ; s'être trouvé* (être vivant)
imasu, *être ; exister ; se trouver*
imôto, *petite sœur*
imôto-san [mot poli], *petite sœur*
Indoneshia, *Indonésie*
Indoneshia-jin, *Indonésien*
inkan, *sceau*
insutanto-râmen, *plat de nouilles de cuisine chinoise, préparé en quelques minutes*
intânetto, *internet*
inu, *chien*
ippô-tsûkô, *circulation à sens unique*
iru ②, *être; exister ; se trouver*
isha, *médecin*
Ishida [nom de famille], *Ishida*
isogashii [adj], *occupé ; affairé*
issatsu, *un (livre, cahier, etc.)*
issho ni, *ensemble*
isu, *chaise*
itai [adj], *douloureux*
Itaria, *Italie*
itariago, *langue italienne*
itsu, *quand ?*
itsumo, *toujours ; d'habitude*
itsumo no, *habituel*
itsu-tsu, *cinq*
itteimasu, *fréquenter ; aller à*
itteimasu, *dire*
itteiru ②, *dire*
ittekudasai, *allez, s'il vous plaît*
iwai, *fête ; célébration*
iwaimashô, *Félicitons! ; Fêtons!*
iwaimasu, *fêter ; féliciter*
iwau ①, *fêter ; féliciter*
iya, *désagréable ; détestable*

- J -

ja, *alors ; dans ce cas*
ja arimasen, *ne pas être*
jamu, *confiture*
Jan [prénom masculin], *Jean*
jânarisuto, *journaliste*
jazu, *jazz*

jê-rîgu, *J League (football professionnel)*
Jieitai, *Forces d'auto-défense*
jikan, *temps ; heure*
jiko, *accident*
jînzu, *jean*
jisho, *dictionnaire*
jitensha, *bicyclette*
jiyû [Q-adj], *libre*
josei, *femme*
jôzu, *habile ; doué ; bon ; adroit*
jôzuni, *habilement*
jû, *dix*
jûdô, *judo*
jû gatsu, *octobre*
jûgo fun, *quinze minutes*
jûichi, *onze*
jûichi gatsu, *novembre*
jûichi ji, *onze heures*
juken, *concours à passer*
juken-sensô, *guerre des examens*
juku, *école préparatoire*
jû ji, *dix heures*
jûni, *douze*
jûni gatsu, *décembre*
jûni ji, *douze heures*
jûni-shi, *douze animaux du zodiaque*
juppun, *dix minutes*
jûsu, *jus* (de fruit ou de légume)
jûtai, *embouteillage*
jûyô [Q-adj], *important*

- K -

ka [particule de choix], *ou*
ka [particule interrogative], *?*
kaban, *cartable*
kabin, *vase*
Kabuki, *théâtre Kabuki* (voir D4, p.277)
kaburu ①, *mettre* (un chapeau)
kaden-seihin, *appareils électroménagers*
kadô, *arrangement floral*
kaerimasendeshita, *ne pas être rentré*
kaerimasu, *rentrer* (chez soi)
kaeru ①, *rentrer* (chez soi)
kaigai, *outre-mer*
kaigo-hoken, *assurance de soins*
kaigo-hoken-seido, *système d'assurance de soins*
kaimashita, *avoir acheté*
kaimasu, *acheter*
kaimono, *courses* (dans un magasin)
kaisha, *société ; compagnie ; bureau*
kaisha-in, *employé de bureau*
kaishô, *dissipation*
kaiteki [Q-adj], *confortable ; agréable*
kakanai, *ne pas écrire* (forme neutre)
kakanaidekudasai, *N'écrivez - pas, s'il vous plaît*
kakarimasu, *il faut ; mettre*
kakaru ①, *il faut ; mettre*
kakemasu, *pouvoir (savoir) écrire*
kakeru ②, *pouvoir (savoir) écrire*
kakimasu, *écrire*
kakenaoshimasu, *rappeler*

kakenaosu ①, *rappeler*
kakeru ①, *mettre* (des lunettes)
kakidome, *(lettre en) recommandé*
kaku ①, *écrire ; dessiner ; peindre*
kamera, *appareil photo*
kamera-man, *photographe*
kamo shiremasen, *il est possible que...*
Kanada, *Canada*
kanai, *épouse*
kane, *argent (de l')*
kangae, *idée*
kangaeteimasu, *être en train de réfléchir*
kangaeteiru ②, *être en train de réfléchir*
kangofu, *infirmière*
kangoshi, *infirmier*
kanji, *idéogramme*
Kankoku, *Corée du sud*
Kankoku-jin, *Coréen*
kankôkyaku, *touriste*
kanojo, *elle*
kanojotachi, *elles*
kanpai, *tchin-tchin !*
kantan [Q-adj], *simple ; facile*
kara [particule], *depuis ; à partir de ; de la part de*
kara [particule], *comme, parce que ; puisque*
karashi, *moutarde*
karate, voir D4, p.261
karâ-terebi, *téléviseur couleur*
kare, *lui*
karera, *eux*
karimasu, *emprunter ; louer*
kariraremashita, *avoir pu emprunté*
kariraremasu, *pouvoir emprunter*
karirareru ②, *pouvoir emprunter*
karui [adj], *léger*
kasa, *parapluie*
katakana, *écriture katakana*
kaze, *rhume*
kau ①, *acheter*
kawa, *rivière*
kawaii [adj], *mignon ; chouette*
kawarimasu, *changer ; se changer*
kawaru ①, *changer ; se changer*
kayôbi, *mardi*
kaze, *vent*
kazoku, *famille*
kechappu, *ketchup*
kechi [Q-adj], *mesquin ; avare*
kedo, *mais ; bien que...*
keigo, *langage de politesse*
keisatsukan, *agent de police*
Keiko [prénom féminin], *Keiko*
keisatsusho, *commissariat*
keitai(-denwa), *téléphone portable*
keizai, *économie*
keizaiteki[Q-adj], *économique*
kêki, *gâteau ; cake ; patisserie*
kekkon, *mariage*
kekkon-suru ③, *se marier*
kendô, voir D2, p.260
Kenji [prénom masculin], *Kenji*
kenkô, *santé ; bonne santé*

kenkyû, *recherche*
kenpô, *constitution*
kensyû, *stage*
kesa, *ce matin*
keshôhin, *produit de beauté*
ki, *arbre*
kibun, *sentiment*
kiiro [nom], *jaune*
kimasu, *venir*
kiiroi [adj], *jaune*
kiitekudasai, *Écoutez, s'il vous plaît*
kiken [Q-adj], *dangereux*
kikimasu, *écouter*
kiku ①, *écouter*
kimashita, *être venu*
kimasu, *venir*
kimochi ii, *ça fait du bien*
kimochi yokatta, *ça a fait du bien*
kimono, *vêtement ; vêtement traditionnel japonais*
kin'en-seki, *place non fumeur*
ki ni irimasu, *plaire (à)*
ki ni iru ①, *plaire (à)*
kinô, *hier*
kinu, *soie*
kin'yôbi, *vendredi*
kinyû-shitekudasai, *remplissez s'il vous plaît ; inscrivez, s'il vous plaît*
kinyû-suru③, *remplir ; inscrire*
kin'yû, *finance*
kippu, *billet ; ticket*
kirai [Q-adj], *détesté*
kirai desu, *ne pas aimer; détester*
kirei [Q-adj], *propre ; beau*
kiru ②, *mettre* (chemise, veste)
kisetsu, *saison*
kissaten, *salon de thé ; café* (lieu)
kiteimasu, *porter* (chemise, veste)
kitekudasai, *Venez, s'il vous plaît*
kitte, *timbre*
kitto, *sûrement*
kizoku, *aristocrate*
kochira, *cette personne-ci ; de ce côté-ci*
kodomo, *enfant*
kôen, *parc*
kôhî, *café* (boisson)
kôhî-kappu, *tasse à café*
kôhî-potto, *cafetière*
kôhî-wakashi, *cafetière*
Kokkai, *Diète*
kôkô, *lycée*
kôkûbin, *poste aérienne*
kokumin, *peuple*
kome, *riz*
kômu-in, *fonctionnaire*
kônâ, *rayon* (des livres)
konai, *ne pas venir*
konaidekudasai, *Ne venez pas, s'il vous plaît*
koko, *cet endroit-ci*
kokono-tsu, *neuf*
konban, *ce soir*
konbanwa, *bonsoir*
konbini, *supérette ouverte 24 heures sur 24*
kondo, *prochaine fois*

kondo no, *prochain*
kônin-kaikei-shi, *comptable agréé*
konnichiwa, *bonjour*
kono, *ce...-ci*
kono hen, *à ces environs ; près d'ici*
konpakuto-disuku, *CD ; disque compact*
konpyûtâ, *ordinateur*
konsâto, *concert*
konshû, *cette semaine*
koppu, *verre*
koraremasen, *ne pas pouvoir venir*
koraremasu, *pouvoir venir*
korareru, *pouvoir venir*
kore, *ceci*
kôreika-shakai, *société souffrant du vieillissement*
korekara, *désormais ; à partir de maintenant*
kôsaten, *carrefour*
koshô, *poivre*
kôsui, *parfum*
koto, *chose ; fait*
kôto, *manteau ; veste*
kôtôgakkô, *lycée*
kotoshi, *cette année*
kôtsû, *circulation*
kôtsû-jiko, *accident de circulation*
kouri-ten, *détaillant*
koyô, *emploi*
kôyô, *feuilles rougies* [voir D2, p.324]
kôza, *compte*
kozutsumi, *colis*
ku, *neuf* (chiffre)
kubetsu, *distinction*
kudamono, *fruit*
kudasai, *Donnez-moi..., s'il vous plaît*
kugatsu, *septembre*
kuji, *neuf heures*
kûkô, *aéroport*
kumori, *temps nuageux*
kun, [suffixe de politesse]
kuni, *pays*
kûrâ, *climatiseur*
kurai [adj], *triste ; sombre*
kurashikku, *musique classique*
kuroi, *noir*
kuroi no, *ce qui est noir*
kuru ③, *venir*
kuruma , *voiture*
kusai, *puant ; fort* (odeur)
kusuri, *médicament*
kutsu, *chaussure*
kutsushita, *chaussette*
kutsu ya, *magasin de chaussures*
kuwashii [adj], *détaillé*
kyaku, *client*
kyanseru, *annulation*
kyanseru-machi, *liste d'attente (être sur une)*
kyanseru-suru ③, *annuler*
kyasshu-kâdo, *carte bancaire*
kyô, *aujourd'hui*
kyôiku, *éducation*
kyokuin, *employé de poste*
kyômi, *intêret ; curiosité*
kyômi ga arimasu (ni) ②, *s'intéresser (à)*

kyômi ga aru ②, *s'intéresser*
kyômi o motteimasu (ni), *s'intéresser (à)*
kyômi o motteiru (ni) ②, *s'intéresser (à)*
kyonen, *l'an dernier*
kyôshi, *enseignant*
Kyôto, *(ville de) Kyoto*
kyû, *neuf* (chiffre)
kyûdô, voir D2, p.260
kyûjitsu, *congé*
kyûka, *congé*
kyûni, *soudainement*
kyûsu, *théière pour le thé japonais*
kyûyô, *affaire urgente*

- M -

macchi, *allumette*
machi, *ville*
machimasu, *attendre*
mada, *encore*
made, *jusqu'à*
mado, *fenêtre*
mae, *avant ; il y a ; devant ; moins*
mae [nom] , *avant* ; *devant*
mae kara, *depuis*
mafurâ, *cache-col ; cache-nez*
magattekudasai, *tournez, s'il vous plaît*
mai, voir D2, p.210
maiban, *chaque soir*
mainen, *chaque année*
mainichi, *tous les jours* ; *chaque jour*
maitoshi, *chaque année*
majime [Q-adj], *sérieux*
maishû, *chaque semaine*
maketekudasai, *Pouvez-vous baisser le prix ?*
mamorimasu, *tenir* (promesse)
mankai, *pleine floraison*
mannaka, *centre ; milieu*
mannenhitsu, *stylo à encre*
manseki, *pas de places disponibles ; complet*
manyuaru, *manuel ; texte*
marui [adj], *rond*
masen, (forme négative au présent ou au futur de masu)
masendeshita, (forme négative au passé de masu)
massugu, *tout droit*
masu, (mot de politesse)
masumasu, *de plus en plus*
masutâdo, *moutarde*
matemasu, *pouvoir attendre*
materu ②, *pouvoir attendre*
mata, *à nouveau ; encore*
matome, *récapitulation*
matsu ①, *attendre*
matteimasu, *être en train d'attendre*
mattekudasai, *Attendez, s'il vous plaît*
mayonêzu, *sauce mayonnaise*
mazu, *d'abord*
mazui [adj], *mauvais* (goût)
megane, *lunettes*
meishi, *carte de visite*
meron, *melon*
mêru, *courrier électronique ; courriel*
mêru-shimasu, *envoyer le cour-*

rier électronique (un courriel)
mêru-suru ③, *envoyer le courrier électronique (un courriel)*
michi, *chemin ; rue*
miemasu, *voir ; pouvoir voir*
mieru ②, *voir ; pouvoir voir*
migi, *droite*
mikka, *le 3 du mois, trois jours*
mimashita, *avoir regardé (vu)*
mimasu, *regarder ; voir*
mini-disuku, *MD ; mini-disque*
minai, *ne pas regarder ; ne pas voir*
minaidekudasai, *Ne regardez pas, s'il vous plaît*
miru ②, *regarder ; voir*
miruku, *lait*
mirukutî, *thé au lait*
mise, *magasin*
miseru ②, *montrer*
mishin, *machin à coudre*
miso, *pâte de soja fermenté*
Missheru [prénom masculin], *Michel*
mit-tsu, *trois*
miyage, *souvenir*
MD (emudî), *MD ; mini-disque*
mo [particule], *aussi ; et aussi ; et de plus*
mô, *déjà ; encore*
mochi, *pâte de riz cuit à la vapeur et pilonné*
mô ichido, *encore une fois*
mokuyôbi, *jeudi*
momijigari, *chasse aux feuilles rougies* [voir D2, p.324]
mondai, *problème*
mono, *chose ; objet*
mori, *fôret*
Morita [nom de famille], *Morita*
moshi moshi, *allô*
môsugu, *bientôt*
motto, *encore plus*
muda [Q-adj], *inutile*
muri, *impossible*
mushi-atsui [adj], *chaud et humide*
mut-tsu, *six*
muzukashii [adj], *difficile*

– N –

na, (mot de liaison pour les quasi-adjectifs)
nâ, [expression montrant le sentiment d'envie]
nai, *ne pas* (mot de négation)
naidekudasai, (forme négative de l'impératif)
naifu, *couteau*
Naikaku, *Cabinet*
naka, *intérieur ; dedans*
Nakata [nom de famille], *Nakata*
nakutewa naranai, *indispensable*
namae, *nom ; prénom*
nan, *quoi ? ; que ? ; quel ?*
nana, *sept* (chiffre)
nana-tsu, *sept*
nani, *quoi ? ; que ? ; quel ?*
nanimo (...masen), *rien (ne)*
nani-yuki, *à quelle destination*
nanika, *quelque chose*
nanji, *quelle heure ?*
nan-kai, *quel étage ?*
nan-sai, *quel âge ?*

nan-satsu, *combien de (livres, revues, etc.) ?*
nan'yôbi, *quel jour de la semaine*
napukin, *serviette*
naratteimasu ②, *apprendre (être en train d')*
naratteiru ②, *apprendre (être en train d')*
narau ①, *apprendre*
narimasu, *devenir ; faire*
narimashita, *être devenu*
naru ①, *devenir*
natsu, *été*
nattô, *soja fermenté*
ne, *n'est-ce pas ; !* [exclamation d'admiration]
nee, *dis-moi! ; dites!*
neko, *chat*
nekkuresu, *collier*
nekutai, *cravate*
nemasu, *dormir ; se coucher*
nengajô, *carte de nouvel an*
nenkin, *pension*
neraremasu, *pouvoir dormir (se coucher)*
nerareru ②, *pouvoir dormir (se coucher)*
netsu, *fièvre*
ni [particule], *pour*
ni [particule], *pour ; à ; dans ; en*
nichiyôbi, *dimanche*
ni-do, *deux fois*
nigate [Q-adj], *ne pas être fort; très mauvais ; point faible*
ni gatsu, *février*
nigiyaka [Q-adj], *animé*
Nihon, *Japon*
Nihon-ginkô, *Banque du Japon*
nihon-ga, *peinture japonaise*
nihongo, *langue japonaise*
Nihon-jin, *Japonais*
nihon-keizai, *économie japonaise*
nihon ryôri, *cuisine japonaise*
nihon-shu, *saké japonais*
niji, *deux heures*
nikagetsu, *deux mois*
nikagetsu ni, *tous les deux mois*
ni-kai, *premier étage ; deux étages*
niku, *viande*
niku ya, *boucher* ; *boucherie*
ninki, *popularité ; populaire*
ni san-do, *deux ou trois fois*
ni shimasu, *choisir ; prendre ; décider*
niteimasu, *ressembler*
niteiru ②, *ressembler*
no [particule], *de ; à* (appartenance) *; le fait de* (faire quelque chose)
Nô, *théâtre No*
node, *comme ; puisque ; parce que*
nodo, *gorge*
nohara, *champ*
no ki ni irimasu, *plaire à*
nomimashita, *avoir bu*
nomimasu, *boire ; prendre (médicament)*
nomimono, *boisson*
nomu ①, *boire*
nondeiru ②, *boire (être en train*

de)

nondeimashita, *boire (avoir été en train de)*

no naka ni, *dans ; à l'intérieur de*

nondeimashita, *avoir été en train de boire*

noremasu, *savoir (pouvoir) prendre* (un véhicule)

noreru ②, *savoir (pouvoir) prendre* (un véhicule)

noriba, *arrêt ; station* (bus, taxi)

norimasen, *ne pas prendre* (un véhicule)

norimasu, *prendre* (un véhicule)

norimono, *moyen de transport*

noru ①, *prendre* (un véhicule)

no shita ni, *au-dessous de ; au pied de*

no shita de, *au-dessous de ; au pied de*

nôto, *cahier*

nôto-pasokon, *ordinateur portable*

no ue ni, *sur ; au-dessus de*

nugimasu, *enlever ; ôter*

nugu ①, *enlever ; ôter*

nyûgaku-shiken, *concours d'entrée*

nyûsu, *informations ; nouvelles*

Nyûyôku, *New York*

- O -

o [particule], (particule de complément d'objet direct)

o-, [préfixe de politesse]

o-baa-san, *grand-mère*

o-bon, [voir D4, p.325]

ocha, *thé*

o-bentô, *panier-repas*

ôeru, *employée de bureau*

o-genki [Q-adj], *en bonne santé ; en forme*

o-hanami, *contemplation des cerisiers en fleurs* [voir D2, p.324]

ohayô, *bonjour*

ohayô-gozaimasu, *bonjour*

o-hisashiburi, *ça fait longtemps que (nous ne nous sommes pas vu(e)s)*

oishii [adj], *bon* (goût)

o-iwai, *fête ; célébration*

o-iwai-shimashô, *Fêtons ! ; Félicitons !*

o-iwai-shimasu, *fêter ; féliciter*

o-jii-san, *grand-père*

o-kane, *argent (de l')*

o-kâ-san, *mère*

okashi, *gâteau*

o-kimari, *décision*

okimasu, *se lever*

okiraremasu, *pouvoir se lever*

okiru ②, *se lever*

okurenai, *ne pas tarder*

okurenaidekudasai, *Ne tardez pas, s'il vous plaît*

okureru ②, *tarder*

okurimashita, *avoir envoyé ; avoir offert*

okurimasu, *envoyer ; offrir*

okuru ①, *envoyer ; offrir*

okusan [mot poli], *femme ; épouse*

o-kyaku-sama [mot de défé-

rence], *client*
omachidôsama, *merci de m'avoir attendu*
omedetô, *félicitations*
omocha, *jouet*
omoi [adj], *lourd*
omoshiroi [adj], *intéressant ; drôle ; amusant*
onaji, *pareil ; même*
onaka, *ventre*
onegai, *demande ; souhait*
onegaishimasu, *je vous prie ; s'il vous plaît*
o-nee-san [mot déférent], *grande sœur*
ongaku, *musique*
o-nii-san [mot déférent], *grand frère*
onna, *femme*
onna no hito, *femme*
onsen, *source thermale ; station thermale*
ooi [adj], *beaucoup ; nombreux*
ooku arimasen, *ce n'est pas nombreux*
ooku arimasen-deshita, *ce n'était pas nombreux*
opera, *opéra*
orenji, *orange*
orenji jûsu, *jus d'orange*
Orinpikku, *Jeux Olympiques*
oriru ②, *descendre*
o-sake, *alcool ; saké*
osechi-ryôri, *plats du nouvel an*
o-shigoto, *travail*
oshieru ②, *indiquer ; apprendre*
osoi [adj], *lent ; tardif*
osu ①, *apposer* (un sceau) *; pousser ; appuyer*
otaku, *maison ; foyer*
ôtobai, *moto*
otoko, *homme*
otoko no hito, *homme*
o-tô-san [mot déférent], *père*
otôto, *petit frère*
ototoi, *avant-hier*
otôto-san [mot déférent], *petit frère*
otsuri, *monnaie à rendre*
o-wan, *bol à soupe*
oyoideimasu, *être en train de nager*
oyogu ①, *nager*

– P –

pâkingu, *parking*
pan, *pain*
panku, *crevaison (du pneu)*
panku-suru ③, *crever*
pan ya, *boulanger* ; *boulangerie*
Pari, *Paris*
pasupôto, *passeport*
pâtî, *soirée ; fête*
Pekin, *Pékin*
piano, *piano*
Piêru [prénom masculin], *Pierre*
pikunikku, *pique-nique*
posuto, *boîte aux lettres*
purezento, *cadeau*
puro, *professionnel*
puro-gorufu, *golf professionnel*
puro-supôtsu, *sport professionnel*
puro-yakyû, *base-ball professionnel*

pûru, *piscine*

- R-

raigetsu, *le mois prochain*
rainen, *l'an prochain*
raishû, *la semaine prochaine*
raitâ, *briquet*
rajio, *radio*
raku [Q-adj], *peu fatigant ; facile*
râmen, *plat de nouilles de cuisine chinoise*
rasshu-awâ, *heure de pointe*
reigi, *politesse*
reigi tadashii [adj], *poli*
reizôko, *réfrigérateur*
reji, *caisse*
remon, *citron*
renraku, *contact*
resutoran, *restaurant*
rikishi, *lutteur*
ringo, *pomme*
risutora, *restructuration*
riyû, *raison*
robotto, *robot*
rôdô, *travail*
rôdô-jikan, *temps de travail*
roku, *six* (chiffre)
roku jû, *soixante*
Rôma, *Rome*
Rondon, *Londres*
roten-buro, *salle de bains en plein air*
rusu, *absence*
ryôgae-suru ③, *changer* (des euros en yens)
ryokan, *auberge japonais*
ryokô, *voyage*
ryokôshimashita, *avoir voyagé*
ryokôshimasu, *voyager*
ryokô-suru ③, *voyager*
ryôri, *cuisine ; plat*
ryôshin, *parents*
ryûgaku, *action d'aller étudier à l'étranger*

- S-

sâbisu, *service*
sadô, *voie du thé ; cérémonie du thé*
sagashimasu, *chercher*
sagasu, *chercher*
sai, *l'âge de...* [suffixe]
saikin, *récemment ; ces derniers jours*
saikô-saibansho, *Cour Suprème*
saikuringu, *randonnée à bicyclette*
sain, *signature*
sain-suru ③, *signer*
saiteki, *le plus approprié*
sakana, *poisson*
sakana ya, *poissonnier ; poissonnerie*
sakkâ, *football*
sakki, *tout à l'heure*
sakura, *cerisier*
sama, *Monsieur, Madame, mademoiselle* [suffixe de déférence]
samui [adj], *froid*
samukatta [adj], *avoir fait froid*
san, *trois* (chiffre)
san, *Monsieur ; Madame ; Mademoiselle* [suffixe de politesse]

san-do, *trois fois*
san gatsu, *mars*
Sangiin, *Chambre des conseillers*
sanji, *trois heures*
san jû, *trente*
san-kai, *deuxième étage* (voir D2, p.276) *; trois étages*
sankenbunritsu, *séparation tripartite*
san-satsu, *trois (livres, cahiers, etc.)*
san zen, *trois mille*
sara, *assiette*
sararîman, *salarié*
sashimi, *poisson cru coupé en tranches*
satô, *sucre*
sayônara, *au revoir*
seifu, *gouvernement*
seigen-sokudo, *vitesse limite*
seikatsu, *vie quotidienne*
seireki, *système chrétien de mesure du temps*
seki, *toux*
semai [adj], *étroit*
senbei, *cracker japonais*
sengetsu, *le mois dernier*
senkyo, *élection*
senmon-gakkô, *école de formation spécialisée*
senpûki, *ventilateur électrique*
senshû, *la semaine dernière*
sensô, *guerre*
sentaku, *lessive* (action de laver)
sentakuki, *machine à laver le linge*
sêru, *soldes*
sêtâ, *pull-over*
setsumei, *explication*
setsumeishimasu, *expliquer*
setsumei-suru ③, *expliquer*
setsuzoku, *connexion*
setsuzoku-suru (ni), *se connecter (sur)*
sewa, *soins*
shakai, *société*
shamisen, *instrument (de musique) à trois cordes*
shashin, *photo*
shashin-ka, *photographe*
shatsu, *chemise*
shi, *quatre* (chiffre)
shichi, *sept* (chiffre)
shichi gatsu, *juillet*
shichiji, *sept heures*
shîdî, *CD ; disque compact*
shîdî-purêyâ, *lecteur de CD*
shîdî-romu, *CDRom*
shi gatsu, *avril*
shigoto, *travail*
shiharau ①, *payer*
shihô, *pouvoir judiciaire*
shika, *ne...que*
shikaku, *qualification*
shikata, *façon ; manière*
shiken, *examen ; concours*
shikku, *chic*
shimasen, *ne pas faire*
shimashita, *avoir fait*
shimasu, *faire*
shimasu (ni), *choisir ; prendre; décider*
shimeru ②, *fermer*

shinai, *ne pas faire*
shinaidekudasai, *Ne faites pas, s'il vous plaît*
shinbun, *journal*
Shingapôru, *Singapour*
shingô, *feu (de circulation)*
shinimasu, *mourir*
Shinkansen, voir D4, p.269
shinpai [nom / Q-adj], *souci ; inquiet*
shinsatsu, *consultation médicale*
shinsetsu [Q-adj], *gentil; aimable*
shinu ①, *mourir*
shio, *sel*
shirimasen, *ne pas connaître ; ne pas savoir*
shiroi [adj], *blanc*
shiru ①, *connaître ; savoir*
shita, *dessous*
shitaku, *préparation*
shitakushiteiru ②, *être en train de se préparer*
shiteimasu, *être en train de faire ; exercer le métier de*
shitsumon, *question*
shitsumonshimasu, *poser une question ; interroger ; questionner*
shitsumonsuru ③, *interroger ; questionner*
shitsurei [nom / Q-adj.], *impolitesse ; impoli*
shitsurei-shimasu, *je suis mal poli ; merci ; désolé de vous déranger*
shitteimasu, *savoir ; connaître*
shizen, *nature*
shizuka [Q-adj], *calme*
shîzun, *saison*
shôbôsho, *caserne des sapeurs-pompiers*
shodô, *calligraphie* (voir D4, p.301)
shôgakkô, *école primaire*
Shôgatsu, *nouvel an*
shôkai, *présentation*
shôkaishimasu, *présenter*
shôkaisuru ③, *présenter*
shokki, *ustensiles de table*
shokuhin, *alimentation*
shokugyô, *profession*
shokuji, *repas*
shokujishimashita, *avoir mangé*
shokujishimasu, *manger*
shokujisuru ③, *manger*
shoku-seikatsu, *régime alimentaire*
shômen, *face (en ...de)*
shomin-, *populaire*
shôtai, *invitation*
shôtaisareteiru ②, *être invité*
shôyu, *sauce de soja*
shû ni, *par semaine*
Shûgiin, *Chambre des représentants*
shukkin, *action d'aller travailler au bureau*
shukujitsu, *jour férié*
shûmatsu, *week-end*
shumi, *hobby*
shuppatsu, *départ*
shuppatsushimasendeshita,

ne pas être parti
shuppatsushimashita, *être parti*
shuppatsusuru ③, *partir*
shûshin-koyô, *emploi à vie*
shûshoku, *obtention du travail; entrée dans une entreprise*
shut'chô, *voyage d'affaires*
seki, *place*
sô, *ça ; vrai ; ainsi ; exact ; oui ; ah bon*
sô, *ainsi ; pareil*
soba, *nouilles de sarrasin*
soba de, *près de ; à proximité*
sobo, *grand-mère*
sôdan, *acte de demander un conseil ; discution ; consultation ;*
sofâ, *canapé ; divan*
Sofî, *Sophie*
sofu, *grand-père*
sofuto(uea), *logiciel*
sô ie ba, *je me rappelle que...*
sôjiki, *aspirateur*
sôjishimasen, *ne pas faire le ménage*
sôjishimasu, *faire le ménage*
sôjisuru ③, *faire le ménage*
soko, *cet endroit-là*
sokutatsu, *exprès*
sômen, *vermicelles de blé*
sonnani, *autant ; tant ; tellement*
sono, *ce (cette)...là*
sono ten, *sur ce point*
sore, *cela*
sorede, *alors ; c'est pourquoi*
sorehodo, *autant ; tant*
soreja, *alors*
sorekara, *puis*
soreni, *de plus, en outre*
soretomo, *ou bien*
Sôri-daijin, *Premier ministre*
soroban, *boulier*
sôsâ, *soucoupe*
soshite, *et ; puis*
sôsu, *sauce*
su, *vinaigre*
suimasu, *fumer*
sumimasen, *excusez-moi ; s'il vous plaît*
sumô, *lutte traditionnelle*
sutoresu, *stress*
subarashii, *merveilleux ; excellent*
sugoi [adj], *extraordinaire ; formidable ; terrible*
sugoku, *très*
sugu, *immédiatement ; tout de suite*
suiei, *natation*
suimasu, *fumer*
suisaiga, *peinture à l'aquarelle*
Suisu, *Suisse*
suiyôbi, *mercredi*
sukâfu, *foulard*
sukâto, *jupe*
sukejûru, *programme*
sukêto, *patinage*
sukî, *ski*
suki [Q-adj], *préféré*
suki desu, *aimer*
suki ja arimasen, *ne pas aimer*
sukoshi, *un peu*
sukunai, *peu*

sumimasen, *excusez-moi ; désolé ; s'il vous plaît ; merci*
sumu ①, *habiter*
sundeimashita, *avoir habité*
sundeimasu, *habiter (en ce moment)*
sûpâ, *supermarché*
supîdo, *vitesse*
supîdo-ihan, *contravention pour excès de vitesse*
supôtsu, *sport*
suppai, *acide*
sûpu, *soupe*
supûn, *cuillère*
suru ③, *faire ; mettre*
sushi, *boulettes de riz vinaigré, coiffées de tranches de poisson cru, de coquillages*
susundeiru ②, *être en avance*
suteki, *épatant ; chouette; ravissant*
sutereo, *chaîne stéréo*
sutoresu, *stress*
sutorô, *paille*
sûtsukêsu, *valise*
suu ①, *fumer*
suwanai, *ne pas fumer*
suwanaidekudasai, *Ne fumez pas, s'il vous plaît*
suwarimasu, *s'asseoir*
Suzuki [nom de famille], *Suzuki*
suzushii [adj], *frais*

– T –

tabako, *cigarette*
tabemashita, *avoir mangé*
tabemasu, *manger*
tabemono, *nourriture*
taberaremasen, *ne pas pouvoir manger*
taberaremasendeshita, *ne pas avoir pu manger*
taberaremasu, *pouvoir manger*
taberareru, *pouvoir manger*
taberu ②, *manger*
tabeteimasu, *être en train de manger*
tabun, *peut-être ; probablement*
tada, *seulement*
tadashii [adj], *correct ; juste*
Tai, *Thaïlande*
Tai-jin, *Thaïlandais*
-tai (desu), *vouloir (faire)*
taifû, *typhon*
taihen [Q-adj], *pénible ; dur ; grave*
taihen [adverbe], *beaucoup*
taikutsu [Q-adj], *ennuyeux*
taipuraitâ, *machine à écrire*
Taishô-jidai, *ère Taisho*
taishoku, *retraite*
taishokukin, *gratification de retraite*
taisô, *gymnastique*
Taiwan, *Taïwan*
Taiwan-jin, *Formosan*
takai [adj], *haut ; cher*
Takashi [prénom masculin], *Takashi*
takuhaibin, *livraison à domicile*
takusan, *beaucoup*
takusan no, *beaucoup de*
takushî, *taxi*
Tanaka [nom de famille], *Tanaka*

tanjôbi, *anniversaire*
tanka, voir D4, p.293
tanoshii [adj], *amusant ; joyeux*
taoru, *serviette de toilette*
tatami, *tapis de paille recouverte de jonc tressé*
tatemono, *bâtiment*
te [particule], *et* (pour les adjectifs)
tebukuro, *gant(s)*
têburu, *table*
tegami, *lettre*
teimashita, *avoir été en train de*
teimasu, *être en train de*
teinen, *retraite à la limite d'âge*
tekudasai, (forme affirmative de l'impératif)
ten, *point*
ten-in, *vendeur(se) ; employé dans un magasin*
tenisu, *tennis*
tenki, *temps qu'il fait*
ten'nô, *empereur*
tenpura, *beignet de légume ou de poisson* (plat japonais)
têpu-rekôdâ, *magnétophone*
terebi, *télévision*
tî-kappu, *tasse à thé*
tî-potto, *théière*
to, *et* (pour lier les noms)
to, *avec*
tobu ①, *voler* (avion)
toire, *toilettes*
tokei, *montre ; horloge*
toki, *au moment ; quand*
tokidoki, *de temps en temps*
to kikimashita, *avoir entendu dire que...*
tôfu, *pâte de soja*
toki, *moment ; temps ; au moment où ; quand*
tokoro, *endroit ; lieu*
tokoya, *coiffeur ; salon de coiffure*
tokubetsu [Q-adj], *spécial ; exceptionnel*
tokui [Q-adj], *fort ; très bon ; doué ; point fort*
tokuni, *surtout ; particulièrement*
Tôkyô, *Tokyo*
tomarimasu, *s'arrêter*
tomaru, *s'arrêter*
tomodachi, *ami(e/s/es)*
Tomoko [prénom féminins], *Tomoko*
tonari, *voisin ; (à) côté (de)*
tondeimasu, *être en train de voler*
tonikaku, *en tout cas*
too, *dix*
toranpetto, *trompette*
tori, *oiseau*
torimashita, *avoir pris*
torimasu, *prendre*
toru ①, *prendre*
toshokan, *bibliothèque*
totemo, *très ; beaucoup*
tsugi, *prochain*
tsukaimasendeshita, *ne pas avoir utilisé*
tsukaimasu, *utiliser*
tsukaremashita, *fatigué ; s'être fatigué*

tsukareru, *se fatiguer*
tsukau ①, *utiliser*
tsukeru ①, *mettre*
tsûkônin, *passant*
tsukue, *bureau* (objet pour écrire)
tsukuru (30D) ①, *composer ; faire ; fabriquer*
tsumaranai (9B), *sans intérêt*
tsumetai [adj], *froid* (objet)
tsumori, *intention*
tsuri, *pêche à la ligne*
tsutometeimasu, *travailler* (depuis...)
tsutomeru, *travailler*
tsûyaku, *interprète*
tsuyoi [adj], *fort*
tsuzukimasu, *continuer ; durer*
tsuzuku ①, *continuer ; durer*

- U -

uchi, *maison*
udedokei, *montre*
udon, *nouilles de blé*
ue, *dessus*
Ueda [nom de famille], *Ueda*
uisukî, *whisky*
ukiyoe, *estampe japonaise* [voir D4, p.309]
uma, *cheval*
umaku, *habilement*
umi, *mer*
unten, *conduite*
unten-menkyoshô, *permis de conduire*
untensuru, *conduire*
urayamashii [adj], *enviable*
uriba, *rayon*
urimasu, *vendre*
uru ③, *vendre*
ushi, *vache*
ushiro, *derrière* (nom)
uso, *mensonge*
uso o tsuku, *mentir*
uta, *chanson*
utau ①, *chanter*
utsukushii [adj], *joli ; beau*

- W -

wa [particule de thème], *quant à ; en ce qui concerne*
wa [particule], (soulignant ce qui est nié)
wafuku, *vêtement traditionnel japonais*
wain, *vin*
wakareru ②, *se séparer*
wakareteimasu, *être divisé*
wakarimashita, *(j'ai) compris ; entendu*
wakaru ①, *comprendre ; voir*
warui [adj], *mauvais*
wasabi, *raifort rapé*
washi, *papier japonais*
wasuremasendeshita, *ne pas avoir oublié*
wasuremasu, *oublier*
wasuremono, *objet qu'on a oublié*
wasurenaidekudasai, *N'oubliez pas, s'il vous plaît*
wasureru ②, *oublier*
watashi, *moi*
watashi no, *le mien*
watashitachi, *nous*
wan, *bol à soupe*

- Y -

yа, *et* (pour les noms) *; ou bien*
yakusoku, *rendez-vous ; promesse*
yakusokushimasu, *promettre*
yakusokusuru ③, *promettre*
yakyû, *base-ball*
yama, *montagne*
Yamada [nom de famille], *Yamada*
Yamaguchi [nom de famille], *Yamaguchi*
Yamamoto [nom de famille], *Yamamoto*
Yamashita [nom de famille], *Yamashita*
yarimasen, *ne pas faire*
yaru ①, *faire ; donner*
yasai, *légume*
yasashii [adj], *facile*
yasui, *bon marché*
yasumi, *repos ; jours de congé; pause ; vacances*
yasumimasendeshita, *ne pas s'être reposé*
yasumimasu, *se reposer*
yasumu ①, *se reposer*
yatteimasu, *faire*
yatteiru ②, *faire*
yat-tsu, *huit*
yo, *il est certain que...* (particule d'insistance) *; d'accord ?*
yôbi, *jour de la semaine*
yobikô, *école préparatoire*
yobimasu, *appeler*
yobu ①, *appeler*
yoji, *quatre heures*
yokatta, *avoir été bon (bien)*
yoku, *bien ; souvent ; beaucoup*
yoku arimasen, *ce n'est pas bien (bon)*
yomemasen, *ne pas savoir (ne pas pouvoir) lire*
yomemasu, *savoir (pouvoir) lire*
yomeru, *savoir (pouvoir) lire*
yomimashita, *avoir lu*
yomimasu, *lire*
yomu ①, *lire*
yon, *quatre*
yondeimasu, *être en train de lire*
yori, *par rapport à*
yorimasu, *passer*
yorokobimasu, *être content ; se réjouir*
yorokobu ①, *être content ; se réjouir*
yoroshiku, *je me recommande à vous*
yoru ①, *passer*
yoru, *soir ; nuit*
yôshi, *formulaire*
Yoshida [nom de famille], *Yoshida*
yotei, *projet ; plan ; intention*
yot-tsu, *quatre*
yoyaku, *rendez-vous ; réservation*
yoyaku-suru, *prendre (demander) un rendez-vous ; réserver*
yûbin, *poste*
yûbin-bangô, *code postal*
yûbinbutsu, *courrier*

yûbinkyoku, *bureau de poste*
yûbinkyoku-in, *postier ; employé de poste*
yûbin-posuto, *boîte aux lettres*
yûgata, *soir ; soirée ; crépuscule*
yûkan [Q-adj], *brave*
yukata, *vêtement traditionnel japonais pour l'été*
yuki, *neige*
-yuki [suffixe], *à destination de*
yukkuri, *lentement*
yûmei [Q-adj], *célèbre*
yûro, *euro*

- Z -

zannen, *dommage*
zasshi, *revue ; magazine*
zeikan, *douane*
zeiri-shi, *consultant fiscal*
zenbu, *total ; totalité ; tout*
zenbu de, *au total ; en tout*
zenzen, *(ne... pas) du tout*
zero, *zéro*
zubon, *pantalon*

① : verbe du groupe-1 ② : verbe du groupe-2 ③ : verbe du groupe-3
[adj] : adjectif [Q-adj] : quasi-adjectif

- A -

à, no / ni / e / de [particule]
abord (d'), mazu
absence, rusu
absenter (s'), yasumu ①
accident, jiko
accident de la circulation, kôtsû-jiko
accord (d'), yo [particule] ; wakarimashita
acheté (avoir), kai-mashita
acheter, kau ①
adoré, daisuki [Q-adj]
adorer, daisuki desu
aéroport, kûkô
affairé, isogashii [adj]
affaire urgente, kyûyô
acide, suppai [adj]
âge, toshi ; nenrei ; -sai [suffixe]
agent de police, keisatsukan
agréable, kaiteki [Q-adj]
ah bon, sô
aimable, shinsetsu [Q-adj]
aimer, suki desu
aimer (ne pas), suki dewa arimasen ; suki ja arimasen ; kirai desu
ainsi, sô
aisée, raku [Q-adj]
alcool, o-sake ; sake
alimentation, shokuhin
allé (être), ikimashita
aller, iku ① ; ikimasu
aller (ne pas), ikimasen
Allemagne, Doitsu
allez, s'il vous plaît, ittekudasai
allô, moshi moshi
allons, ikimashô
allumette, macchi
alors, dewa ; ja ; soreja ; sorede
ami(e/s/es), tomodachi ; yûjin
amusant, tanoshii [adj]
amuser (s'), asobu ①
an dernier (l'), kyonen
an prochain (l'), rainen
ancien, furui [adj]
anglaise (langue), eigo
Angleterre, Igirisu
animé, nigiyaka [Q-adj]
année (cette), kotoshi
année (chaque), mainen
anniversaire, tanjôbi
annulation, kyanseru
annuler, kyanseru-suru ③
août, hachi gatsu
à partir de, kara [particule]
appareil électroménager, kadenseihin
appareil photo, kamera
appartement, apâto
appeler, yobu ① ; denwa-suru ③
apposer, osu ①
apprendre, narau ①; naratteiru

② ; naratteimasu ; manabu ①
apprendre (être en train d'), naratteiru ② ; naratteimasu
apprendre (à quelqu'un), oshieru ②
approprié à (le plus), (ni) saiteki
après-midi, gogo
arbre, ki
argent (de l'), kane ; o-kane
aristocrate, kizoku
arrangement floral, ikebana ; kadô
arranger (des fleurs dans un vase), ikeru ②
arrêt (autobus, taxi), noriba
arrêt de bus, basu-tei
arrêter (s'), tomaru ①
art théâtral, engeki
ascenseur, erebêtâ
Asie, Ajia
aspirateur, sôjiki
assaisonnement, chômiryô
asseoir (s'), suwaru ①
assez, daibu
assiette, sara
assurance de soins, kaigo-hoken
atlas, chizu
attendre, matsu ①
attendre (être en train d'), matteimasu
auberge japonais, ryokan
aujourd'hui, kyô
aussi, mo [particule]
autant, sonnani ; sorehodo
autobus, basu
automne, aki
avance (être en), susundeiru ②
avancer, susumu ①
avant, mae
avant-hier, ototoi
avare, kechi [Q-adj]
avec, de [particule] ; to [particule]
avion, hikôki
avion (par), kôkûbin de
avocat, bengoshi
avoir, arimasu ; aru ① ; imasu; iru ②
avril, shi gatsu

- B -

baguettes, hashi
baisser le prix, makeru ②
banal, heibon [Q-adj]
banane, banana
banque, ginkô
Banque du Japon, Nihon-ginkô
bas, shita
base-ball, yakyû
base-ball professionnel, puro-yakyû
bateau, fune
bateau (par), funabin de
bâtiment, biru ; tatemono
beau, kirei [Q-adj] ; utsukushii [adj] ; ii [adj]
beaucoup, taihen [Q-adj]
beaucoup, takusan ; yoku ; totemo ; ooi [adj]
beaucoup (dans la phrase négative), amari
beaucoup de, takusan no

beau temps, hare ; ii tenki
beignet de légume ou de poisson, tenpura
bête, baka [Q-adj]
beurre, batâ
bibliothèque, toshokan
bicyclette, jitensha
bien, ii [adj] ; yoku
bien (ça fait du), kimochi ii [adj]
bien que, kedo
bientôt, môsugu
bienveillant, shinsetsu [Q-adj]
bière, bîru
billet, kippu
blanc, shiroi [adj] ; shiro [nom]
bleu, aoi [adj] ; ao [nom]
bœuf, ushi
bois, hayashi
boisson, nomimono
boire, nomu ① ; nomimasu
boire (être en train de), nondeiru ② ; nondeimasu
boire (avoir été en train de), nondeimashita
boîte aux lettres, yûbinposuto ; posuto
bol à riz, chawan
bol à soupe, o-wan ; wan
bon, oishii [adj] ; ii [adj] ; tokui [Q-adj] ; jôzu [Q-adj]
bon (ne pas être), nigate [Q-adj] ; heta [Q-adj]
bon courage, ganbatte
bon marché, yasui [adj]
bonjour, ohayô ; ohayô-gozaimasu [mot de déférence] / konnichiwa
bonsoir, konbanwa
bonus, bônasu
boucher, niku-ya
boucherie, niku-ya
boulanger, pan-ya
boulangerie, pan-ya
boulier, soroban
brave, yûkan [Q-adj]
briquet, raitâ
bureau, tsukue
bureau (lieu), kaisha
bureau de poste, yûbin-kyoku

- C -

ça, sô
cabine téléphonique, denwa-bokkusu
Cabinet, Naikaku
cache-col / cache-nez, mafurâ
cadeau, purezento; okurimono
ça fait longtemps que, hisashiburi ; o-hisashiburi
café (boisson), kôhî
café (lieu), kissaten ; kafe
cafetière, kôhî-potto ; kôhî-wakashi
cahier, nôto
caisse, reji
cake, kêki
calligraphie, shodô
calme, shizuka [Q-adj]
Canada, Kanada
canapé, sofâ
capable, dekiru ② ; dekimasu
carrefour, kôsaten
cartable, kaban
carte, chizu

carte bancaire, kyasshukâdo
carte de nouvel an, nengajô
carte de visite, meishi
carte postale, ehagaki
cas, baai
cas (en tout), tonikaku
caserne des sapeurs-pompiers, shôbôsho
cause, gen'in
cause de (à), de [particule]
ça va, daijôbu
CD, CD (shî-dî)
CDRom, CD(shî-dî)-romu
ce (cet, cette)...ci, kono
ce (cet, cette)...là, sono
ce (cet, cette)...là-bas, ano
ceci (celui-ci, celle-ci), kore
cela (celui-là, celle-là), sore
cela là-bas, are
célèbre, yûmei [Q-adj]
cendrier, haizara
ce n'est pas, ja arimasen ; dewa arimasen
centre, mannaka
ce qui est noir, kuroi no
cérémonie du thé, sadô ; o-cha
cerisier, sakura
c'est, desu [mot poli]
cet endroit-ci, koko
cet endroit-là, soko
cette personne-ci, kochira [mot de politesse]
chaîne stéréo, sutereo
chaise, isu
chambre, heya
Chambre des conseillers, Sangi-in
Chambre des représentants, Shûgiin
champ, nohara
changer, kaeru ② ; ryôgae-suru ③
changer en (se), (ni) kawaru ① ; kawarimasu
chanson, uta
chanter, utau ①
chapeau, bôshi
chaque jour, mainichi
chaque semaine, maishû
chaque année, mainen ; maitoshi
chasse aux feuilles rougies, momiji-gari [voir D4, p.324]
chat, neko
chaud, atsui [adj]
chaud et humide, mushi-atsui [adj]
chauffage, danbô-kigu
chaussette(s), kutsushita
chaussure(s), kutsu
chemin, michi
chemise, shatsu
cher, takai [adj]
chercher, sagasu ①
cheval, uma
chic, shikku [Q-adj]
chien, inu
Chine, Chûgoku
Chinois, Chûgoku-jin
choisir, erabu ① ; ni suru ③ ; ni shimasu
chose, mono ; koto
chouette, suteki [Q-adj]
cigarette, tabako

cinq, go ; itsu-tsu
cinq cents, go hyaku
cinq heures, goji
cinq minutes, gofun
circulation, kôtsû
circulation à sens interdit, ippô-tsûkô
citron, remon
claire , akarui [adj]
client, kyaku ; o-kyaku-sama [mot de déférence]
climatiseur, kûrâ ; eakon
cœur (avoir mal au), kibun
code postal, yûbin-bangô
coiffeur, tokoya ; biyôshi
collège, chûgakkô
collègue, dôryô
collier, nekkuresu
colis, kozutsumi
combien (pour le prix), ikura
combien de (livres), nan-satsu
comme, kara [particule]
comment, dô ; ikaga
commissariat, keisatsu-sho
commode, benri [Q-adj]
compagnie, kaisha
complet, manseki ; man'in
compliqué, fukuzatsu [Q-adj]
composer (un poème), tsukuru ①
comprendre, wakaru ①
compris (avoir), wakarimashita
comptable agréé, kônin-kaikei-shi
compte, kôza
concert, konsâto
concours, shiken
concours d'entrée, nyûgaku-shiken
condiment, chômiryô
conduire, untensuru ①
conduite, unten
confiture, jamu
confortable, kaiteki [Q-adj] ; raku [Q-adj]
congé, kyûjitsu ; kyûka ; yasumi
connaître, shitteimasu ; shitte-iru ②
connaître (ne pas), shirimasen
connecter sur (se), (ni) setsu-zoku-suru ③
connexion, setsuzoku
constitution, kenpô
consultant fiscal, zeiri-shi
consultation médicale, shin-satsu
contact, renraku
contemplation des cerisiers en fleurs, o-hanami [voir D4, p.324]
continuer, tsuzukimasu ; tsuzuku ①
contraire, hantai
contravention pour excès de vitesse, supîdo-ihan
Corée du sud, Kankoku
Coréen, Kankoku-jin
côté (à....de), tonari
coucher (se), neru ②
courriel, mêru
courrier, yûbinbutsu
courrier électronique, mêru
courses, kaimono
Cour Suprême, Saikô-saiban-

sho
couteau, naifu
cracker japonais, senbei
cravate, nekutai
crépuscule, yûgata
cuillère, supûn
cuisine, ryôri
cuisine française, furansu ryôri
cuisine japonaise, nihon ryôri
culture, bunka
curiosité, kyômi ; kôkishin

– D –

d'abord, mazu
d'accord, yo [particule] ; wakarimashita ; ii desu yo
dangereux, kiken [Q-adj]
dans, de ; ni [particule]
dans ce cas, ja ; soreja
danse, dansu
de, no
de ce côté-ci, kochira
décembre, jûni gatsu
décision, kimari ; o-kimari
dedans, naka ; naka ni
déjà, mô
déjeuner, hirugohan
de la part de, kara [particule]
délicieux, oishii [adj]
demain, ashita
demander un rendez-vous, yoyaku-suru ③ ; menkai wo tanomu ①
demi(e), han
démodé, furui [adj]
dent, ha
dentiste, haisha
départ, shuppatsu
de plus, soreni
depuis, kara [particule] ; mae kara
derrière, ushiro
désagréable, iya [Q-adj]
descendre, oriru ②
désolé, sumimasen
désormais, korekara
dessin, e
dessiner, kaku ①
dessous (au-), shita (ni/ de)
dessus (au-), ue (ni)
destination de (à), -yuki
détaillant, kouri-ten
détaillé, kuwashii [adj]
détestable, iya [Q-adj]
détesté, kirai [Q-adj]
détester, kirai desu
deux, ni ; futa-tsu
deux (les), dochiramo
deux heures, niji
deuxième étage, san-kai
deux mois, nikagetsu
deux mois (tous les), nikagetsu ni
devant, mae
devenir, naru ① ; narimasu
devenu (être), narimashita
d'habitude, futsû
dictionnaire, jisho
Diète, Kokkai
difficile, muzukashii [adj]
dimanche, nichiyôbi
dîner, bangohan / yûshoku
disque compact, konpakuto

disuku
discuter, hanashiau ①
discution, sôdan ; hanashiai
dissipation, kaishô
distinction, kubetsu
divan, sofâ
divisé (être), wakareteimasu ; wakareteiru ②
dix, jû ; too
dix heures, jûji
dix minutes, juppun
dollar, doru
dommage, zannen [Q-adj]
donc, dakara
dormir, neru ② / nemuru ①
donnez-moi s'il vous plaît, kudasai
douane, zeikan
doué, tokui [Q-adj] ; jôzu [Q-adj]
douloureux, itai [adj]
doux, atatakai [adj]
douze, jûni
douze heures, jûniji
droit (tout), massugu
droite, migi
du courage, ganbatte
Dupont, Dyupon
dur, hâdo [Q-adj] ; taihen [Q-adj]
durer, tsuzukimasu ; tsuzuku ①
DVD, dî-bui-dî

- E -

école, gakkô
école de formation des langues étrangères, gogaku-gakkô
école de formation spécialisée, senmon-gakkô
école préparatoire, juku ; yobikô
école primaire, shôgakkô
école secondaire, chûgakkô
économie, keizai
économie japonaise, nihon-keizai
économique, keizaiteki [Q-adj]
écouter, kiku ①
écrire, kaku ①
éducation, kyôiku
effort, doryoku
élection, senkyo
élégant, ereganto [Q-adj]
elle, kanojo
elles, kanojotachi
embouteillage, jûtai
empereur, ten'nô
emploi, koyô
emploi à vie, shûshin-koyô
employé dans un magasin, ten-in
employé de banque, ginkô-in
employé de bureau, kaisha-in
employée de bureau, ôeru
employé de gare, eki-in
employé de poste, yûbin-kyoku-in ; kyokuin
emprunter, kariru ②
en, e / de / ni [particule]
en ce qui concerne, wa [particule] ; ni kanshite wa
enchanté, hajimemashite
encore, mata ; mada
encore plus, motto
encre de Chine, sumi
endroit, tokoro ; basho

endroit là-bas, asoko
enfant, ko ; kodomo
ennuyeux, taikutsu [Q-adj]
enseignant, kyôshi ; sensei
ensemble, issho ; issho ni
entendu, wakarimashita
entreprise, kaisha, kigyô
enveloppe, fûtô
enviable, urayamashii [adj]
environ, goro ; gurai
environs (à ces), kono hen ni
envoyé (avoir), okurimashita
envoyer, okuru ① ; okurimasu; dasu ①
envoyer le courrier électronique, mêru-suru ③ ; mêru-shimasu
épatant, suteki [Q-adj]
épicé, karai
épouse, kanai ; okusan [mot poli]
ère Taisho, Taishô-jidai
espèce, genkin
estampe japonaise, ukiyoe [voir D4, p.309]
et (énumération complète), to [particule]
et (énumération incomplète), ya [particule]
et (pour les adjectifs), te
et (pour les quasi-adjectifs), de
et [conjonction], soshite
étage, kai
États-Unis, Amerika
été, natsu
été (avoir), deshita
étonnant, bikkuri
être, desu [mot poli]
être, aru ① ; arimasu ; iru ② ; imasu
être en train de, teimasu
être ouvert, aiteiru ②
étroit, semai [adj]
études, benkyô
étranger, gaikoku ; gaikoku-jin
étudier, benkyôsuru ③
étudier (être en train d'), benkyôshiteimasu
euro, yûro
eux, karera
exact, sô
examen, shiken
excellent, subarashii [adj]
exceptionnel, tokubetsu [Q-adj]
excursion, haikingu
excusez-moi, sumimasen
exister, aru ① ; iru ②
explication, setsumei
expliquer, setsumeisuru ③
exprès (par), sokutatsu de
extraordinaire, sugoi [adj]

– F –

face (en...de), shômen
facile, raku [Q-adj] ; yasashii [adj]
façon (de faire), shikata
faire, suru ③ ; yaru ① ; shimasu ; tsukuru ① ; naru ①
faire (être en train de), shiteimasu ; shiteiru ② ; yatteimasu ; yatteiru ②
faire (ne pas), shimasen

faire le ménage, sôjisuru ③
fait, koto
falloir, kakaru ① ; kakarimasu
famille, kazoku
fatigant (peu), raku [Q-adj]
fatigue, tsukare
fatigué, tsukareta
fatiguer (se), tsukareru ②
faut (il), kakaru ① ; kakarimasu
fax, fakkusu ; fakushimiri
félicitations, omedetô
féliciter, iwau ① ; iwaimasu ; o-iwaishimasu
femme, onna no hito ; onna ; josei ; okusan ; kanai
fenêtre, mado
fer à repasser, airon
fermer, shimeru
fête, iwai ; o-iwai ; pâtî
fêter, iwau ① ; iwaimasu ; o-iwaishimasu ; pâtî o suru ③ ; pâtî o shimasu
feu d'artifice, hanabi
feu (de circulation), shingô
feuille rougie, kôyô [voir D4, p.324]
février, ni gatsu
fièvre, netsu
film, eiga
finance, kin'yû
firme, kaisha
fleur, hana
floraison (pleine), mankai
flûte, furûto
fois, -do [suffixe]
fois (prochaine), kondo
fonctionnaire, kômu-in
football, sakkâ
Forces d'autodéfense, Jieitai
forme (se sentir en), genki [Q-adj] ; o-genki [Q-adj]
formidable, sugoi [adj]
Formose, Taiwan
Formosan, Taiwan-jin
formulaire, yôshi
fort, tsuyoi [adj] ; tokui [Q-adj]
fort (ne pas être), nigate [Q-adj]
fort (odeur), kusai ; tsuyoi [adj]
foulard, sukâfu
fouiller, sagasu ①
four à micro-ondes, denshirenji
fourchette, fôku
foyer, uchi ; ie ; otaku
frais, suzushii [adj]
fraise, ichigo
Français, Furansujin
française (langue), furansu-go
France, Furansu
froid, tsumetai (objet) [adj] ; samui (climat) [adj]
fromage, chîzu
fruit, kudamono
Fuji (le mont), Fujisan
fumer, suu ① ; suimasu

– G –

gai, akarui [adj] ; nigiyaka [Q-adj]
gant(s), tebukuro
gare, eki
gâteau, okashi ; kêki
gauche, hidari
gens, hito ; hitobito ; hitotachi

gentil, shinsetsu [Q-adj]
golf, gorufu
golf professionnel, puro-gorufu
gorge, nodo
gouvernement, seifu
grand frère, ani ; o-nii-san [mot déférent]
grand magasin, depâto
grand-mère, sobo ; o-baa-san [mot déférent]
grand-père, sofu ; o-jii-san [mot déférent]
grande sœur, ane ; o-nee-san [mot déférent]
gratification de retraite, taisho-kukin
grave, taihen [Q-adj]
guerre, sensô
guerre des examens, juken-sensô
gymnastique, taisô

– H –

habile, jôzu [Q-adj]
habilement, jôzuni ; umaku
habiter, sumu ①
habitude (d'), futsû
habituel, itsumo no
haiku, voir D4, p.293
haut, takai [adj]
Hawaï, Hawai
Hayashi, Hayashi [nom de famille]
Hélène, Erênu
hélicoptère, herikoputâ
heure, jikan
heure (tout à l'), sakki ; ato de
heure de pointe, rasshu-awâ
hier, kinô
hiragana (écriture), hiragana
histoire, hanashi ; rekishi
hiver, fuyu
hobby, shumi
Hokkaido, Hokkaidô
homme, otoko no hito ; otoko ; dansei
Honda, Honda [nom de famille]
hôpital, byôin
horloge, tokei
hôtel, hoteru
huit, hachi ; yat-tsu
huit heures, hachiji

– I –

ici, koko ; kochira [mot de politesse]
idée, kangae ; aidea
idéogramme, kanji
idiot, baka [Q-adj]
il est, desu
il est possible que..., kamo shire-masen
il y a, mae
il y a, arimasu ; aru ① ; imasu; iru ②
il n'y a pas, arimasen
il y a longtemps que, hisashiburi; o-hisashiburi
imbécile, baka [Q-adj]
immédiatement, suguni ; sugu
impoli, shitsurei [Q-adj]
impolitesse, shitsurei
important, jûyô [Q-adj]
impossible, muri [Q-adj]
incommode, fuben [Q-adj]

indiquer, oshieru ②
indispensable, nakutewa naranai [adj]
Indonésie, Indoneshia
Indonésien, Indoneshia-jin
infirmier, kangoshi
infirmière, kangofu
informations, nyûsu ; jôhô
infraction à l'interdiction de stationner, chûsha-ihan
ingénieur, enjinia
inoccupé, hima [Q-adj]
inquiet, shinpai [Q-adj]
inscrire, kinyû-suru ③
installer(s'), sumu ①
instant (un), chotto
instrument de musique, gakki
intention, yotei ; tsumori
intéressant, omoshiroi [adj]
intéresser à (s'), ni kyômi ga aru ① ; ni kyômi ga arimasu ; ni kyômi o motteiru ② ; ni kyômi o motteimasu
intêret, kyômi
intérieur (à l'...de), (no) naka (ni)
internet, intânetto
interprète, tsûyaku
inutile, dame [Q-adj] ; muda [Q-adj]
invitation, shôtai
invité (être), shôtaisareteiru ②
Italie, Itaria
italienne (langue), itaria-go

- J -

jambe, ashi
janvier, ichi gatsu
Japon, Nihon
Japonais, Nihon-jin
japonais, nihon-go
japonaise (langue), nihon-go
jaune, kiiroi [adj] ; kiiro [nom]
jazz, jazu
je me recommande à vous, yoroshiku
je vous prie, dôzo ; o-negaishimasu
Jean, Jan [prénom]
jeudi, mokuyôbi
Jeux Olympiques, Orinpikku
J League, jê-rîgu
job, baito ; arubaito
joli, utsukushii [adj] ; suteki [Q-adj]
jouer (d'un instrument à corde), hiku ①
jouer (d'un instrument à vent), fuku ①
jouer (d'un instrument de musique), ensôsuru ③
jouet, omocha
jour de la semaine, yôbi
jour férié, shukujitsu
journal, shinbun
journaliste, jânarisuto
jours (tous les), mainichi
joyeux, tanoshii [adj]
judo, jûdô
juillet, shichi gatsu
juin, roku gatsu
jupe, sukâto
jus, jûsu
jus d'orange, orenji jûsu
jusqu'à, made [particule]

juste, sô
justement, chôdo

- K -

Kabuki, Kabuki (voir D4, p.277)
katakana (écriture), katakana
Kato, Katô [nom de famille]
ketchup, kechappu
Kyoto (la ville de), Kyôto

- L -

là-bas, asoko
lait, miruku ; gyûnyû
langage de politesse, keigo
langue étrangère, gaikoku-go
large, hiroi [adj]
laver, arau ①
lecteur de CD, CD (shî-dî)-purêyâ
léger, karui [adj]
légume, yasai
lent, yukkuri
lequel, dore ; dochira
lessive, sentaku
lettre, tegami
leur, karera no / kanojotachi no
lever (se), okiru ②
librairie, hon-ya
libre, jiyû [Q-adj] / hima [Q-adj]
lieu, tokoro ; basho
lire, yomu ① ; yomimasu
lire (être en train de), yonde-imasu
livraison à domicile, takuhai-bin
livre, hon
logiciel, sofuto(uea)
logiciel de jeu, gêmu-sofuto
Londres, Rondon
longtemps (ça fait), hisashiburi; o-hisashiburi
louer, kariru ② ; kasu ①
lourd, omoi [adj]
lu (avoir), yomimashita
lui, kare
lundi, getsuyôbi
lunettes, megane
lutte traditionnelle japonaise, sumô
lutteur, rikishi
lycée, kôkô ; kôtôgakkô

- M -

ma, watashi no
machine à coudre, mishin
machine à écrire, taipuraitâ
machine à laver le linge, sentakuki
Madame, ...-san
Mademoiselle, ...-san
magasin, mise
magasin (grand), depâto
magasin de chaussures, kutsu-ya
magasin de fleurs, hana-ya
magnétophone, têpurekôdâ
magnétoscope, bideodekki
magnifique, subarashii [adj] ; sugoi [adj]
mai, go gatsu
maintenant, ima ; korekara
maintenant (à partir de), kore kara
mais, demo ; kedo
maison, ie ; uchi ; otaku
mal, itai ; warui [adj]

maladie, byôki
maladroit, heta [Q-adj]
malhabile, heta[Q-adj]
manger, taberu ② / shokujisuru ③
manteau, kôto
manuel, manyuaru
marché, ichiba
marcher, aruku ①
mardi, kayôbi
mariage, kekkon
marier (se), kekkonsuru ③
mars, san gatsu
matin, asa
matin (ce), kesa
mauvais, warui [adj]
mauvais (goût), mazui [adj]
mauvais, heta [Q-adj] ; dame [Q-adj]
mayonnaise, mayonêzu
MD, emudî
médecin, isha
médicament, kusuri
melon, meron
ménage (faire le), sôji
mensonge, uso
mentir, uso o tsuku ①
mer, umi
merci, arigatô ; arigatô gozaimasu [mot déférent]
mercredi, suiyôbi
mère, haha ; okâsan
merveilleux, subarashii [adj]
mesquin, kechi [Q-adj]
métro, chikatetsu
mettre, kiru ② (chemise, veste); haku ① (jupe, pantalon, chaussures, chaussettes) ; kaburu ①(chapeau) ; kakeru ② (lunettes) ; tsukeru ② (parfum) ; suru ③ (foulard, collier, montre, gants)
mettre (être en train de), kiteimasu / haiteimasu
mettre (du temps), kakaru ① ; kakarimasu ; kakeru ②
Michel, Missheru (prénom)
midi, hiru / o-hiru
miel, hachimitsu
mien, boku no ; watashi no
mignon, kawaii
milieu, mannaka
ministre, daijin
mini-disque, mini-disuku
minute, fun / pun
mis (être), haitteiru ②
moi, watashi ; boku
moins, mae (pour l'heure)
mois (un), ikkagetsu
mois dernier, sengetsu
mois (par), ikkagetsu ni
mois prochain, raigetsu
moment, toki
moment (en ce), ima
moment où (au), toki (ni)
mon, watashi no
monnaie à rendre, otsuri
Monsieur, ...-san
montagne, yama
montre, udedokei ; tokei
montrer, miseru ②
Morita, Morita [nom de famille]

moto, ôtobai / baiku
mourir, shinu ①
moutarde, karashi ; masutâdo
moyen de (au), de [particule]
moyen de transport, norimono
moyennant, de [particule]
musique, ongaku
musique classique, kurashikku (ongaku)
musique de la cour, gagaku
musique japonaise, hôgaku

– N –

nager, oyogu ①
nager (être en train de), oyoide-imasu
Nakata, Nakata [nom de famille
natation, suiei
nature, shizen
nécessaire, hitsuyô [Q-adj]
neige, yuki
neiger, yuki desu ; yuki ga furu ① ; yuki ga futteimasu
ne pas être (+ nom / quasi-adj.), dewa arimasen
ne pas être (+ adj.), arimasen
ne... que, shika (...masen)
n'est-ce pas, ne
nettoyer, arau
nettoyer (être en train de), arat-teimasu
neuf (adj.), atarashii
neuf (chiffre), ku ; kyû : kokono-tsu
neuf heures, kuji
New York, Nyûyôku
ni l'un ni l'autre, dochiramo (...masen)
noir, kuroi [adj]
nom, namae ; sei ; myôji
nombreux, ooi
non, iie
notre, watashitachi no
nourriture, tabemono
nous, watashitachi
nouveau, atarashii [adj]
nouveau (à), mata
nouvel an, Shôgatsu
nouvelles, nyûsu
novembre, jûichi gatsu
nuit, yoru
nul, dame [Q-adj] ; baka [Q-adj]

– O –

objet, mono
objet oublié, wasuremono
obtention d'un travail, shû-shoku
occupé, isogashii [adj]
octobre, jû gatsu
offrir, okuru ① ; okurimasu
oiseau, tori
onze, jûichi
onze heures, jûichiji
opéra, opera
orange, orenji
ordinateur, konpyûtâ
ordinateur portable, nôtopaso-kon
Osaka (la ville d'), Ôsaka
ôter, nugu
ou, ka [particule] ; toka ; soretomo

où, doko (cf. *quel endroit*)
oublier, wasureru ②
oui, hai ; sô
outre (en), soreni
outre-mer, kaigai
ouvert (être), aiteiru ②
ouvrir, akeru ② ; hiraku ①

– P –

paille, sutorô
pain, pan
paisible, heiwa [Q-adj]
panier-repas, bentô ; o-bentô
panier-repas pour le voyage, ekiben
pantalon, zubon
papier à lettre, binsen
papier japonais, washi
par, de [particule]
parapluie, kasa
parc, kôen
parce que, kara ; node
par conséquent, dakara
pardon, shitsurei-shimasu ; sumimasen
pareil, sô ; onaji
parents, ryôshin ; go-ryôshin [mot de déférence]
parfum, kôsui
Paris, Pari
parking, chûsha-jô ; pâkingu
parler, hanasu ①
parler (être en train de), hanashiteimasu
part de (de la), kara
particulièrement, tokuni
partir, dekakeru ② / shuppatsusuru ③
partir de (à), kara [particule]
passeport, pasupôto
passer, yoru ① ; yorimasu
pâte de riz cuit à la vapeur et pilonné, mochi
pâte de soja, tôfu
pâte de soja fermenté, miso
patinage, sukêto
pâtisserie, kêki
pause, yasumi ; kyûkei
payer, harau ① ; haraimasu ; shiharau ① ; shiharaimasu
pays, kuni
pays étranger, gaikoku
pêche (à la ligne), tsuri
peindre, kaku ① ; egaku ①
peintre, gaka
peinture, e
peinture à l'aquarelle, suisaiga
peinture à l'huile, aburae
peinture japonaise, nihonga
pénible, taihen [Q-adj]
pension, nenkin
père, chichi ; otôsan
permis de conduire, untenmenkyoshô
personne, hito
petit, chiisai [adj]
petit déjeuner, asa-gohan ; chôshoku
petit frère, otôto ; otôto-san [mot poli]
petite sœur, imôto ; imôto-san [mot poli]
peu, sukunai [adj]
peu (un), chotto ; sukoshi ;

peu fatigant, raku [Q-adj]
peuple, kokumin
peut-être, tabun
photo, shashin
photographe, kameraman ; shashin-ka
piano, piano
pied, ashi
pied (à), aruite
pied (au...de), shita
Pierre, Piêru [prénom]
pinceau, fude
piquant, karai [adj]
pique-nique, pikunikku
piscine, pûru
place, seki ; basho ; tokoro
place non fumeur, kin'enseki
plaire (à), (no) ki ni iru ①
plaît (s'il vous), onegaishimasu ; tekudasai
plan, chizu ; yotei
plats du nouvel an, osechi-ryôri
pleuvoir, ame desu ; ame ga furu ① ; ame ga futteimasu
pluie, ame
plus (de / en), soreni
plus (de plus en), masu masu
plus (le), ichiban
plus (ne), mô
plus tard, atode
point, ten
point faible, nigate [Q-adj]
point fort, tokui [Q-adj]
point (sur ce), sono ten
poisson, sakana
poisson cru coupé en tranches, sashimi
poissonnerie, sakana ya
poivre, koshô
poli, reigi-tadashii [adj] ; teinei [Q-adj.]
pomme, ringo
populaire, ninki (no)
popularité, ninki
porte coulissante, fusuma
porter (pull, chemise), kite-imasu
porter (jupe, pantalon), haite-imasu
posséder, omochi desu
possible (il est), kamo shire-masen ; kanô [Q-adj]
poste aérienne, kôkûbin
postier, yûbinkyoku-in
pour, ni ; ni wa [particule] ; no tame ni
pourquoi, dôshite ; naze
pourquoi (c'est), sorede
pouvoir attendre, materu ②
pouvoir conduire, noreru ② ; untendekiru ②
pouvoir se coucher, nerareru ②
pouvoir écrire, kakeru ②
pouvoir emprunter, karirareru ②
pouvoir faire, dekiru ② ; deki-masu
pouvoir lire, yomeru ②
pouvoir manger, taberareru ②
pouvoir parler, hanaseru ② ; hanasemasu
pouvoir prendre (un véhicule), noreru ②

pouvoir rencontrer, aeru ②
pouvoir se lever, okirareru ②
pouvoir venir, korareru ②
pratique, benri [Q-adj]
préféré, suki [Q-adj]
préférer, (no) hô ga ii desu
premier (le), ichiban
première fois (pour la), hajimete
premier étage, ni-kai
Premier ministre, Sôridaijin ; Shushô
premier sous-sol, chika-ikkai
prendre (du temps), kakaru ① ; kakarimasu
prendre (un véhicule), noru ①
prendre (un plat), ni shimasu
prendre, toru ① ; ni suru ③ ; ni shimasu
prénom, namae
préparation, shitaku ; junbi
préparer (être en train de se), shitakushiteiru ②
près d'ici, kono hen ni
présentation, shôkai
présenter, shôkaisuru ③
prie (je vous), o-negai-shimasu
printemps, haru
pris (avoir), torimashita
probablement, tabun
problème, mondai
problème (pas de), daijôbu
prochain, tsugi no ; kondo no
prochaine fois, tsugi ; kondo
profession, shokugyô ; shigoto
programme, sukejûru ; yotei
projet, yotei
promesse, yakusoku
promettre, yakusoku-suru ③
propre, kirei [Q-adj]
proximité, chikaku ; soba
puant, kusai [adj]
publicité, senden ; kôkoku
puis, sorekara ; soshite
puisque, kara
pull-over, sêtâ

– Q –

qualification, shikaku
quand, itsu ; toki (ni)
quant à, wa [particule]
quart (d'heure), jûgofun
quatre, shi ; yon ; yot-tsu
quatre heures, yoji
quatre-vingts, hachi jû
que, nani ; nan
que faire ? , dôshimasu ka
quel, nani ; nan ; dono
quel âge, nan-sai
quelle destination, nani-yuki
quel endroit, doko
quel étage, nan-kai
quel genre de, donna
quelle heure, nanji
quelque chose, nanika
question, shitsumon ; mondai
questionner, shitsumon-suru
quelqu'un, dareka
que pensez-vous (de...), dô desu ka
qui, dare ; donata [mot de déférence]
quinze, jûgo
quinze minutes, jûgofun

quoi, nani ; nan

- R -

radiateur, danbô-kigu
radio, rajio
raifort rapé, wasabi
raisin, budô
raison, riyû
randonnée, haikingu
randonnée à bicyclette, saikuringu
randonnée en voiture, doraibu
rapide, hayai [adj]
rappeler, kakenaoshimasu ; kakenaosu ①
rapport à (par), yori ; (plus ; moins) que
ravissant, suteki [Q-adj]
rayon, kônâ ; uriba
récapitulation, matome
récemment, saikin
recherche, kenkyû
récit, hanashi
recommandé (en), kakidome (de)
recommander à (se), yoroshiku
réfléchir, kangaeru ②
réfléchir (être en train de), kangaeteiru ②
réfrigérateur, reizôko
regarder, miru ②
régime alimentaire, shokuseikatsu
réjouir (se), yorokobimasu ; yorokobu ①
remplir, kinyû-suru ③
rencontrer, au ①
rendez-vous, yakusoku ; yoyaku
rendez-vous (prendre, demander), yakusoku-suru ③
rentrer (chez soi), kaeru ①
repas, shokuji ; gohan
repos, yasumi ; kyûkei
reposer (se), yasumu ①
réservation, yoyaku
réserver, yoyaku-suru ③
ressembler, niteimasu ; niteiru ②
restaurant, resutoran
reste (pour le), ato wa
restructuration, risutora
retirer (de l'argent), hikidasu ①
retraite, taishoku
retraite à la limite d'âge, teinen (-taishoku)
revoir (au), sayônara
revue, zasshi
rez-de-chaussée, ikkai
rhume, kaze
rien (ne), nanimo (...masen)
rivière, kawa
riz, kome ; gohan
robot, robotto
Rome, Rôma
rond, marui [adj]
rouge, akai [adj] ; aka [nom]
rouler à gauche, hidarigawatsûkô
rue, michi / dôro

- S -

sa, kare no / kanojo no
saison, kisetsu
saké japonais, nihon-shu
salarié, sararîman

salé, karai [adj] / shio-karai [adj]
salle de bain, furo ; o-furo
salle de bain en plein air, roten-buro
salon de coiffure, tokoya; biyô-in
salon de thé, kissaten
samedi, doyôbi
sans intérêt, tsumaranai [adj]
santé, kenkô
santé (bonne), kenkô
santé (en bonne), genki [Q-adj]; o-genki [Q-adj]
sauce, sôsu
sauce de soja, shôyu
savoir, shitteimasu ; shitteiru ②
savoir (ne pas), shirimasen
savoir écrire, kakeru ②
savoir faire, dekiru ② ; dekimasu
savoir lire, yomeru ②
savoir parler, hanaseru ②
savoir prendre, noreru ② ; untendekiru ②
sceau, inkan ; hankô
secret, himitsu ; naisho
secrétaire, hisho
sel, shio
semaine, shû
semaine (par), shû ni
semaine (cette), konshû
semaine dernière, senshû
semaine d'or, gôruden-wîku
semaine prochaine, raishû
sentiment, kibun ; kanji ; kimochi
séparation tripartite, sanken-bunritsu
séparé (être), wakareteimasu ; wakareteiru ②
sept, shichi ; nana ; nana-tsu
sept heures, shichiji
septembre, ku gatsu
sérieux, majime [Q-adj]
service, sâbisu
serviette, napukin
serviette (de toilette), taoru
seul, hitori de
seulement, tada ; bakari
Shinkansen, Shinkansen, voir D4, p.269
signature, sain
signer, sain-suru ③
s'il vous plaît, dôzo ; sumimasen ; o-negai-shimasu
simple, kantan [Q-adj]
six, roku ; mut-tsu
six heures, rokuji
ski, sukî
société, shakai
société souffrant du vieillissement, kôreika-shakai
sœur aînée, ane ; o-nee-san [mot déférent]
sœur (petite, cadette), imôto ; imôto-san [mot déférent]
soie, kinu
soir, yoru ; ban
soir (chaque), maiban
soirée, pâtî ; yoru
soixante, roku jû
soja, daizu

soja fermenté, nattô
soldes, bâgen(sêru) ; sêru
sombre, kurai [adj]
son, kare no ; kanojo no
Sophie, Sofî [prénom]
sortir, demasu ; dekakeru ② ; gaishutsu-suru ③
souci, shinpai
soucoupe, sôsâ
soudainement, kyûni
souffler, fuku ①
soupe, sûpu
source thermale, onsen
sous-sol, chika
souvenir, miyage
souvent (dans la phrase négative), amari (...masen)
souvent, yoku
souvent (très), shottchû
spécialement, tokuni
sport, supôtsu
stage, kenshû
station, eki ; noriba
station (bus), noriba ; basu-tei
stationnement interdit, chûsha-kinshi
station service, gasorin-sutando
station thermale, onsen
stéréo, sutereo
stress, sutoresu
stylo à bille, bôrupen
stylo à encre, mannenhitsu
sucre, satô
sucré, amai [adj]
Suisse, Suisu
superbe, subarashii [adj]
supérette ouverte 24 heures sur 24, konbini
supermarché, sûpâ
sur, (no) ue ni
sûr, anzen [Q-adj]
sûrement, kitto
surtout, tokuni
Suzuki, Suzuki [nom de famille]
système chrétien de mesure du temps, seireki
système d'assurance de soins, kaigo-hoken-seido

- T -

ta (à toi), anata no
tableau, e
Taïwan, Taiwan
Takashi, Takashi [prénom masculin]
Tanaka, Tanaka [nom de famille]
tanka, voir D4, p.293
tant, sonnani ; sorehodo
tapis de paille, tatami
tard (plus), atode
tarder, okureru ②
tardif, osoi [adj]
tasse à café, kôhî-kappu
tasse à thé, tî-kappu
taxi, takushî
tchin-tchin, kanpai
technologie, gijutsu
télécopieur, fakushimiri ; fakkusu
télégramme, denpô
téléphone, denwa
téléphone portable, keitai-

denwa
téléviseur couleur, karâ-terebi
télévision, terebi
tellement (dans la phrase négative), sonnani / amari
temps, jikan ; toki ; tenki
temps en temps (de), tokidoki
temps nuageux, kumori
tenir (promesse), mamoru ①
tennis, tenisu
tenpura (= beignet de légume ou de poisson), tenpura
terrible, sugoi [adj]
tête, atama
Thaïlande, Tai
Thaïlandais, Tai-jin
thé, ocha ; cha
théière, tî-potto
théière pour le thé japonais, kyûsu
ticket, kippu ; chiketto
timbre, kitte
toi, anata
toilettes, toire
Tokyo (la ville de), Tôkyô
tomber (pluie, neige), furu ①
tomber (être en train de), futteimasu ; futteiru ②
Tomoko, Tomoko [prénom féminin]
ton, anata no
tôt, hayai [adj] ; hayaku [adverbe]
total, zenbu
totalité, zenbu
toujours, itsumo
touriste, kankôkyaku
tournez, s'il vous plaît, magatte-kudasai
tous les jours, mainichi
tout, zenbu
tout (en), zenbu de
tout (ne pas du), zenzen (...masen)
tout à l'heure, sakki ; ato de
tout de suite, sugu ; suguni
toux, seki
train, densha
tranquille, shizuka [Q-adj]
travail, shigoto ; o-shigoto ; rôdô ; shokugyô
travailler, hataraku ① ; hatarakimasu ; tsutomeru ② ; tsutomemasu ; shigoto o suru ③ ; shigoto o shimasu
trente, san jû
très, totemo ; taihen ; sugoku
très (dans la phrase négative), amari (...masen)
triste, kurai [adj] ; kanashii [adj]
trois, san ; mit-tsu
trois heures, sanji
trois mille, san zen
trompette, toranpetto
trouver (se), aru ①; iru ② ; haitteiru ②
typhon, taifû

– U –

un(e), ichi ; hito-tsu
une fois, ichi-do
une heure, ichiji
un peu, chotto ; sukoshi
université, daigaku

utiliser, tsukau ①

- V -

vacances, bakansu; yasumi
vache, ushi
valise, sûtsukêsu
vase, kabin
vélo, jitensha
vendeur(se), ten-in
vendre, uru ①
vendredi, kin'yôbi
venir, kuru ③ ; kimasu
vent, kaze
ventilateur électrique, senpûki
ventre, onaka
verre, koppu
vers, e [particule] ; goro
vérité, honto ; hontô ; shinjitsu
veste, uwagi ; jaketto
vêtement, fuku ; kimono
vêtement traditionnel japonais, kimono ; wafuku
vêtement traditionnel japonais pour l'été, yukata
viande, niku
vie (quotidienne), seikatsu
Viêt-nam, Betonamu
Vietnamien, Betonamu-jin
vieux, furui [adj] (pour l'objet)
ville, machi
vin, wain
vinaigre, su
violon, baiorin
visa, biza
vite, hayaku
vitesse limite, seigen-sokudo
voie maritime (par), funabin de
voir, miru ② ; au ① ; mieru ② ; miemasu ; wakaru ①
voisin, tonari
voiture, kuruma ; jidôsha
voler (avion, oiseau), tobu ①
votre (à vous), anata no ; anatatachi no
vouloir (faire), -tai desu
vouloir parler, hanashitai desu
vous (pl.), anatatachi
voyage, ryokô
voyage d'affaire, shuttchô
voyager, ryokôsuru ③ ; ryokô-shimasu
vrai, sô ; honto ; hontô
vraiment, hontô ni ; honto ni

- W -

week-end, shûmatsu
whisky, uisukî

- Y -

Yamada, Yamada [nom de famille]
Yamaguchi, Yamaguchi [nom de famille]
Yamashita, Yamashita [nom de famille]
yen, en (monnaie japonaise)

Impression réalisée sur Presse Offset par

BRODARD & TAUPIN
GROUPE CPI

15739 – La Flèche (Sarthe), le 15-11-2002
Dépôt légal : novembre 2002

POCKET – 12, avenue d'Italie - 75627 Paris cedex 13
Tél. : 01.44.16.05.00

Imprimé en France